Marcel Proust

Cahiers 1 à 75

de la

Bibliothèque nationale de France

sous la direction de
Nathalie Mauriac Dyer

Comité éditorial
Bernard Brun (†), Antoine Compagnon, Pierre-Louis Rey, Kazuyoshi Yoshikawa

Bibliothèque nationale de France
BREPOLS

Déjà parus dans la collection des « Cahiers 1 à 75 de la Bibliothèque nationale de France » :

Cahier 54, 2008.
Édition établie par Francine Goujon, Nathalie Mauriac Dyer et Chizu Nakano.

Cahier 71, 2009.
Édition établie par Francine Goujon, Shuji Kurokawa, Nathalie Mauriac Dyer et Pierre-Edmond Robert.

Cahier 26, 2010.
Édition établie par Françoise Leriche, Nathalie Mauriac Dyer, Akio Wada et Hidehiko Yuzawa.

Cahier 53, 2012.
Édition établie par Nathalie Mauriac Dyer, Kazuyoshi Yoshikawa et Pyra Wise.

Cahier 44, 2014.
Édition établie par Francine Goujon, Yuji Murakami et Eri Wada.

Cahier 67, 2016.
Édition établie par Simone Delesalle-Rowlson, Francine Goujon et Lydie Rauzier.

Marcel Proust

Cahier 7

Bibliothèque nationale de France
Nouvelles acquisitions françaises 16647

Édition critique et génétique

Introduction, transcription diplomatique,
notes et diagramme

Julie André, Emanuele Arioli et Matthieu Vernet

Analyse et index

Julie André

Secrétariat d'édition
Nathalie Mauriac Dyer et Pyra Wise

Bibliothèque nationale de France
BREPOLS

D/2021/0095/397

ISBN 978-2-503-57562-9
ISBN Bibliothèque nationale de France: 978-2-7177-2922-1

Printed in the E.U. on acid-free paper

Note des Éditeurs

Cette collection a pour objet l'édition de soixante-quinze cahiers que Marcel Proust a utilisés entre 1908 et 1922, durant l'élaboration du *Contre Sainte-Beuve* puis d'*À la recherche du temps perdu*, cahiers qui appartiennent au fonds Marcel Proust de la Bibliothèque nationale de France (NAF 16641-16702, NAF 18313-18325)[1].

Pour faciliter la consultation, le fac-similé de chaque cahier d'une part, sa transcription, l'apparat critique et le diagramme d'autre part, sont présentés en deux volumes. La pagination arabe du volume de fac-similés et celle du volume de transcription se correspondent. Le fac-similé de chaque cahier peut également être consulté sur le site Gallica de la Bibliothèque nationale de France ; l'URL correspondant est précisé en tête de la transcription.

Les feuillets et fragments de feuillets de ces cahiers qui, pour diverses raisons, figurent aujourd'hui sous d'autres cotes du fonds Marcel Proust sont donnés à leur place originelle s'ils ont été identifiés[2]. Un diagramme fait apparaître, sur des vignettes du fac-similé, les différentes unités textuelles et doit guider, dans les cas complexes, la lecture du manuscrit comme celle de la transcription. L'apparat critique s'efforce de mettre en valeur, autant que possible, les liens entre ces cahiers, les autres documents appartenant au fonds Marcel Proust de la Bibliothèque nationale de France ou détenus ailleurs, et les œuvres de Proust.

Les abréviations utilisées dans ce volume sont expliquées p. VI-IX.

Remerciements

Nous remercions la Bibliothèque nationale de France, les directeurs et conservateurs du département des Manuscrits, ainsi que l'Institut des Textes et Manuscrits modernes (École normale supérieure et CNRS, Paris) et sa direction.

1. D'autres cahiers ont servi pour la mise au net du *Côté de Guermantes II* et celle qui va de *Sodome et Gomorrhe I* à la fin du « Temps retrouvé » (NAF 16705-16707, NAF 16708-16727).
2. Ils sont clairement différenciés par leur présentation.

Abréviations[1]

1. Œuvres de Marcel Proust

1.1. *À la recherche du temps perdu*

RTP	*À la recherche du temps perdu*
I*, II*, III*	*À la recherche du temps perdu*, édition établie et présentée par Pierre Clarac et André Ferré, « Bibliothèque de la Pléiade », Gallimard, 1954.
I, II, III, IV	*À la recherche du temps perdu*, édition publiée sous la direction de Jean-Yves Tadié, avec, pour le volume I, la collaboration de Florence Callu, Francine Goujon, Eugène Nicole, Pierre-Louis Rey, Brian Rogers et Jo Yoshida ; pour le volume II, de Dharntipaya Kaotipaya, Thierry Laget, Pierre-Louis Rey et Brian Rogers ; pour le volume III, d'Antoine Compagnon et de Pierre-Edmond Robert ; pour le volume IV, d'Yves Baudelle, Anne Chevalier, Eugène Nicole, Pierre-Louis Rey, Pierre-Edmond Robert, Jacques Robichez et Brian Rogers ; « Bibliothèque de la Pléiade », Gallimard, 1987-1989.
AD	*Albertine disparue* (édition)
« A. d. »	« Albertine disparue » (dactylographie)
« A. S. »	« Un amour de Swann »
CG I, II	*Le Côté de Guermantes* I, II
DCS	*Du côté de chez Swann*
F	*La Fugitive*
JF	*À l'ombre des jeunes filles en fleurs*
SG I, II	*Sodome et Gomorrhe* I, II
« SG [I, II, III] »	« Sodome et Gomorrhe [I, II, III] » (dactylographies)
P	*La Prisonnière*
« P »	« La Prisonnière » (dactylographie)
TR	*Le Temps retrouvé*
« T. r. »	« Le Temps retrouvé » (manuscrit)

1.2. Autres

BA	John Ruskin, *La Bible d'Amiens*, traduction, notes et préface par Marcel Proust, Mercure de France, 1904.
Chron.	*Chroniques*, Librairie Gallimard, 1927.
CSB	*Contre Sainte-Beuve*, précédé de *Pastiches et mélanges* et suivi de *Essais et articles*, édition établie par Pierre Clarac avec la collaboration d'Yves Sandre, « Bibliothèque de la Pléiade », Gallimard, 1971.
CSB (F)	*Contre Sainte-Beuve* suivi de *Nouveaux mélanges*, préface de Bernard de Fallois, Gallimard, 1954.
EA	*Essais et articles*, dans *CSB*.

1. Sauf mention contraire, le lieu de publication des ouvrages est Paris.

ÉJ	*Écrits de jeunesse, 1887-1895*, textes rassemblés, établis, présentés et annotés par Anne Borrel avec la collaboration d'Alberto Beretta Anguissola, de Florence Callu, Jean-Pierre Halévy, Pierre-Edmond Robert, Marcel Troulay et Michel Bonduelle, Institut Marcel Proust international, Société des Amis de Marcel Proust et des Amis de Combray, 1991.
JS	*Jean Santeuil*, précédé de *Les Plaisirs et les jours*, édition établie par Pierre Clarac avec la collaboration d'Yves Sandre, «Bibliothèque de la Pléiade», Gallimard, 1971.
PJ	*Les Plaisirs et les jours*, dans *JS*.
PM	*Pastiches et mélanges*, dans *CSB*.
SL	John Ruskin, *Sésame et les lys*, traduction, notes et préface par Marcel Proust, Mercure de France, 1906.
TxR	*Textes retrouvés*, recueillis et présentés par Philip Kolb, avec une bibliographie des publications de Proust (1892-1971), édition revue et augmentée, *Cahiers Marcel Proust*, n° 3, Gallimard, 1971.

2. Transcriptions et éditions de manuscrits

Agenda	*L'Agenda 1906*, édition génétique et critique établie par Nathalie Mauriac Dyer, Françoise Leriche, Pyra Wise et Guillaume Fau, Éditions de la Bibliothèque nationale de France et OpenEdition books, 2015, édition numérique en libre accès : https://books.openedition.org/editionsbnf/1457
Bodmer	*Du côté de chez Swann. Combray*, premières épreuves corrigées, 1913, Fac-similé. Introduction et transcription de Charles Méla, Gallimard, et Cologny, Fondation Martin Bodmer, 2013.
Bricq.	*«Bricquebec». Prototype d'*À l'ombre des jeunes filles en fleurs, texte établi et présenté par Richard Bales, Oxford, Clarendon Press, 1989.
Cahier 00	*Cahiers 1 à 75 de la Bibliothèque nationale de France*, BnF/Brepols.
Cn	*Carnets*, édition établie et présentée par Florence Callu et Antoine Compagnon, Gallimard, 2002.
Cn 1908	*Le Carnet de 1908* [Carnet 1], établi et présenté par Philip Kolb, *Cahiers Marcel Proust*, n° 8, Gallimard, 1976.
Gr. Proofs	*Marcel Proust's Grasset Proofs. Commentary and Variants*, by Douglas Alden, Chapel Hill, University of North Carolina Press, 1978.
MPG	*Matinée chez la princesse de Guermantes. Cahiers du* Temps retrouvé, édition critique établie par Henri Bonnet en collaboration avec Bernard Brun, Gallimard, 1982.
Past.	*L'Affaire Lemoine. Pastiches*, édition génétique et critique par Jean Milly, Slatkine Reprints, Genève, 1994; réédition de *Les Pastiches de Proust*, Armand Colin, 1970.

3. Correspondance

Corr., t. I, II… *Correspondance de Marcel Proust*, texte établi, présenté et annoté par Philip Kolb, Plon, 1970-1993, 21 volumes.

Corr. gén. *Correspondance générale de Marcel Proust*, établie par Robert Proust, Paul Brach et Suzy Mante-Proust, Plon, 1930-1936, 6 volumes.

Corr. P-G Marcel Proust - Gaston Gallimard, *Correspondance*, édition établie, présentée et annotée par Pascal Fouché, Gallimard, 1989.

Corr. P-H *Lettres à Reynaldo Hahn*, présentées, datées et annotées par Philip Kolb, préface d'Emmanuel Berl, Gallimard, 1956.

Corr. P-R Marcel Proust – Jacques Rivière, *Correspondance (1914-1922)*, présentée et annotée par Philip Kolb, édition augmentée et corrigée, Gallimard, 1976.

Lettres *Lettres (1879-1922)*, sélection et annotation revue par Françoise Leriche, avec le concours de Caroline Szylowicz à partir de l'édition de la *Correspondance de Marcel Proust* établie par Philip Kolb. Lettres inédites, sélection et annotation par Françoise Leriche. Préface et postface de Katherine Kolb. Notices biographiques des correspondants par Virginie Greene. Plon, 2004.

4. Périodiques et usuels

BIP *Bulletin d'Informations proustiennes*, Presses de l'École normale supérieure (1975-1998), Éditions rue d'Ulm (1999-).

BMP *Bulletin Marcel Proust*, Société des Amis de Marcel Proust et des Amis de Combray (1989-).

BSAMP *Bulletin de la Société des Amis de Marcel Proust et des Amis de Combray* (1950-1988), devenu le *BMP*.

*CMP** *Cahiers Marcel Proust*, Librairie Gallimard (1927-1935, huit numéros parus).

CMP *Cahiers Marcel Proust*, nouvelle série, Gallimard (1970-1987, quatorze numéros parus).

Dict. *Dictionnaire Marcel Proust*, publié sous la direction d'Annick Bouillaguet et Brian G. Rogers, Champion, 2004 ; nouvelle édition revue et corrigée, 2014.

ÉP *Études proustiennes*, *Cahiers Marcel Proust* nouvelle série, Gallimard (1973-1987).

Growth Anthony Pugh, *The Growth of* À la recherche du temps perdu. *A Chronological Examination of Proust's Manuscripts from 1909 to 1914*, Toronto, University of Toronto Press, 2004, deux volumes.

Homm. *La Nouvelle Revue Française*, 1er janvier 1923, « Hommage à Marcel Proust ».

KPA *The Kolb-Proust Archive For Research*, University of Illinois at Urbana-Champaign Library.

MP1, 2… Série *Marcel Proust, La Revue des Lettres modernes*, Minard (1992-).

MPA *Marcel Proust aujourd'hui*, Société néerlandaise Marcel Proust, Amsterdam-New York, Rodopi (2003-).

Painter George D. Painter, *Marcel Proust. 1871-1922*, traduit de l'anglais par G. Cattaui et R.-P. Vial, édition revue, corrigée et augmentée d'une nouvelle préface de l'auteur, Mercure de France, 1992.

PRAN *Proust Research Association Newsletter*, University of Kansas (1969-1980, 22 numéros parus).

Tadié Jean-Yves Tadié, *Marcel Proust. Biographie*, Gallimard, 1996.

Autres ouvrages de référence :

Index général de la correspondance de Marcel Proust, établi sous la direction de Kazuyoshi Yoshikawa, Kyoto, Presses de l'Université de Kyoto, 1998.
Index général des cahiers de brouillon de Marcel Proust, édité par Akio Wada, Graduate School of Letters, Osaka University, 2009.

5. Autres abréviations et symboles utilisés

add.	addition
art.	article
BnF	Bibliothèque nationale de France
cf.	*confer* (comparer)
chap.	chapitre
cit.	cité(e,s)
corr.	corrigé(e,s)
d.	droit(e)
dact.	dactylographie
éd.	édition
épr.	épreuves
Esq.	*Esquisse* (dans *RTP*, I, II, III, IV)
f^{o}, f^{os}	folio(s)
g.	gauche
ibid.	*ibidem* (au même endroit)
id.	*idem*
ill.	illisible
inf.	inférieur(e)
l.	ligne
liv.	livre
m.	marge
méd.	médian(e), milieu
MF	microfilm
ms., mss	manuscrit(s)
n.	note(s)
NAF	Nouvelles acquisitions françaises (cotation de la BnF)
NRF	*La Nouvelle Revue Française* (revue)
NRF	Nouvelle Revue Française (maison d'édition)
op. cit.	*opere citato* (ouvrage cité)
pap.	paperole
pass.	passage
p. c.	papier collé
plac.	placard(s) d'imprimerie
or.	original(e)
r^{o}, r^{os}	recto(s)
sq.	*sequiturque* (et suivant[e], et suite)
sup.	supérieur(e)
t.	tome
transcr.	transcription
var.	variante
v^{o}, v^{os}	verso(s)
vol.	volume
< >	mot ou passage ajouté
<	transfert de
>	transfert vers
/	passage à la ligne
//	passage à la page suivante

Inventaire des manuscrits de Marcel Proust

1. Concordance des numéros des Cahiers 1 à 75 avec les cotes des Nouvelles acquisitions françaises de la Bibliothèque nationale de France

Cahier 1	NAF 16641	Cahier 26	NAF 16666	Cahier 51	NAF 16691
Cahier 2	NAF 16642	Cahier 27	NAF 16667	Cahier 52	NAF 16692
Cahier 3	NAF 16643	Cahier 28	NAF 16668	Cahier 53	NAF 16693
Cahier 4	NAF 16644	Cahier 29	NAF 16669	Cahier 54	NAF 16694
Cahier 5	NAF 16645	Cahier 30	NAF 16670	Cahier 55	NAF 16695
Cahier 6	NAF 16646	Cahier 31	NAF 16671	Cahier 56	NAF 16696
Cahier 7	NAF 16647	Cahier 32	NAF 16672	Cahier 57	NAF 16697
Cahier 8	NAF 16648	Cahier 33	NAF 16673	Cahier 58	NAF 16698
Cahier 9	NAF 16649	Cahier 34	NAF 16674	Cahier 59	NAF 16699
Cahier 10	NAF 16650	Cahier 35	NAF 16675	Cahier 60	NAF 16700
Cahier 11	NAF 16651	Cahier 36	NAF 16676	Cahier 61	NAF 16701
Cahier 12	NAF 16652	Cahier 37	NAF 16677	Cahier 62	NAF 16702
Cahier 13	NAF 16653	Cahier 38	NAF 16678	Cahier 63	NAF 18313
Cahier 14	NAF 16654	Cahier 39	NAF 16679	Cahier 64	NAF 18314
Cahier 15	NAF 16655	Cahier 40	NAF 16680	Cahier 65	NAF 18315
Cahier 16	NAF 16656	Cahier 41	NAF 16681	Cahier 66	NAF 18316
Cahier 17	NAF 16657	Cahier 42	NAF 16682	Cahier 67	NAF 18317
Cahier 18	NAF 16658	Cahier 43	NAF 16683	Cahier 68	NAF 18318
Cahier 19	NAF 16659	Cahier 44	NAF 16684	Cahier 69	NAF 18319
Cahier 20	NAF 16660	Cahier 45	NAF 16685	Cahier 70	NAF 18320
Cahier 21	NAF 16661	Cahier 46	NAF 16686	Cahier 71	NAF 18321
Cahier 22	NAF 16662	Cahier 47	NAF 16687	Cahier 72	NAF 18322
Cahier 23	NAF 16663	Cahier 48	NAF 16688	Cahier 73	NAF 18323
Cahier 24	NAF 16664	Cahier 49	NAF 16689	Cahier 74	NAF 18324
Cahier 25	NAF 16665	Cahier 50	NAF 16690	Cahier 75	NAF 18325

2. Autres manuscrits conservés dans le fonds Marcel Proust de la Bibliothèque nationale de France[1]

2.1. Œuvres diverses

Papiers scolaires : NAF 16611 (150 f^{os}).

Les Plaisirs et les jours :
- NAF 16612. Manuscrit autographe (257 f^{os}).
- NAF 16613. Dactylographie. Jeu incomplet (110 f^{os}).
- NAF 16614. Épreuves (f°s 1-23 : seconde épreuve en placards ; f°s 24-50 : première épreuve mise en page ; f°s 51-80 : fragment des bonnes feuilles).

Jean Santeuil : NAF 16615-16616. Manuscrit autographe (441 et 262 f^{os}).

Traductions des œuvres de Ruskin :
- *La Bible d'Amiens* : NAF 16617-16618 (214 et 207 f^{os}).
- *Sésame et les lys* :
  - NAF 16619. Manuscrit autographe (66 f^{os}).
  - NAF 16620. Dactylographie corrigée, jeu ayant servi à l'impression (102 f^{os}).
  - NAF 16621. Épreuves corrigées (f°s 1-31 : « Sur la lecture » ; f°s 32-204 : premières épreuves de *Sésame et les lys*, jeu complet ; f°s 205-252 : secondes épreuves incomplètes).

Dossier concernant les traductions de Ruskin : NAF 16622 (152 f^{os}).

Cahiers de travail de Mme Adrien Proust :
- *La Bible d'Amiens* : NAF 16623 (40 f^{os}, dont f°s 20-39 blancs).
- *Sésame et les lys* : NAF 16624 (50 f^{os}), NAF 16625 (41 f^{os}), NAF 16626 (40 f^{os}).
- *Mornings in Florence* : NAF 16627 (50 f^{os}, dont f°s 19-36 blancs).
- *Deucalion* : NAF 16628 (14 f^{os}), NAF 16629 (14 f^{os}).

Notes de Mme Adrien Proust relatives à Ruskin : NAF 16630 (10 f^{os}), NAF 16631 (6 f^{os}).

Un exemplaire de la *Bible d'Amiens* annoté par Marcel Proust est conservé au département des Estampes, sous la cote : Re 43 rés. Inv. : A1594[2].

Pastiches et mélanges :
- NAF 16632. Manuscrit autographe (feuilles volantes et feuillets provenant de cahiers ; 116 f^{os}).
- NAF 16633. Épreuves corrigées (95 f^{os}).

Chroniques :
- NAF 16634. Manuscrit autographe (249 f^{os}).
- NAF 16635. Placards corrigés par Robert Proust (60 f^{os}).

1. Cet inventaire a été établi à partir de celui de Fl. Callu (« Le fonds Proust de la Bibliothèque nationale », *RTP*, I, p. CXLV-CLXIX) et du *Catalogue des Nouvelles acquisitions françaises du département des Manuscrits*, Bibliothèque nationale de France, 1999, p. 20-34 et p. 174-175.
2. Voir A. Borrel, « Proust et Ruskin. L'exemplaire de la *Bible d'Amiens* à la Bibliothèque nationale de France », *La Revue du Musée d'Orsay*, n° 2, février 1996, p. 74-79.

2.2. *Contre Sainte-Beuve* et *À la recherche du temps perdu* (À l'exception des Cahiers 1 à 75)

Fragments destinés à *Contre Sainte-Beuve* et articles critiques: NAF 16636 (137 f^{os}). Anciennement appelé «Proust 45»[1].

Agenda, janvier-mars 1906: NAF 28724 (80 f^{os}).
Carnet 1: NAF 16637 (60 f^{os}).
Carnet 2: NAF 16638 (60 f^{os}).
Carnet 3: NAF 16639 (51 f^{os}).
Carnet 4: NAF 16640 (52 f^{os}).

Fragments du *Temps perdu*: NAF 16703 (fragments autographes provenant de cahiers démontés ou écrits sur des feuilles volantes et copies, annotés par Nahmias à partir du f° 71; 208 f^{os}).

Dactylographies de «Combray»:
- NAF 16733. Premier jeu corrigé ayant servi à l'impression (appelé primitivement par la B. N. «deuxième dactylographie»; 265 f^{os}).
- NAF 16730. Deuxième jeu corrigé (appelé primitivement «première dactylographie»; 270 f^{os}).

Dactylographies d'«Un amour de Swann»:
- NAF 16734. Premier jeu corrigé ayant servi à l'impression (appelé primitivement «deuxième dactylographie»; 198 f^{os}).
- NAF 16731. Deuxième jeu corrigé (appelé primitivement «première dactylographie»; 200 f^{os}).

«Noms de pays». Copie au crayon d'une grande partie du Cahier 70 par Albert Nahmias: NAF 16704 (87 f^{os}).
Dactylographies de «Noms de pays»:
- NAF 16735. Premier jeu corrigé ayant servi à l'impression (appelé primitivement «deuxième dactylographie»; 317 f^{os}).
- NAF 16732. Deuxième jeu corrigé (appelé primitivement «première dactylographie»; 317 f^{os}).

Reliquat des dactylographies du *Temps perdu* («Combray», «Un amour de Swann» et «Noms de pays»): NAF 16752 (333 f^{os}).

Publication de *Du côté de chez Swann*:
- NAF 16753. Placards corrigés. Jeu incomplet (98 f^{os}).
- NAF 16754. Placards sans corrections. Autre jeu, complet à l'exception du placard 1 (175 f^{os}).
- NAF 16755. Secondes épreuves mises en pages corrigées. Jeu incomplet (191 f^{os}).
- NAF 16756. Troisièmes épreuves mises en pages corrigées. Jeu incomplet (124 f^{os}).
- NAF 16757. Troisièmes épreuves mises en pages non corrigées. Jeu complet (253 f^{os}).

1. Pour la concordance complète des nouvelles cotes du fonds Proust avec les anciennes, voir H. Bonnet, *Marcel Proust de 1907 à 1914*, t. II: *Bibliographie complémentaire (II). Index général des bibliographies (I et II)*, Nizet, 1976, p. 107 *sq*.

– NAF 16758. Quatrièmes et cinquièmes épreuves mises en pages. (fos 1-122: 4es épreuves corrigées, jeu incomplet; fos 123-147: 5es épreuves sans corrections, jeu incomplet).
– NAF 16777. Bonnes feuilles (523 fos).

Dactylographie du manuscrit pour *Le Côté de Guermantes*:
– NAF 16736. Jeu corrigé ayant servi à l'impression (311 fos), correspondant aux placards 1 à 28 qui seront tirés par Grasset en 1914.

Publication du second volume. Placards Grasset de 1914, intitulés *Le Côté des*[1] *Guermantes*:
– NAF 16760. Placards corrigés 1-28 (58 fos).
– NAF 16761. Placards corrigés 29-66 (78 fos).

Mise au net du *Côté de Guermantes*:
– NAF 16737. Divers états dactylographiés de la «mort de la grand-mère» pour *Le Côté de Guermantes I* et *Le Côté de Guermantes II* (103 fos).
– NAF 16705. Cahier pour *Le Côté de Guermantes II* (106 fos).
– NAF 16706. Cahier pour *Le Côté de Guermantes II* (111 fos).
– NAF 16707. Cahier pour *Le Côté de Guermantes II* (101 fos).

Cahiers de mise au net de *Sodome et Gomorrhe I* à la fin du «Temps retrouvé»:
– NAF 16708. Au fo 1, titre de Proust: «À la Recherche du Temps Perdu / Sodome et / Gomorrhe I / Premier Cahier» (61 fos).
– NAF 16709. Sur la couverture, titre de Proust: «À la Recherche du Temps perdu / Sodome et Gomorrhe (I) / (Deuxième cahier.)» (86 fos).
– NAF 16710. Sur la couverture: «À la Recherche du Temps Perdu / Sodome et Gomorrhe (I) / (Troisième cahier)» (105 fos).
– NAF 16711. Sur la couverture: «À la Recherche du Temps perdu / Sodome et Gomorrhe (I) / (quatrième cahier[)]» (141 fos).
– NAF 16712. Sur la couverture: «À la Recherche du Temps perdu. / Sodome et Gomorrhe (I) / (cinquième cahier)» (138 fos).
– NAF 16713. Sur la couverture: «À la Recherche du Temps perdu / Sodome et Gomorrhe (I) / (Sixième Cahier)» (119 fos).
– NAF 16714. Sur la couverture: «À la Recherche du Temps perdu / Sodome et Gomorrhe (I) / (Septième cahier)» (70 fos, dont fos 34-70 blancs).
– NAF 16715. Sur la couverture: «Cahier VIII / (avec lui commence / le tome cinquième / et dernier de À la / Recherche du Temps / Perdu tome intitulé: / Sodome et Gomorrhe II<I>/ ~~= Le Temps retrouvé~~.» Au fo 1: «À la Recherche du Temps Perdu. Tome Cinquième et dernier (Sodome et Gomorrhe II – Le Temps Retrouvé)» (61 fos).
– NAF 16716. Sur la couverture: «Cahier IX / (Suite du Cahier VIII)» (103 fos).
– NAF 16717. Sur la couverture: «Cahier X» (68 fos).
– NAF 16718. Sur la couverture: «Cahier No XI» (135 fos).
– NAF 16719. Sur la couverture: «Cahier / XII» (137 fos).
– NAF 16720. Sur la couverture, titre de la main de Céleste Albaret: «Cahier XIII» (134 fos).
– NAF 16721. Sur la couverture, titre de Proust: «Cahier XIV» (129 fos).
– NAF 16722. Sur la couverture: «Cahier XV / Đ (Donnez-moi III et XIV) / page 48» (115 fos).

1. *Sic*.

– NAF 16723. Sur la couverture : « Cahier XVI » (21 f^{os}).
– NAF 16724. Sur la couverture : « Cahier XVII » (91 f^{os}).
– NAF 16725. Sur la couverture, titre de la main de Céleste Albaret : « Cahier XVIII » (137 f^{os}).
– NAF 16726. Sur la couverture, titre de Proust : « Cahier XIX » (140 f^{os}, dont f°s 43-140 blancs).
– NAF 16727. Sur la couverture : « ~~Cahier XIX~~ / Cahier XX / (vingt) et dernier ». Au bas du f° 125 : « Fin » (125 f^{os}).

N. B. : On se réfère couramment à cette série comme à celle des Cahiers I, II, III...

Publication d'*À l'ombre des jeunes filles en fleurs* :
Un jeu d'épreuves est conservé à la Réserve des Imprimés (cote Rés. m. Y^2 824).

Publication du *Côté de Guermantes I* :
– NAF 16762. Placards corrigés (jeu complet des placards 1 à 24 ; 48 f^{os}).

Publication du *Côté de Guermantes II* :
– NAF 16763. Placards corrigés de la première et seconde épreuve (jeu incomplet ; 58 f^{os}).
– NAF 16764. Placards non corrigés de la seconde épreuve (jeu incomplet ; 33 f^{os}).
– NAF 16765. Placards corrigés de la troisième épreuve (jeu complet ; 50 f^{os}).

Publication de *Sodome et Gomorrhe I* :
– NAF 16738 (f°s 1-76). Dactylographie non corrigée du Cahier I (f°s 1-48) et dactylographie corrigée ayant servi à l'impression (f°s 49-76).

Publication de *Sodome et Gomorrhe II* :
– Dactylographies corrigées
  – NAF 16738. Dactylographie incomplète des Cahiers II à VI (f°s 77-178).
  – NAF 16739. Dactylographie du Cahier IV (121 f^{os}).
  – NAF 16740. Dactylographie du Cahier V (124 f^{os}).
  – NAF 16741. Dactylographie des Cahiers VI et VII (116 f^{os}).
– NAF 16728. *Jalousie* (210 f^{os}) : manuscrit autographe (f°s 1-144) ; extrait de l'article paru dans *Les Œuvres libres* (n° 5, novembre 1921, p. 7-112), corrigé par Proust et utilisé pour le début de *Sodome et Gomorrhe II* (f°s 145-210).
– NAF 16766. Épreuves, corrigées jusqu'au f° 40 (390 f^{os}).

Publication de *La Prisonnière (Sodome et Gomorrhe III)* :
– Dactylographies corrigées des Cahiers VIII à XII
  – NAF 16742-16743. « Première » dactylographie. Au f° 1 du premier volume, titre de Proust : « Sodome et Gomorrhe III » ; le second volume n'est pas corrigé (209 f^{os} et 241 f^{os}).
  – NAF 16744. « Deuxième » dactylographie. Au f° 1, titre de Proust : « La Prisonnière, Sodome et Gomorrhe III » (104 f^{os}).
  – NAF 16745, 16746 et 16747. « Troisième » dactylographie. Au f° 1 du premier volume, titre de Proust : « La Prisonnière (1re partie de Sodome et Gomorrhe III) » (219 f^{os}, 237 f^{os} et 239 f^{os}).
– NAF 16767. Placards corrigés par Robert Proust (144 f^{os}).
– NAF 16768. Placards et épreuves corrigés par Robert Proust (311 f^{os}).
– NAF 16769-16770. Épreuves corrigées par Robert Proust et Jacques Rivière (non folioté ; 280 p. et 224 p.).

Publication d'*Albertine disparue* :
- Dactylographies corrigées des Cahiers XII à XV
    - MF 3673. Microfilm de la dactylographie originale corrigée par Proust (collection privée). Sur la première page, titre de sa main : « Ici commence Albertine disparue, suite du roman précédent la prisonnière » (non folioté ; 213 feuillets).
    - NAF 16748-16749. Double complet de la dactylographie originale, corrigé par Robert Proust, Jacques Rivière et Jean Paulhan (256 f^{os} et 234 f^{os}).
- NAF 16771. Placards corrigés par Jean Paulhan et Robert Proust (125 f^{os}).
- NAF 16772. Placards et épreuves corrigés par Robert Proust (80 f^{os}).
- NAF 16780-16781. *Albertine disparue*, NRF, 1925 (2 volumes, 225 p. et 213 p.).

Publication du *Temps retrouvé* :
- NAF 16750-16751. Dactylographie des Cahiers XV à XX, établie et corrigée par Robert Proust (283 f^{os} et 341 f^{os}).
- NAF 16773-16774. Épreuves mises en pages non corrigées (176 f^{os} et 256 f^{os}).

Extraits d'*À la recherche du temps perdu* publiés dans des revues, de 1914 à 1925 : NAF 16776 (191 f^{os})
- f°s 1-35 : « À la recherche du temps perdu », *NRF*, 1er juin 1914 ; épreuves corrigées.
- f°s 36-50 : « Les Intermittences du cœur », *NRF*, 1er octobre 1921 ; copie ayant servi à l'impression.
- f°s 51-59 : « En tram jusqu'à la Raspelière », *NRF*, 1er décembre 1921 ; dactylographie annotée par Jacques Rivière.
- f°s 60-152 : « Précaution inutile », *Les Œuvres libres*, février 1923, n° 20 ; placards découpés et corrigés par Robert Proust.
- f°s 153-158 : « Le Septuor de Vinteuil », *NRF*, 1er juin 1923 ; placards corrigés par Robert Proust.
- f°s 159-191 : « La Mort d'Albertine », *NRF*, 1er juin 1925 ; dactylographie et placards corrigés par Robert Proust.

Fragments manuscrits d'*À la recherche du temps perdu* : NAF 16729 (208 f^{os}).

Reliquat manuscrit, anciennement dit le « cartonnier » :
- NAF 27350 (1). Fragments autographes ou dactylographiés complétant les volumes NAF 16674, NAF 16675, NAF 16686, NAF 16711 à 16716, NAF 16727, NAF 16737, NAF 16741, NAF 16744, NAF 16746, NAF 16753, NAF 16758, NAF 18315, NAF 18322, NAF 18323, NAF 18324 (30 f^{os}).
- NAF 27350 (2). *À la recherche du temps perdu* : fragments manuscrits ; varia. Fragments n'appartenant pas à la *Recherche* (271 f^{os}).
- NAF 27351. *À la recherche du temps perdu*, dactylographies diverses (207 f^{os}).
- NAF 27352. Correspondance et documents divers (257 f^{os}).

Trois éditions postérieures aux originales :
- NAF 16778. *Du côté de chez Swann*, NRF, 1924 (66e édition, 393 p.).
- NAF 16779. *À l'ombre des jeunes filles en fleurs*, NRF, 1919 (exemplaire corrigé, incomplet ; 288 p.).
- NAF 16775. *Le Temps retrouvé*, NRF, collection « In-octavo à la gerbe », 1931 (exemplaire fragmentaire corrigé par Robert Proust ; 96 p.).

3. Autres fonds et collections

Les bibliothèques suivantes conservent des manuscrits de Marcel Proust :

- The Harry Ransom Humanities Research Center, The University of Texas at Austin (The Carlton Lake Collection). Voir J.-P. Cauvin, « Les manuscrits de Proust à l'université d'Austin : répertoire commenté », *BMP*, n° 40, 1990, p. 100-107.
- The Rare Book and Manuscript Library, University of Illinois at Urbana-Champaign. Voir Larkin B. Price, *A Check List of the Proust Holdings at the University of Illinois Library at Urbana-Champaign*, Robert B. Downs Publication Fund, n° 3, 1975 ; C. Szylowicz, « Le fonds Proust de la Rare Book and Special Collections Library de l'université d'Illinois », *BIP*, n° 33, 2003, p. 111-119.
- La Fondation Martin Bodmer (Cologny, Suisse) conserve le jeu de placards corrigés de *Du côté de chez Swann* destiné à l'impression. Voir V. de Soultrait, « *Du côté de chez Swann* : premières épreuves corrigées et relation des trois jeux de placards », *BIP*, n° 31, 2000, p. 171-180 ; *Du côté de chez Swann. Combray*, premières épreuves corrigées, 1913, Fac-similé. Introduction et transcription de Charles Méla, Gallimard, et Cologny, Fondation Martin Bodmer, 2013.

Le cahier contenant les brouillons de la préface à la traduction de *Sésame et les lys*, « Sur la lecture », est conservé avec d'autres manuscrits dans la collection privée de M. Reiner Speck (22 f^os^ ; les cinq premiers feuillets sont de la main de Mme Adrien Proust)[1].

À l'ombre des jeunes filles en fleurs :

Des fragments de manuscrits autographes et de placards corrigés par Proust ont été montés sur de grandes feuilles qui ont été insérées dans chaque exemplaire de l'édition de luxe (NRF, 1920).

Certaines de ces feuilles sont conservées dans des bibliothèques, dont :

- Bibliothèque nationale de France, Réserve des Imprimés (cote Rés. g Y^2 50).
- Bibliothèque littéraire Jacques Doucet.
- The Beinecke Library, Yale University (The Frederick R. Koch Collection).
- The Harry Ransom Humanities Research Center, The University of Texas at Austin (The Carlton Lake Collection).
- The Houghton Library, Harvard University.
- The Pierpont Morgan Library.
- The Rare Book and Manuscript Library, University of Illinois at Urbana-Champaign.

Voir *RTP*, I, p. 1305-1306, et pour une liste détaillée Pyra Wise, « *À l'ombre des jeunes filles en fleurs*, le manuscrit dispersé de l'édition de luxe. État des lieux d'un centenaire », *BIP*, 2020, n° 50, p. 43-56.

1. Il a été publié en deux volumes : M. Proust, *Sur la lecture / Tage des Lesens*, Faksimile der Handschrift aus der « Bibliotheca Proustiana Reiner Speck », Mit Transkription, Kommentar und Essays herausgegeben von J. Ritte und R. Speck, Frankfurt am Main, Suhrkamp Verlag, 2004. Pour une description de la collection Speck, voir *Marcel Proust Zwischen Belle Époque und Moderne*, Herausgegeben von R. Speck und M. Maar, Suhrkamp Verlag, 1999, p. 245 *sq.*

Remarques sur la foliotation des manuscrits du fonds Marcel Proust

Un feuillet comporte un recto et un verso, soit deux pages; le folio est l'unité de numérotation donnée par l'établissement de conservation lors du compostage des pages rectos. Il arrive qu'un feuillet ou un fragment de feuillet (le talon restant d'un découpage, par exemple) n'a pas été folioté ou a reçu après coup une foliotation manuscrite en *bis*, *ter*. On se reportera, pour chaque cahier, à la rubrique «Foliotation» de la «Description matérielle» (vol. I).

1. Zones de la page

Lorsqu'on veut désigner non l'ensemble d'un folio mais une zone précise de ce folio, telle qu'elle est mise en évidence, pour les cahiers, dans le diagramme correspondant, on fait suivre la mention «r°» ou «v°» d'une indication topographique: «sup.» (pour la partie supérieure du corps de la page), «méd.» (pour la partie médiane), «inf.» (pour la partie inférieure), «m.» (pour la marge), «m. sup.» (pour la marge supérieure), «m. méd.» (pour la marge médiane), «m. inf.» (pour la marge inférieure). On ajoute au besoin les mentions «d.» (droite) et «g.» (gauche).

Toutes ces indications topographiques s'entendent selon leur position relative dans la page.

2. Paperoles et papiers collés

On distingue:

- les papiers collés sur une page, d'un format inférieur ou égal à elle, en général partiellement décollés par la Bibliothèque nationale pour laisser lire l'envers et/ou la partie masquée;
- les «paperoles», bandes de papier de longueur variable, composées d'un ou de plusieurs fragments et collées à la marge (supérieure, inférieure ou latérale) d'une page.

Pour désigner les papiers collés et, quand elles n'ont pas reçu de foliotation propre, les paperoles, on fait suivre le folio dont ils dépendent de la mention «p. c.» ou «pap.».

Pour désigner la face partiellement décollée d'un papier collé, on note: «p. c. envers».

3. Foliotation des feuillets et fragments de feuillets découpés, arrachés ou tombés, remis en place dans la présente édition

Les feuillets et fragments de feuillets que Proust a découpés ou arrachés d'un cahier «source» pour les transférer vers un manuscrit «cible» ont reçu de la Bibliothèque nationale une foliotation dans le manuscrit cible. Ceux qui ont pu être identifiés et qui, dans cette édition, sont donnés à leur place originelle dans un des Cahiers 1 à 75 y reçoivent une foliotation spécifique; il en va de même pour les feuillets et fragments de feuillets qui ont été détachés ou sont tombés d'un des Cahiers 1 à 75, quand ils ont pu être retrouvés[1].

1. Dans les reliquats manuscrits du fonds Proust (NAF 16729, NAF 27350...), les catalogues de vente et les collections privées.

Cette foliotation repère la place originelle du feuillet ou du fragment de feuillet puis précise, entre parenthèses et après le symbole « > », sa destination actuelle, éventuellement comme papier collé (« p. c. ») ou paperole (« pap. »), avant les initiales du chercheur qui a réalisé l'identification[1].

3.1. Compléments de folios existants

Quand on retrouve le fragment manquant d'un folio existant, on le désigne par une lettre placée après le numéro de folio correspondant : « nb ». Par exemple, pour le fragment découpé du fº 38 du Cahier 48 et collé, comme l'a établi J. Yoshida, au fº 22 rº du Cahier XIV, on note, pour la face verso : Cahier 48, fº 38b vº (> XIV, 22 rº p. c. ; JY). Pour désigner la face recto correspondante, partiellement décollée lors de la restauration, on note : Cahier 48, fº 38b rº (> XIV, 22 rº p. c. envers ; JY).

Lorsque la partie manquante a été retrouvée en plusieurs fragments, on nomme ces fragments du haut vers le bas du recto et dans le sens des aiguilles d'une montre, ou, à défaut, dans l'ordre de leur identification : « nb », « nc », etc.

3.2. Feuillets intercalaires

Quand on retrouve un ou plusieurs feuillets qui viennent s'intercaler entre deux folios ou le fragment manquant d'un feuillet non folioté par la Bibliothèque nationale (souvent, le talon vierge d'un feuillet découpé), on le(s) désigne par une foliotation additionnelle dans le cahier source : « n.2 », « n.3 », etc[2]. Par exemple, pour les trois premiers feuillets qui se trouvaient entre les fºs 41 et 42 du Cahier 55 et que K. Yoshikawa a retrouvés dans le Cahier XI, on note : Cahier 55, fº 41.2 rº (> XI, 117 rº p. c.) ; fº 41.3 rº (> XI, 118 rº p. c.) ; fº 41.4 rº (> XI, 119 rº ; KY). On peut simplifier la notation quand on cite des séries : Cahier 55, fºs 41.2 rº-41.4 rº (> XI, 117 rº p. c.-119 rº ; KY).

3.3. Feuillets intercalaires retrouvés sous forme fragmentaire

Quand un feuillet intercalaire a été retrouvé sous forme fragmentaire, on désigne le(s) fragment(s) retrouvé(s) en combinant les foliotations décrites ci-dessus : « n.2a », « n.2b », etc. Par exemple, pour le fragment du feuillet manquant entre les fºs 103 et 104 du Cahier 56 aujourd'hui collé au fº 105 rº du Cahier XIV, on note : Cahier 56, fº 103.2a rº (> XIV, 105 rº p. c. envers ; JY).

3.4. Feuillets et fragments de feuillets déplacés à l'intérieur d'un même cahier

Il n'est procédé dans ce cas à aucune remise en place, mais on peut désigner ces feuillets et fragments de feuillets soit sous leur foliotation actuelle, soit sous la foliotation complémentaire décrite ci-dessus. Par exemple, on parlera selon les cas du fº 23 rº du Cahier 55, ou du fº 19.2 rº (> 55, 23 rº p. c. ; KY) de ce cahier.

---

1. Quand on cite une série identifiée par le même chercheur, on ne donne ses initiales qu'une fois, à la fin.
2. Cf. *Growth*, t. I, p. XXX.

Cahier 7

Introduction

Entré en 1962 à la Bibliothèque nationale et classé sous la cote « Nouvelles acquisitions françaises 16647 », le Cahier 7 fait partie, comme les Cahiers 3, 2, 1, 5, 4, 31, 36, 6 et 51[1], de la série des « Cahiers Sainte-Beuve » utilisés par Proust entre la fin de l'année 1908 et l'été de 1909[2], au moment où il commence à écrire ce qu'il appelle « Contre Sainte-Beuve. Souvenir d'une matinée[3] » et qui deviendra *À la recherche du temps perdu*. Comme la plupart des autres cahiers de cette première série, il a été partiellement publié par Bernard de Fallois en 1954 sous le titre *Contre Sainte-Beuve*[4]. Notons que Proust l'a entièrement utilisé à l'envers, en commençant à écrire à partir de la fin[5].

Le Cahier 7 ne présente pas de narration suivie ou continue, mais une suite de « morceaux » disparates et parfois très brefs. Plusieurs sont consacrés à Combray : on y trouve un dialogue entre la tante du héros, future tante Léonie appelée ici Madame Charles, et le curé du village (f°s 1-9 r^{os})[6], une rêverie sur le nom de Guermantes et sur son abbaye (f°s 10-14 r^{os}), une description de l'église (f°s 21-24 r^{os}), le récit d'une promenade automnale du côté de Méséglise (f°s 25-29 r^{os}). Ces morceaux sont entrecoupés par un segment consacré au « petit noyau Verdurin » (f°s 15-20 r^{os}). Plusieurs sections concernent le marquis ou comte de Gurcy ou Guercy : sa rencontre avec le héros dans une station balnéaire encore indéfinie (T ou XX ; f°s 30-39 r^{os}), ses visites à « sa sœur Guermantes » qui habite la même maison que le héros, la soirée chez le prince et la princesse de Guermantes au cours de laquelle le héros le croise (f°s 40-47 r^{os}), puis le récit de la révélation de son homosexualité, suivi d'un exposé théorique sur ce que Proust (ou le narrateur) appelle la « race maudite[7] » (f°s 47-55 r^{os}). Enfin, les quinze derniers folios (f°s 56-71 r^{os}) sont consacrés à une réflexion sur Sainte-Beuve et Baudelaire.

Plusieurs de ces morceaux pourraient correspondre au projet de « livre » mentionné par Proust dans sa lettre à Alfred Vallette, directeur du Mercure de France, à la mi-août 1909[8], celle-là même où il avance le titre de « Contre Sainte-Beuve. Souvenir d'une matinée ». À ce projet d'« un livre d'événements, de reflets d'événements les uns sur les autres à des années d'intervalle[9] » pourrait faire écho le récit des souvenirs de Guermantes (f° 10 r° *sq.*) et de Combray (f° 21 r° *sq.*) qui ouvre le cahier[10] ; de même, toutes les pages sur Gurcy/Guercy forment les prémices de ce « roman extrêmement impudique en certaines parties » et dont « [u]n des principaux personnages est un

1. Le Cahier 7 et les Cahiers 5, 4, 31, 36, 6 et 51 possèdent les mêmes caractéristiques (couverture de moleskine noire, format 22 x 17 cm, feuillets filigranés « Visconti »). Voir Description matérielle, p. 225. Les Cahiers 3, 2 et 1 présentent des caractéristiques codicologiques différentes. Voir F. Leriche et H. Yuzawa, *Cahier 26*, Introduction, p. XXI-XXXIII.
2. Une partie des versos du cahier (celle qui évoque la rencontre du héros avec le futur Charlus dans la station balnéaire) a cependant été utilisée ultérieurement, en 1910, pour une réécriture de la scène. Voir *infra*, p. XXIV.
3. Lettre à Alfred Vallette, [vers la mi-août 1909], *Corr.*, t. IX, p. 155. *Lettres* précise : [un peu avant la mi-août 1909] (p. 490).
4. Voir *infra* la « Liste des transcriptions précédentes ». Nous renvoyons à Anthony R. Pugh, *Birth*, p. 97-103, pour le détail des cahiers exploités par B. de Fallois, chapitre par chapitre.
5. Voir Description matérielle, *infra*, p. 226.
6. On compte en réalité trois « démarrages » du récit. Voir f° 1 r°, n. 2.
7. L'expression apparaît au f° 51 r°.
8. Voir la lettre à A. Vallette, [vers la mi-août 1909], *Corr.*, t. IX, p. 155-157.
9. *Ibid.*
10. Voir aussi « ~~Je me souviens~~ » (f° 1 r° et n. 1).

homosexuel[1] ». Enfin, les éléments baudelairiens se rattachent à la « longue conversation sur Sainte-Beuve et sur l'esthétique[2] » destinée à suivre – et conclure – la partie romanesque du livre.

L'écriture de ce cahier précoce apparaît comme relativement fluide et peu raturée[3]. Elle prend le plus souvent place sur les rectos, avec quelques additions et réécritures sur les versos : il s'agit d'un cahier de premier jet, rédigé rapidement. Les notes de régie et autres commentaires sur le travail d'écriture qui deviendront une des caractéristiques des cahiers ultérieurs restent rares[4]. S'y ajoutent quelques annotations semblables à celles que l'on peut trouver dans les Carnets, qui sont destinées à caractériser l'idiolecte des personnages[5] ; d'autres font allusion à la vie de l'écrivain[6]. Les traces biographiques sont très présentes, à travers les noms d'amis et de connaissances de Proust qui côtoient ceux des personnages fictifs : apparaissent ainsi Robert de Montesquiou (f°s 15 r° et 17 r°), les Straus et Abel Desjardins (f° 29 r°), Anna de Noailles (f° 58 v°) et Émile Mâle (f° 69 v°). De nombreux toponymes sont également mentionnés : Bois-Boudran, le château des Greffulhe (f° 17 r°), les abbayes de Saint-Wandrille et Jumièges (f° 10 r°) qui ont servi à « construire » l'abbaye de Guermantes, la petite ville normande de Falaise et son église (f° 23 r°), ou encore « T » (f° 38 r°) pour la station balnéaire, qui suggère Trouville. L'onomastique romanesque se met en place : la rivière qui traverse Combray s'appelle la Gracieuse – elle n'est pas encore la Vivonne mais n'est déjà plus, comme à Illiers et dans le Cahier 4, le Loir. La future tante Léonie apparaît sous le nom de « Madame Charles », Saint-Loup est encore appelé Montargis, la maîtresse de Swann, Wanda et Charlus, Guercy ou Gurcy. Quant au peintre Elstir, il n'est mentionné que sur les versos de l'épisode situé dans la station balnéaire : il s'agit, comme on le verra, de la partie la plus tardive du Cahier.

Datation et chronologie de la rédaction

Le Cahier 7 fait partie des derniers cahiers dits « Sainte-Beuve », qu'on date du début de l'année 1909 voire de 1908[7], et s'appuie plus particulièrement sur le contenu des Cahiers 5, 4, 31, 36 qui le précèdent généralement. Il entretient des liens très étroits avec les Cahiers 51 et 6, qui ont vraisemblablement été écrits en parallèle, au moins pour ce qui concerne certains de leurs segments : la rédaction de ces trois cahiers semble souvent s'entrecroiser. Par exemple, dans le Cahier 7, la première rencontre du héros avec Guercy dans la station balnéaire est suivie par un très court fragment où le héros observe le marquis qui se rend chez sa « sœur Guermantes » (f° 39 r°). Or, ce fragment se prolonge dans le Cahier 51 (f°s 1-22 r[os]) par le récit de la rencontre entre Guercy et Borniche, intitulée « Le Marquis de Guercy (Suite) ». Le cahier 51 contient ensuite le récit de deux autres épisodes relatifs à Guercy : ses relations avec

1. *Corr.*, t. IX, p. 155.
2. *Ibid.*, p. 156.
3. On y trouve également quelques dessins rapidement griffonnés : voir les f°s 1 r°, 16 r°, 19 r°, 29 v°, 52 v°.
4. Parmi les rares notes de régie du cahier, l'une est destinée à un complément qui concerne Sainte-Beuve et Baudelaire : « copier la fin » (voir f° 57 v°, n. 4). Il s'agit d'une des lettres de Sainte-Beuve à Baudelaire reproduite dans l'Appendice des *Causeries du lundi* (t. IX, 3e éd., Garnier frères, 1869, p. 529). Une autre note, à propos de Giotto, se présente davantage comme une vérification sur un point d'histoire de l'art : « demander à Mâle ». Voir f° 69 v°, n. 11.
5. Voir les listes d'expressions en attente d'insertion qui figurent au début du segment consacré aux Verdurin (où « petit noyau » et « toujours fourré » [f[o] 15 r[o]] sont immédiatement intégrés à la narration) et au début du passage sur « Sainte-Beuve et Baudelaire » (f[o] 56 r[o] et n. 1).
6. Voir au f[o] 29 r[o] : « Le couloir B[d] Haussm. L'antichambre Straus. Abel ». *Ibid.*, n. 5 et 6.
7. Voir l'étude pionnière de Claudine Quémar, « L'église de Combray, son curé et le Narrateur (trois rédactions d'un fragment de la version primitive de *Combray*) », *CMP 6*, *ÉP I*, 1973, p. 279. En ce qui concerne le Cahier 1, Kazuyoshi Yohikawa a établi qu'au moins certains passages ne peuvent avoir été écrits avant mai 1909. K. Yoshikawa, « Du *Contre Sainte-Beuve* à la *Recherche* », in *Proust, la mémoire et la littérature*, Antoine Compagnon (dir.), Odile Jacob, 2009, p. 57 et n. 2.

les Verdurin et son portrait en homme vieilli soutenu par Borniche. Mais c'est sur le Cahier 7 que figure l'épisode clé : la révélation de son homosexualité (fº 49 rº *sq.*). Quant au Cahier 6, il contient plusieurs compléments au Cahier 7 : la suite de la conversation entre le curé et la tante du héros (fos 3-5 ros), la « Fin de Baudelaire » (fos 10-15 ros), la « Suite du Dr Cottard » et du fragment consacré au salon des Verdurin (fos 16-25 ros), un autre fragment sur Pinsonville/Pinconville (fº 36 rº) et sur Guermantes (fos 7-9 ros), ainsi que quelques courts segments relatifs à l'église de Combray et aux clochers de Chartres (fos 1 vº-7 rº ; fº 42 rº ; fos 71-67 vos), enfin plusieurs morceaux mettant en scène l'homosexualité (fos 29-32 ros ; fos 35-36 vos), dont l'un est intitulé par Proust « La Race des Tantes » (fos 37-41 ros).

Deux autres cahiers, postérieurs cette fois, entretiennent des relations étroites avec le Cahier 7 : le Cahier 8[1] et le Cahier 28. Le premier, qui daterait de l'été 1909[2], datation sur laquelle nous reviendrons, avait jusqu'à maintenant été considéré comme un « cahier de montage » faisant suite aux rédactions des cahiers « Sainte-Beuve ». Nous proposons ici l'idée qu'il a été écrit non pas *après* mais *en parallèle* avec ces derniers pour développer et assembler certains des morceaux concernant « Combray ». Le second, le Cahier 28, rédigé en 1910, est ultérieur mais contemporain de la réécriture de la rencontre entre Guercy et le héros qui figure sur les versos du Cahier 7 (fos 25-34), avec lesquels il dialogue.

Excepté ces versos donc, l'hypothèse la plus répandue était celle d'une rédaction du Cahier 7 pendant le premier semestre de 1909, soit avant la rédaction des deux « cahiers de montage », les Cahiers 8 et 12[3], puis leur mise au net dictée par Proust dans les Cahiers 9, 10 et 63[4], destinés à établir la première dactylographie de « Combray ». Cependant, d'un côté, les nouvelles datations proposées par Françoise Leriche et les éditeurs de l'Agenda de 1906 situent la rédaction du Cahier 8 et de la première partie du Cahier 12 avant la mi-août 1909[5] et, d'un autre côté, nos propres recherches nous amènent à penser que certains segments du Cahier 7 ne peuvent dater d'avant l'été de 1909. L'hypothèse que nous proposons, c'est que Proust utilisait en parallèle ces deux types de cahiers[6] avec des fonctions différentes[7]. Le Cahier 7 serait ainsi pour une part un cahier de premier jet destiné à accueillir une version initiale des épisodes, rapidement rédigée. Proust aurait intégré ensuite ces fragments dans la trame d'un récit suivi[8] : c'est à cette fonction

1. Akio Wada avait déjà remarqué dans son ouvrage que la rédaction du Cahier 12 (qui prend la suite du Cahier 8) n'était pas continue. A. Wada, *La Création romanesque de Proust : la genèse de « Combray »*, Champion, « Recherches proustiennes », 2012, p. 92-93.
2. Voir la nouvelle datation proposée par Françoise Leriche : « La mise au net de Combray en 1909 : une nouvelle datation à la lumière de la Correspondance », *BIP*, 2016, nº 46, p. 20 *sq*.
3. Pour le Cahier 12, il s'agit des quarante-deux premiers folios.
4. Voir les rappels de Françoise Leriche, « La mise au net de Combray en 1909… », art. cité, p. 17.
5. Les Cahiers 9, 10 et 63, selon la nouvelle datation proposée par Françoise Leriche, auraient été établis à partir des Cahiers 8 et 12 entre la fin du mois d'août et la fin du mois de septembre 1909, à Cabourg. Voir F. Leriche, « La mise au net de Combray en 1909… », art. cité, p. 20 *sq*.
6. Les réflexions de Nathalie Mauriac Dyer à propos des notes contenues dans le Cahier 12 et l'hypothèse que les notes du folio 138 vº pourraient avoir été prises après la rédaction dans le Cahier 7 des versions 1 et 2 de la conversation du curé avec la tante, mais avant la troisième version, vont dans le même sens : une utilisation *parallèle* et non pas *successive* des cahiers « Sainte-Beuve » et des deux cahiers de montage 8 et 12. Voir N. Mauriac Dyer, « Une liste du Cahier 12, exemple de convergence génétique avec l'Agenda 1906 », *BIP*, 2016, nº 46, p. 38. C'est le même phénomène que mettaient en évidence, après d'autres chercheurs, les éditeurs du Cahier 26. Voir *Cahier 26*, *op. cit.*, vol. II, Introduction, p. XXII-XXVII, *passim*.
7. Comme le soulignent Françoise Leriche et Hidehiko Yuzawa dans leur introduction du *Cahier 26*, ce cahier fait partie des « grands Sévigné » à couverture noire, plus luxueux, qui « semblent avoir été achetés pour remplir une auguste fonction : celle de la copie puis de la mise au net ». *Cahier 26*, *op. cit.*, vol. II, Introduction, p. XXI-XXII.
8. Dans une lettre adressée à Georges de Lauris peu après le 6 mars 1909, il écrit : « Ce qui a le plus de chance de paraître un jour est Sainte-Beuve (pas le second pastiche, mais l'étude) parce que cette *malle pleine au milieu de mon esprit* me gêne et qu'il faudrait se décider ou à partir ou à la défaire. » (*Corr.*, t. IX, p. 61-62. Nous soulignons).

de mise au net qu'était dévolu, en tout cas au début, le Cahier 8, de format plus imposant que le Cahier 7[1]. Si l'on suit cette hypothèse, on peut penser, par exemple, que le premier morceau du Cahier 7 (fos 1-9 ros), qui relate la conversation entre le curé et la tante du héros, a immédiatement été réécrit dans le Cahier 8 (fos 61-66 ros)[2], alors même que le reste du Cahier 7 était probablement encore vierge. Ce début du Cahier 7 pourrait donc bien dater de mai ou juin 1909[3]. Suivant cette hypothèse, ce n'est que pendant l'été que Proust aurait repris le Cahier 7, sans doute en juillet ou en août, pour écrire le segment consacré à Guermantes (fos 10-14 ros) qui, comme nous le montrons, reprend en partie un article du *Figaro* du 1er juillet 1909[4]. Toute la section qui s'attache au personnage de Guercy et à la question de l'homosexualité pourrait dater de la même période (excepté les versos, de 1910 comme nous l'avons vu) et avoir été écrite dans un temps relativement restreint. Une possible allusion à Oscar Wilde et à « sa statue » sur « sa tombe » (fo 55 ro) suggère que Proust pourrait avoir ajouté ce passage au moment du transfert de la dépouille du poète et dramaturge, du cimetière de Bagneux où il avait été enterré en 1900 à celui du Père Lachaise, le 20 juillet 1909 : il était en effet prévu d'orner la tombe de Wilde d'un monument funéraire et commande en avait été faite au sculpteur Epstein comme le relate la presse[5].

En ce qui concerne les autres unités du cahier[6], en l'absence de références claires à l'actualité, la datation ne peut être que conjecturale, d'autant plus qu'il n'est pas certain que l'ordre de rédaction des morceaux soit celui des feuillets. Le segment sur les Verdurin[7] (fos 15-20 ros) pourrait dater de juillet (ou août) 1909. Dans une lettre du 17 ou 18 juillet, Proust envoie à Reynaldo Hahn ces vers sur Madeleine Lemaire : « Je crains que mon roman sur le vielch Sainte-Veuve/ Ne soit pas, entre nous, très goûté chez la Beuve[8] ». Vers la mi-août, il note dans son carnet, reprenant l'expression du Cahier 7 : « Pas si ridicule le petit noyau des Verdurin », et, un peu plus loin : « Pour petit noyau, grande douceur à un certain moment de penser […] que l'avenir ne changera pas, qu'il sera fait des mêmes personnes, enduites, gonflées, de nos jours qui ont précédé » (Carnet 1, fos 39 ro-vo et 40 ro)[9], peu après une mention de Pinsonville (Carnet 1, fo 38 ro)[10]. Les autres morceaux restent difficiles à dater de manière précise mais sont sans doute contemporains de cet été 1909. C'est donc principalement entre les mois de mai et d'août 1909 que Proust a écrit le Cahier 7, en parallèle avec le Cahier 8 et la première partie du Cahier 12, qui étaient achevés et pour lesquels dès la mi-août il envisageait une publication[11].

---

1. Il s'agit d'un « grand Sévigné » comme le Cahier 26 ; commencé pour la mise au net, il redevient rapidement un cahier de brouillon : voir *Cahier 26*, *op. cit.*, vol. II, Introduction, p. XXV.
2. Cela expliquerait que sur ces folios du Cahier 8 la tante du héros s'appelle encore « Mme Charles », alors que dans le reste du cahier elle devient « Mme Octave ».
3. De plus, comme dans d'autres passages des Cahiers 4, 31 et 36, on trouve ici le nom Garmantes pour Guermantes. Voir fo 2 ro, n. 2.
4. Pour décrire l'abbaye de Guermantes, Proust reprend sans doute un article d'Abel Bonnard paru dans *Le Figaro* du 1er juillet 1909. Voir fo 12 ro, n. 3.
5. Voir *Le Figaro* du 21 juin 1909 ou *Comœdia* du 22 juillet 1909.
6. Comme l'ont souligné les éditeurs du Cahier 26, « [o]n ne peut donc pas dater un cahier en bloc ; il faut reconstituer l'ordre génétique de ses principaux « morceaux » (ou unités textuelles) en les comparant aux versions antérieures ou postérieures des autres cahiers (en chronologie relative, donc), la datation des temps principaux de la rédaction étant fournie par la correspondance ou, parfois, par des allusions contextuelles. » *Cahier 26*, *op. cit.*, vol. II, Introduction, p. XXII.
7. Voir fo 15 ro, n. 2.
8. *Corr.*, t. IX, p. 146.
9. *Cn*, p. 99-100.
10. *Cn*, p. 97. Pour la datation, voir fo 38 vo et *Cn*, p. 98, n. 305 et 308.
11. C'est-à-dire au moment de la fameuse lettre à l'éditeur du Mercure de France, Alfred Vallette, *Corr.*, t. IX, p. 155-157. Voir F. Leriche, « La mise au net de Combray en 1909… », art. cité, p. 20 : « Dès cette date, Proust affirme […] que les cent premières pages sont prêtes et qu'il peut les faire "copier très lisiblement" (à la main) mais il propose même de les faire dactylographier ("copier à la machine") […]. Il y a donc tout lieu de penser que les cent premières pages qu'il pourrait "en quelques jours" faire mettre au net correspondent au Cahier 8 et à la première partie du Cahier 12. »

Et c'est seulement plus tard, en 1910[1], au moment où il rédige le Cahier 28 et la rencontre du héros avec le peintre finalement nommé Elstir, que Proust reprend le Cahier 7 et réécrit partiellement la première rencontre du héros avec Guercy dans la station balnéaire, ce qui explique la présence du nom « Elstir » sur les versos[2].

Proust utilise aussi certains de ses écrits précédents pour rédiger le Cahier 7. À son roman inachevé et abandonné en 1899, *Jean Santeuil*, il emprunte ainsi quelques motifs (lanterne magique, promenades dans la campagne ou descriptions de mer…), mais surtout bien des traits du personnage de M. de Lomperolles[3] dont Guercy sera le prolongement. Proust puise, notamment pour décrire la fugitive abbaye de Guermantes, dans les pages qu'il appelle dans le Carnet 1 « Les hortensias normands[4] », feuillets publiés dans l'édition du *Contre Sainte-Beuve* de Bernard de Fallois et dont on a aujourd'hui perdu la trace[5]. Des textes non narratifs – en particulier certains articles publiés dans *Le Figaro*[6], les travaux sur Ruskin et le Moyen Âge, notamment les préfaces aux traductions de *La Bible d'Amiens* (1904) et *Sésame et les Lys* (1906)[7] – ont également nourri ce cahier. Son écriture discontinue et fragmentaire souvent soulignée porte la trace de ces multiples sources.

Elle ne doit cependant pas masquer les effets d'échos et de reprises qui parcourent le cahier. Les éléments médiévaux de Combray reviennent dans les parties consacrées au personnage de Guercy, dans la soirée chez la princesse de Guermantes[8] ou encore dans le développement sur Baudelaire avec la référence à Émile Mâle ou Giotto[9] ; la réflexion sur Baudelaire pourrait entretenir des liens avec l'essai sur l'homosexualité qui précède, notamment autour du « poète à figure de femme » chez Gustave Moreau. Quant aux morceaux critiques qu'on a parfois voulu isoler[10], ils sont intimement liés, dans leur genèse comme dans leur développement, aux morceaux narratifs[11]. La réflexion sur les noms, et notamment sur les noms nobles, est prégnante dans le segment sur les Guermantes, mais elle parcourt tout le cahier : dans le portrait de Guercy par Montargis (f° 32 v°), dans le passage consacré au prince et à la princesse de Guermantes (f° 40 r°-v°), mais aussi dans le segment consacré à Pinsonville qui n'est guère pour le héros « qu'un nom à l'horizon de [s]es promenades » (f° 29 r°). Le cahier est également traversé par la réflexion sur le temps : comparaison du passé et du présent dans Guermantes, temps incorporé sur le visage de Guercy dans ce que Proust appelle le « visage de sa race » (f° 49 r°), temps devenu sensible et comme spatialisé dans l'abbaye de Guermantes.

---

1. Voir Jo Yoshida, « La genèse de l'atelier d'Elstir à la lumière de plusieurs versions inédites », *BIP*, 1978, n° 8, p. 16.
2. *Ibid.*, p. 18-20. C'est à ce moment-là que Proust ajoute des descriptions de mer que le héros perçoit maintenant avec les yeux d'Elstir. Il intègre également l'épisode à la trame narrative, après une visite du héros à l'atelier du peintre alors qu'il a rendez-vous avec sa grand-mère pour qu'elle se fasse photographier par Montargis.
3. Sur les liens entre le personnage de M. de Lomperolles de *Jean Santeuil* et Guercy, voir f° 29 r°, n. 9, et N. Mauriac Dyer, « Note sur M. de Lomperolles dans *Jean Santeuil*, ou un aspect négligé de la genèse de Charlus », *MP4*, 2004, textes réunis par B. Brun et J. Hassine, p. 9-21.
4. Carnet 1, f° 7 v° ; *Cn*, p. 43.
5. Voir *CSB (F)*, coll. « Folio », p. 268-277, et ici-même f° 2 r°, n. 4. La publication de ces feuillets, réapparus en 2018, est intervenue en 2021 alors que le présent volume était déjà en épreuves.
6. Voir le pastiche de Saint-Simon (*Le Figaro*, 18 janvier 1904 ; f° 14 r°, n. 1 ; f° 32 r°, n. 4) ; « Journées de lecture » (*Le Figaro*, 20 mars 1907 ; f° 17 r°, n. 3) ; « La cour aux lilas et l'atelier des roses » (*Le Figaro*, 11 mai 1903 ; f° 20 r°, n. 1). « *Les Éblouissements* par la Comtesse de Noailles » (*Le Figaro*, supplément littéraire du 15 juin 1907 ; f° 58 v°, n. 5 et f° 70 r°, n. 7).
7. Voir f° 1 r°, n. 3 ; f° 2 r°, n. 7 ; f° 10 r°, n. 2 ; f° 28 v°, n. 14 ; f° 69 v°, n. 8.
8. Voir, par exemple, aux f°s 40-41 r^os et f° 46 r°. Au f° 49 r°, Guercy endormi apparaît au héros « tel qu'après sa mort, sur la pierre de son tombeau dans l'église de Guermantes ». Voir f° 49 r°, n. 5 et f° 50 r°, n. 1.
9. Voir f° 69 v°, n. 11 et f° 70 r°, n. 3.
10. L'édition du *CSB* de Pierre Clarac pour la « Bibliothèque de la Pléiade » ne comprend en effet que « les fragments de l'essai abandonné » (*CSB*, p. 827).
11. Voir K. Yoshikawa, « Du *Contre Sainte-Beuve* à la *Recherche* », art. cité, p. 68.

L'intuition du Temps à travers le passé médiéval

Le Cahier 7 joue un rôle notable dans l'élaboration du matériel romanesque relatif aux églises médiévales et, par le biais de l'histoire et de l'architecture du Moyen Âge, amorce une réflexion sur le temps destinée à s'épanouir dans la *Recherche.* Les références médiévales jalonnent le cahier, mais se concentrent surtout dans les deux morceaux consacrés à l'église de Combray[1] – la visite du curé à la tante (f°s 1-9 r^{os}) et la description de l'abside et du clocher (f°s 21-24 r^{os}) –, et dans l'évocation de l'abbaye de Guermantes (f°s 10-14 r^{os}). Quelques autres éléments liés au Moyen Âge affleurent au fil des pages : la lecture par le héros de l'*Histoire de la Conquête de l'Angleterre par les Normands* (1825) d'Augustin Thierry (f°s 25-26 r^{os}), la vue sur le clocher de Combray ou sur celui de Pinsonville lors des promenades du côté de Méséglise (f°s 27-29 r^{os}), les rêveries sur le passé médiéval des Guermantes (f° 41 r°), la mention de Giotto (f° 69 v°).

Dans le Cahier 7, les références à l'architecture médiévale se mêlent à des allusions historiques que Proust a empruntées aux œuvres d'Augustin Thierry. C'est ainsi que les personnages médiévaux de ses livres deviennent les protagonistes du passé légendaire de l'église de Combray et de l'abbaye de Guermantes. L'histoire de celle-ci se borne au « temps de Chilpéric » (f° 11 r°) – le roi Chilpéric Ier († 584) – et au « temps de Frédégonde » (f° 11 r°, sous une biffure) –, son épouse (v. 545-597) : ces deux personnages et leurs crimes sont au centre des *Récits des temps mérovingiens* (1840) d'Augustin Thierry. Tout en utilisant cette source, Proust s'éloigne de la vérité historique, sans doute brouillée dans ses souvenirs de lecture. Le f° 11 r° fait allusion à la « tache de sang des meurtres anciens que ce prince [Chilpéric] commit sur les enfants de Clotaire ». Il s'agit là d'un mélange fantaisiste, d'une part du meurtre de Galswinthe, précédente épouse de Chilpéric, et d'autre part du meurtre des enfants de Clodomir (Thibaut et Gonthier) par Clotaire Ier et Childebert. Quelques folios auparavant, il est d'ailleurs question de Clodoald, le fils de Clodomir qui a échappé à l'assassinat (f° 4 r°), et, ensuite, de Childebert Ier (f° 12 r°). Une autre allusion au passé mérovingien clôt le morceau sur l'abbaye de Guermantes : la légende des « énervés de Jumièges », qui remonte au milieu du VIIe siècle et qui se rattache, comme on le verra, au récit de la fondation de l'abbaye de Jumièges.

C'est surtout dans la description de l'église de Combray que les couches chronologiques d'histoire médiévale se superposent, dans un mélange peuplé de noms célèbres et évocateurs. Au XIe siècle, saint Hilaire de Poitiers, docteur de l'Église qui a pourtant vécu au IVe siècle, aurait donné l'absolution à Gilbert le Mauvais, dont les principaux modèles sont Geoffroy de Châteaudun († 1040), et Charles II le Mauvais (1332-1387). Toujours au XIe siècle, Gilbert le Mauvais aurait mis à mort un neveu de Charles le Chauve (823-877). Le premier sire de Guermantes, qui

1. La genèse de l'église de Combray a été retracée par Claudine Quémar, qui a publié trois rédactions et quelques autres « fragments isolés » (Quémar 1973, art. cité). La première rédaction est formée par des morceaux des Cahiers 7 et 6 (les clochers de Chartres aux f°s 71-67 v^{os} et les objets de l'église de Combray aux f°s 1 v°-5 r°). La deuxième rédaction, qui offre une version suivie, commence à la fin du Cahier 8 (f°s 61-66 r^{os}) et se poursuit au début du Cahier 12 (f°s 1-10 r^{os}) ; sa mise au net retravaillée est conservée dans les Cahiers 10 (f°s 55-57 r^{os}) et 63 (f°s 1-21 r^{os}). La troisième version est conservée dans les deux dactylographies primitives de « Combray » (NAF 16733 avec les ajouts de NAF 16730). Parmi les fragments, on mentionnera les f°s 19 r° et 18 v° du Cahier 2 (morceau sur les pierres tombales) et quelques annotations sur l'église de Combray dans le Carnet 1. Un autre fragment se trouve dans le Cahier 25 (f° 12 r°) ; plusieurs folios en ont été arrachés, mais Anthony Pugh a pu en identifier quatre (aujourd'hui dans le Reliquat NAF 16703, f°s 20-23 ; voir *Growth,* t. I, p. 148). D'après nous, un autre fragment encore inédit que nous a signalé Nathalie Mauriac Dyer provient de ce même cahier : aujourd'hui relié dans le Reliquat NAF 27350 (2) (f°s 192-193 v^{os}), il consiste en deux folios arrachés, qui ont les mêmes caractéristiques codicologiques que le Cahier 25 (cahier dit « grand Sévigné »). Il offre une version de la visite du curé de Combray qui développe les notes du Carnet 1 (f° 42 r°-v^{o}) et qui peut être considérée comme postérieure aux Cahiers 10 et 63, mais antérieure aux dactylographies (voir aussi, au sujet de ces deux folios du Reliquat, F. Leriche, « La mise au net de Combray en 1909… », art. cité, p. 28). Si, dans les brouillons, la description de l'église par le narrateur et le commentaire du curé se suivaient, dans les dactylographies ils ont été scindés par des éléments hétérogènes : l'effet d'opposition est atténué ainsi que certains propos caricaturaux du curé.

porte le nom du prince mérovingien Clodoald († 560), aurait fait construire des remparts à Combray contre Rollon († entre 928 et 933), le célèbre chef viking à l'origine du duché de Normandie. Dans une réécriture du même passage, c'est finalement Gilbert le Mauvais, compagnon du fameux Guillaume le Conquérant (v. 1027-1087), qui aurait fait bâtir les remparts contre Rollon, alors que celui-ci est en réalité l'arrière-arrière-arrière-grand-père de Guillaume le Conquérant.

Si les confusions interviennent principalement entre l'histoire royale du VIe siècle et l'histoire normande des Xe et XIe siècles, c'est que Proust croise les souvenirs de deux œuvres d'Augustin Thierry, l'*Histoire de la Conquête de l'Angleterre par les Normands* et les *Récits des temps mérovingiens*. Il semble emprunter également des informations – pour le meurtre des fils de Clodomir et peut-être pour la dynastie carolingienne – aux *Lettres sur l'histoire de France* (1827) du même auteur. Soucieux de l'exactitude historique de son ouvrage, Proust commence dès la rédaction suivante dans les Cahiers 8 et 12 à remplacer les noms propres incongrus dans la chronologie par les noms corrects (ou des noms de fantaisie) ; il donne des origines moins illustres à l'église de Combray, ce qui sied mieux à l'aspect modeste de l'édifice. L'influence d'Augustin Thierry devient plus discrète, mais elle est encore bien visible dans la description de la crypte : avant de disparaître, à l'étape génétique suivante, l'abbaye de Guermantes, véritable hapax dans l'œuvre, lègue à l'église de Combray ses vestiges et son passé mérovingien.

Quant aux descriptions architecturales de ces deux édifices, Proust « a fait poser beaucoup d'églises », comme il l'a déclaré lui-même[1]. Pour l'abbaye en ruines, il disposait de plusieurs modèles, offerts par la littérature romantique et par les représentations de peintres célèbres. D'ailleurs, dans les feuillets aujourd'hui disparus publiés par Bernard de Fallois dans *Contre Sainte-Beuve*, il est question d'une abbaye écossaise en ruine, représentée plusieurs fois par William Turner, le peintre favori de Ruskin, probablement l'abbaye de Dryburgh, où est enterré Walter Scott, ou alors la cathédrale d'Elgin[2]. Proust s'attarde sur la description de ce paysage où l'architecture et la nature fusionnent : le pavé de la nef est une prairie, les arceaux se mêlent aux ronces et les bœufs paissent près des tombeaux. Le Cahier 7 ne fait plus référence à une église écossaise, mais à deux églises abbatiales normandes, explicitant ainsi les principaux modèles de l'abbaye de Guermantes : l'abbaye Saint-Wandrille de Fontenelle et l'abbaye de Jumièges[3].

Proust mentionne Saint-Wandrille au f° 10 r° au sujet d'un missel roman dans une « reliure rococo », que nous proposons d'identifier au manuscrit 330 de la Bibliothèque municipale du Havre, plus connu comme le Missel de Winchester, rédigé au XIIe et relié au XVIIe ou XVIIIe siècle. Néanmoins, à travers l'image du missel ancien dans une reliure plus moderne, Proust se réfère de manière voilée à l'architecture de l'abbaye Saint-Wandrille, qui est « de toutes les époques[4] » : sa fondation date du VIIe siècle, la chapelle Saint-Saturnin des Xe-XIe siècles, l'église abbatiale Saint-Pierre du XIIIe siècle, le cloître du XIVe (pour ses parties les plus anciennes), les bâtiments conventuels s'échelonnant du XVIIe au XXe siècle. L'abbaye de Jumièges est mentionnée en relation à ses « géantes tours de cathédrale » (f° 10 r°), formule impropre puisqu'il n'y a pas de siège épiscopal à Jumièges, mais qui doit désigner les deux imposantes tours du massif occidental de l'église abbatiale Notre-Dame. À côté de ces ruines des XIIIe et XIVe siècles se trouvent les restes d'un cloître du XVIe siècle et la Porterie en style néo-roman et néo-gothique du XIXe siècle, avec quelques éléments du XIVe siècle. Comme l'abbaye Saint-Wandrille, l'ensemble des bâtiments

1. Voir f° 11 r°, n. 7.
2. Voir f° 2 r°, n. 4.
3. Voir f° 10 r°, n. 3 et 5.
4. Proust utilise cette expression à propos de la cathédrale d'Évreux dans une lettre d'octobre 1907 à Mme Straus (*Corr.*, t. VII, p. 287).

de Jumièges embrasse environ mille ans d'histoire de l'architecture (du IXe siècle au XIXe siècle), et conserve des ruines majestueuses.

Au-delà de la poésie des ruines, Proust a été fasciné par les légendes de fondation de ces deux abbayes au point d'avoir voulu forger lui-même un passé légendaire aux églises de son œuvre. L'abbaye de Saint-Wandrille aurait été fondée par saint Wandrille au VIIe siècle ; l'abbaye de Jumièges à la même époque par saint Philibert. Ce dernier y aurait accueilli les fils de Clovis II et de la reine Bathilde, plus connus sous le nom d'« énervés de Jumièges ». D'après cette légende que Proust évoque à deux reprises dans le cahier (fos 9 ro et 13 ro), les princes auraient été cruellement punis de leur rébellion contre leur père : les nerfs de leurs jambes auraient été brûlés, d'où leur sobriquet. Après avoir été abandonnés sur un radeau à la dérive sur la Seine, ils seraient arrivés à l'abbaye de Jumièges, où ils seraient finalement restés.

Quant à l'église de Combray, nombreux en sont les modèles, ne serait-ce que pour le clocher et pour l'abside (fos 21-24 ros). Dans ce même cahier, Proust fait allusion à la flèche de l'église de Saint-Gervais de Falaise qui, d'un certain point de la ville, semblerait s'élever au-dessus de deux hôtels du XVIIIe siècle (fo 23 ro). Les clochers de Chartres, auxquels il a consacré un morceau aux fos 71-67 vos du Cahier 6, et ceux de Caen, qu'il a décrits dans « Impressions de route en automobile » (1907), ont été d'autres sources importantes d'inspiration[1]. Comme dans les tableaux de Turner admirés par Ruskin, les silhouettes des clochers qui se dressent au loin s'intègrent harmonieusement au paysage naturel[2] : « Depuis c'est une façon de voir les églises que j'ai souvent beaucoup aimée, qui rend charmants des clochers, des tours, des dômes qui ne le sont pas toujours… » (fo 23 ro). C'est ainsi que, lors des promenades du côté de Méséglise, le clocher de Combray « souriait de soleil » dans un ciel bleu (fo 27 ro), celui de Pinsonville dominait un « vrai petit bois » et était parfois surmonté d'un arc-en-ciel (fo 25 ro). Mais le clocher recèle aussi le mystère du Temps et le secret de la vocation (que l'on pense aux clochers de Martinville). À la fois familier et mystérieux, commun et énigmatique, « un clocher, s'il est insaisissable pendant des jours a plus de valeur qu~~e~~<'une> théorie complète du Monde » (Carnet 1, fo 41vo[3]).

L'abside de la petite église, quant à elle, est plutôt construite en opposition aux absides gothiques des grandes cathédrales du nord de la France. Proust mentionne les quatre chefs-d'œuvre de l'architecture gothique qu'un dicton populaire associe : l'église parfaite réunirait les portails de Reims, la nef d'Amiens, le chœur de Beauvais et les clochers de Chartres[4]. À l'opposé de leur virtuosité architecturale, l'abside de Combray est formée d'une muraille grossière, avec quelques petites verrières asymétriques dans la partie supérieure. Si elle peut rappeler nombre de petites églises de village, elle a peut-être été inspirée par la collégiale Saint-André de Chartres, église romane des XIe-XIIe siècles, qui réunit toutes les caractéristiques évoquées par Proust[5]. C'est une église de l'enfance que Proust magnifie à travers la mémoire. Aussi l'auteur compose-t-il une véritable apologie de la petite église de village contre les cathédrales, du roman contre le gothique. Avec ses rares baies, ses arcs en plein cintre, ses murs épais, l'architecture romane donne un sentiment de gravité, de recueillement religieux, de mysticisme : « j'ai

1. Voir Emanuele Arioli, « L'automobile et les églises : un voyage dans le temps. Le Moyen Âge d'*Impressions de route en automobile* (1907) », in *Proust et les « Moyen Âge »*, Sophie Duval et Miren Lacassagne (dir.), Hermann, 2015, p. 277-291.
2. Par ce biais, la nature et l'architecture s'exaltent mutuellement ; voir également les fuchsias de Mme Loiseau qui « venaient retomber sur le mur de l'église » (fo 23 ro).
3. *Cn*, p. 102.
4. Voir fo 21 ro, n. 5.
5. *Ibid.*, n. 2.

préféré à Beauvais même des absides romanes, moins belles, mais qui m'ont paru d'un sentiment religieux plus profond encore » (f° 22 r°). En 1907, Proust écrit à Émile Mâle : « C'est en général le roman qui me touche le plus[1] ».

L'architecture médiévale – écrit-il – est comme de la pensée qui a pris forme : cette conception s'inspire largement des idées qu'Émile Mâle expose dans *L'Art religieux du XIIIe siècle en France*[2]. Si cet ouvrage, que l'écrivain a abondamment utilisé pour les notes de sa traduction de *La Bible d'Amiens* de Ruskin, a été déterminant pour sa culture iconographique – les traces romanesques les plus évidentes se trouvent dans la description de l'église de Balbec –, il a également inspiré chez lui une certaine conception de l'architecture et une véritable fascination pour le Moyen Âge. À la suite d'Émile Mâle, Proust considère l'architecture médiévale comme le reflet de la pensée qui l'a engendrée[3]. L'abbaye de Guermantes ne remonte pas à un temps révolu, elle y plonge encore : « Et les tours du château sont encore je ne te dis pas de ce temps là mais dans ce temps là. C'est ce qui émeut en les regardant. On dit toujours que les vieilles choses ont vu bien des choses depuis et que c'est le secret de leur émotion. Rien n'est plus faux. [...] Elles n'ont plus rien vu depuis » (fos 12-13 ros).

Si les églises médiévales vivent dans un temps révolu, elles traversent aussi les siècles, reliant le passé et le présent : ce sont des « figure[s] du Temps » (f° 10 r°). C'est bien dans l'église de Combray que le héros a pressenti la « quatrième dimension des choses »[4]. À Guermantes « les siècles ~~morts~~ qui ne sont plus <y> essayent d'être encore, le temps y a pris la forme de l'espace mais on le reconnaît bien » (f° 10 r°). Dans l'abbaye évoquée dans ce cahier, comme dans ses modèles réels, tous les siècles ont laissé leur marque : les éléments d'architecture romane – comme les arcs en plein cintre – se mêlent aux formes plus élégantes des XIIIe et XVe siècles, et aux formes plus grossières de la crypte mérovingienne. Face aux superpositions architecturales et aux souvenirs historiques de l'église de Combray et des ruines de l'abbaye de Guermantes, le héros est déjà confronté à la révélation finale qui structure toute l'œuvre.

Un livre « impudique », « obscène » et « inconvenant »

Ce n'est pourtant pas sur la dimension médiévale ni même sur la question du temps que Proust insiste lorsqu'il présente son livre à ses correspondants pendant l'été de 1909 mais sur son immoralité[5]. À Alfred Vallette, directeur du Mercure de France, qu'il envisage comme éditeur possible, il précise : « [u]n des principaux personnages est un homosexuel[6] ». Proust vient d'inventer le personnage de Guercy/Gurcy et de retracer les grandes étapes de sa vie dans le Cahier 51, en même temps qu'il en a rédigé un triple portrait dans le Cahier 7. Les différents morceaux consacrés au futur Charlus dessinent en effet, dans notre cahier, un scénario en trois temps : Guercy en homme viril décrit par Montargis, futur Saint-Loup ; Guercy en excentrique, perçu par le héros comme « un peu fou » (f° 31 r°) ; le troisième portrait, celui de

1. *Corr.*, t. XVII, p. 541.
2. Voir f° 13 r°, n. 4 et 5.
3. Voir f° 13 r°, n. 5.
4. Proust l'évoque au f° 38 v° du Cahier 55 au sujet d'Albertine : « cette quatrième dimension des choses que mon imagination avait perçue dans l'église de Combray » ; Albertine « m'invitait dans une forme pressante, cruelle et sans issue à la recherche des jours écoulés, elle était comme une grande déesse du Temps. » Cf. « La forme que j'avais pressentie autrefois dans l'église de Combray, et qui nous reste habituellement invisible, celle du Temps » (*TR*, IV, p. 622).
5. Les adjectifs « impudique », « obscène » et « inconvenant » figurent dans les lettres de la mi-août 1909 à Vallette et Mme Straus (*Corr.*, t. IX, p. 155, 156, 163).
6. *Ibid.*, p. 155.

Guercy « assoupi » (f° 49 r°), étant destiné à apporter la clé de cet « abîme de contradictions » (f° 33 r°) par une « révolution magique » où « tout ce qui [semblait] contradictoire, se résolvait en harmonie ». Cette révélation se marque déjà par la fameuse formule : « on dirait une femme. [...], c'en était une ! C'en était une » (f° 50 r°). Ce triple portrait d'un « homosexuel » sans « l'ombre de *pornographie* », comme Proust le précise à Vallette, a en effet pour objectif de proposer « des choses neuves »[1] et, en particulier, une autre représentation de l'homosexualité.

Pour ces portraits et l'exposé plus théorique qui suit, Proust emprunte d'abord à l'actualité, dans un contexte encore fortement marqué par les deux grands procès européens de l'homosexualité, le procès de Wilde en 1895 et l'affaire Eulenburg en 1907. Ces deux affaires reviennent en effet sur le devant de la scène au cours de l'année 1909. Comme on l'a vu, c'est en juillet 1909 qu'a lieu le transfert de la dépouille de Wilde au Père Lachaise, événement auquel Proust semble faire allusion dans notre cahier[2]. Les procès de Wilde pour homosexualité[3], qui s'étaient tenus en Angleterre quelques années auparavant, avaient connu une issue dramatique : l'écrivain avait été condamné à deux ans de travaux forcés (*hard labour*). Cette condamnation l'avait réduit à la pauvreté et conduit à l'exclusion, jusqu'à sa mort prématurée en 1900. En juin 1909 se déroule aussi le dernier acte de ce que Proust appelle un « procès d'homosexualité[4] », l'affaire Eulenburg. Le prince Philipp zu Eulenburg (1847-1921), ami et conseiller de l'empereur Guillaume II, avait été accusé d'entretenir des relations avec un autre familier de l'Empereur, le général Kuno von Moltke (1847-1923), commandant militaire de Berlin. L'affaire avait connu de nombreux rebondissements et abouti à une série de procès retentissants dont la presse, allemande comme française, s'était fait l'écho[5]. Rouvert en juillet 1909, le procès fut rapidement suspendu en raison de l'état de santé du Prince, signant la fin de l'affaire Eulenburg.

Proust s'inspire directement de ces deux affaires pour peindre Guercy. D'Eulenburg et de son procès, il retient la dimension théâtrale liée aux différents rebondissements qui marquent l'affaire[6]. De Wilde, il reprend peut-être le caractère excentrique et quelques traits physiques, en décrivant Guercy comme un être « bizarre[7] », « assez grand et assez gros[8] ». Mais ce qu'il met en évidence dans ces « existences paradoxales » (Cahier 49, f° 51 r° pap.), c'est avant tout leur destin dramatique lorsqu'il compare, dans l'exposé sur la « race maudite », l'homosexuel au « poète reçu dans tous les salons de Londres, poursuivi <lui et ses œuvres[,] lui> ne pouvant trouver un ~~théâtre~~ <lit> où reposer, elles une salle où être jouée[s] » (Cahier 7, f° 55 r°)[9]. Les deux affaires ont donc

1. *Ibid.*, p. 157 et 156. Comme le souligne Gisèle Sapiro, la question de la pornographie était d'actualité : un congrès contre la pornographie avait même été organisé à Paris du 20 au 24 mai 1908 (*La Responsabilité de l'écrivain*, Seuil, 2011, p. 340 *sq.* ; p. 392).
2. Voir *supra*, p. XXIV, n. 5 et f° 55 r°, n. 4.
3. Le premier procès s'était ouvert le 3 avril 1895, en Angleterre. Il s'agissait d'un procès pour diffamation intenté par Oscar Wilde contre le marquis de Queensberry, père de son ami Lord Alfred Douglas, qui l'avait traité de « somdomite » [*sic*] dans une carte qu'il lui avait envoyée. Ce premier procès qui avait abouti à un non-lieu avait entraîné deux autres actions en justice, les 26 avril et 22 mai, mais cette fois, c'était Wilde qui était accusé d'outrages aux mœurs et de sodomie. Proust les évoque dans une lettre à Robert Dreyfus de mai 1908. *Corr.*, t. VIII, p. 123. Voir Florence Tamagne, *Histoire de l'homosexualité en Europe*, Seuil, 2000, p. 28.
4. Lettre à Robert de Billy, datée par Ph. Kolb du 9 novembre 1907. *Corr.*, t. VII, p. 309. Le nom « Eulenbourg » est mentionné dans les premières notes du Carnet 1 (f° 14 v° ; *Cn*, p. 56).
5. C'est aussi en avril 1909 que tombe le verdict dans la procédure de Moltke contre Harden, le journaliste qui divulgua l'affaire. Sur ces procès, voir *SG*, Notice, III, p. 1199 *sq.*, et Nicolas Le Moigne, « L'affaire Eulenburg : homosexualité, pouvoir monarchique et dénonciation publique dans l'Allemagne impériale (1906-1908) », *Politix*, 2005/3, n° 71, p. 95 *sq.*
6. À propos de Guercy, Proust évoque en effet « la comédie qu'il joue pour le moment » (f° 31 r°) et ajoute en interligne : « fort mal jouée ». Le caractère théâtral du personnage est renforcé par une allusion à Molière et à l'un de ses personnages, Célimène (f° 35 r° et n. 2).
7. Sur l'adjectif « bizarre » : voir les f°s 27 v°, 31 r°, 31 v°, 32 r°, 34 r°.
8. Ces traits pourraient provenir d'un article d'Henri de Régnier de mai 1909 consacré à la pièce de Wilde, *L'Éventail de Lady Windermere* : voir f° 30 r°, n. 5.
9. Voir f° 55 r°, n. 2 et n. 3.

contribué à donner au personnage de l'homosexuel un visage, une histoire et un destin. Elles lui ont aussi donné un langage. Comme Proust le précise dans le Cahier 49, le terme « homosexuel », qui apparaît, sous ses diverses formes[1], environ une dizaine de fois dans le Cahier 7, n'a « paru en France [...] traduit sans doute des journaux berlinois, qu'après le procès Eulenbourg »[2].

Ce procès a également contribué à nourrir une « théorie » sur l'homosexualité que le roman développera mais que Proust présente encore comme « toute fragmentaire » au stade du Cahier 49 (f° 60 v°). C'est à l'occasion du procès d'Eulenburg que les thèses sur ce qu'on appelait alors le « troisième sexe », – d'abord développées par le juriste Karl Einrich Ulrichs au milieu du XIXe siècle, puis reprises par le médecin-psychiatre Magnus Hirschfeld qui avait lui-même participé au procès en tant qu'expert –, ont été plus largement diffusées[3]. Celles-ci faisaient de l'homosexuel un être possédant « une âme de femme prisonnière dans un corps d'homme[4] ». Dans le Cahier 7, le portrait de Guercy en femme (f° 49 r° *sq.*), préparé par de nombreuses allusions à sa féminité, porte les traces de ce discours[5]. Parallèlement, transparaît déjà dans notre cahier le « caractère » « assez neuf[6] » que Proust annoncera en 1912, puisque le futur Charlus est aussi un représentant de cette « homosexualité virile[7] » dont la description est favorisée par l'affaire Eulenburg : le goût de Guercy pour « la virilité[8] » sur lequel Proust met l'accent dans son premier portrait pourrait être mis en relation avec la dimension militaire de l'affaire[9].

Sodome et Gomorrhe et davantage encore son avant-texte, le Cahier 7, reflètent aussi les conceptions médicales et psychiatriques du temps[10] telles qu'on peut les trouver, par exemple, dans un ouvrage de Georges Saint-Paul, alias le Dr Laupts[11], volume souvent cité dans ce contexte mais encore peu mentionné dans les études proustiennes, et dont la première édition avait paru en 1896 : *Tares et poisons. Perversion et perversité sexuelles*[12]. L'homosexualité, dans le portrait de Guercy comme dans l'exposé sur « la race maudite », est ainsi présentée comme une « maladie » (biffé),

1. Dans le Cahier 7, on trouve en effet les termes suivants : « homosexuel », « homosexualité » et « antihomosexuel ». Sur les différentes dénominations adoptées par Proust, voir f° 51 r°, n. 5.
2. « [...] n'étant pas Balzac je suis obligé de me contenter d'inverti. Homosexuel, ~~plus~~ est trop germanique et pédant, n'ayant guère paru en France ~~d'ailleurs~~ <— sauf erreur —>, <et> traduit sans doute des journaux berlinois, qu'après le procès Eulenbourg. D'ailleurs il y a une nuance. Les homosexuels mettent leur point d'honneur à n'être pas des invertis. ~~Dans~~ <D'après> la théorie toute fragmentaire du reste que j'ébauche ici, il n'y aurait pas en réalité d'homosexuels. » (Cahier 49, f° 60 v°).
3. Voir Régis Revenin, « Conceptions et théories savantes de l'homosexualité masculine en France, de la monarchie de Juillet à la Première Guerre mondiale », *Revue d'histoire des sciences humaines*, 2007/2, n° 17, p. 31, et F. Tamagne, « Genre et homosexualité. De l'influence des stéréotypes homophobes sur les représentations de l'homosexualité », *Vingtième Siècle. Revue d'histoire*, 2002/3, n° 75, p. 65-66.
4. Voir F. Tamagne, « Caricatures homophobes et stéréotypes de genre en France et en Allemagne : la presse satirique, de 1900 au milieu des années 1930 », *Le Temps des médias*, automne 2003, n° 1, p. 44. Voir aussi *SG*, Notice, III, p. 1216-1217 et *SG*, III, p. 16, n. 2 [p. 1277].
5. Comme F. Tamagne le souligne, l'efféminement est un des stéréotypes traditionnellement associés à l'homosexualité. « Caricatures homophobes et stéréotypes de genre ... », art. cité, p. 44. Sur cette question, voir fos 34 r°, 35 r°, f° 50 v° et n. 3, f° 52 v°, f° 54 v°.
6. Lettre à Gaston Gallimard de novembre 1912, *Corr.*, t. XI, p. 287.
7. F. Tamagne, « Caricatures homophobes et stéréotypes de genre ... », art. cité, p. 51. Proust emploiera l'expression « pédéraste viril » pour présenter son personnage dans une lettre à Gallimard. Voir note précédente et f° 34 r°, n. 4.
8. Voir f° 33 r° ; f° 35 r°, f° 50 r° et n. 3, f° 50 v° et n. 3.
9. Sur les liens entre homosexualité et milieu militaire, voir f° 50 v°, n. 2.
10. La dimension médicale du discours sur l'homosexualité chez Proust a déjà été beaucoup étudiée. Voir notamment Michael Finn, « Proust and Ambient Medico-Literary Homosexualities 1885-1922 », *French Forum*, vol. 37, n° 3, Fall 2012, p. 49-64. Sur l'influence d'Ambroise Tardieu, voir A. Compagnon, *SG*, III, p. 1289 *sq.* Sur les théories de Hirschfeld et Krafft-Ebing, voir *ibid.*, p. 1277. Sur Charcot et Magnan, voir *ibid.*, p. 1278.
11. Ce médecin, souvent cité par les historiens, avait effectué sa thèse sous la direction du professeur Lacassagne spécialisé en médecine légale et expert auprès des tribunaux. Sur cet ouvrage, voir notamment G. Sapiro, *La Responsabilité de l'écrivain*, *op. cit.*, p. 348 *sq.* ; Philippe Lejeune, « Autobiographie et homosexualité en France au XIXe siècle », *Romantisme*, 1987, n° 56, p. 87 *sq.* ; R. Revenin, « Conceptions et théories savantes de l'homosexualité masculine en France... », art. cité, p. 25 *sq.*
12. L'ouvrage mêlant littérature, science et considérations juridiques aurait pu intéresser Proust à plus d'un titre. Préfacé par Zola, il comportait notamment ce que le médecin présentait comme « le roman d'un inverti », récit autobiographique qu'un homosexuel avait envoyé à l'écrivain, mais il consacrait aussi un chapitre à la figure et au procès d'Oscar Wilde et se terminait par des considérations sur « la prophylaxie et la guérison de l'inversion ». Proust aurait pu en effet y trouver une synthèse des théories médicales de la fin du siècle : classification des

« une folie maladive » (fº 52 rº)[1] et l'homosexuel comme un fou[2]. Dans les premiers portraits de Guercy du Cahier 7, l'hypothèse de la folie[3] apparaît d'emblée comme une explication du comportement « bizarre » du personnage[4]. Quelques-uns des concepts clés de la théorie « scientifique » du temps figurent également dans le Cahier 7, comme ceux de *perversion* (fº 51 rº) ou de *tare* (fº 53 rº)[5]. On y retrouve une classification des homosexuels[6] ou une référence au débat sur le caractère héréditaire de l'homosexualité, lorsque celle-ci est présentée comme une « infortune ~~nativ~~ innée »[7]. Cependant, l'accumulation sous la plume de Proust des références au discours « scientifique » est moins le signe d'une adhésion à cette « médicalisation de la morale » que la marque d'une prise de distance[8] par rapport à ce qui fait de l'homosexualité non seulement une *maladie* mais un « problème social[9] », une menace pour la natalité[10]. Comme le souligne Gisèle Sapiro, « le contrôle médical et judiciaire des "perversions" s'opère au nom de la protection de la société et de la race[11] ». Autrement dit, le discours médical a des résonances politiques[12], et c'est aussi dans le cadre du développement des théories sur la « dégénérescence[13] » qu'il faut lire l'emploi par Proust du terme de « race » qui apparaît comme un *leitmotiv* dans cette partie du cahier.

L'exposé sur la « race maudite », qui prend la suite du dernier portrait de Guercy dans le Cahier 7 et se prolonge dans le Cahier 6 (fos 37-41 ros), et dont la version publiée en 1921 dans *Sodome et Gomorrhe I* a tantôt été interprétée comme une apologie, tantôt comme une incrimination[14], assimile les homosexuels à une « race maudite » puis, directement, à « Israël » (fº 52 rº). Même si Proust ne fait aucune référence explicite à l'affaire Dreyfus[15] dans ces Cahiers 7 et 6[16], le contexte politique et judiciaire est sous-jacent à leur rédaction. En 1909, l'Affaire, malgré la mort de Zola, la grâce accordée à Dreyfus et sa réhabilitation en 1906, est loin d'être éteinte[17].

---

homosexuels en types avec une distinction entre « l'inverti-né » et « l'inverti d'occasion », l'homosexualité de Wilde étant présentée comme un exemple d'une « inversion liée au milieu ». Voir fº 50 vº, n. 5, fº 52 vº, n. 3, fº 53 rº, n. 3 et 5, fº 53 vº, n. 5, fº 54 rº, n. 3, fº 55 rº, n. 2.

1. Sur le lien entre homosexualité et maladie, voir fº 31 vº, n. 2, fº 52 rº, n. 3, fº 53 rº et vº.
2. M. Finn, « Proust and Ambient Medico-Literary Homosexualities 1885-1922 », art. cité, p. 51.
3. Il est assimilé à un fou, un « dément » (fº 31 vº), puis décrit comme un « neurasthénique » (fº 31 vº et n. 2).
4. Sur la comparaison ambiguë de Guercy à une « folle » (fº 36 rº), voir fº 36 rº, n. 1 et fº 51 rº, n. 5.
5. L'idée de « tare » et de « perversion » avait d'abord été développée par Charcot et Magnan dans *Inversion du sens génital et autres perversions sexuelles* (1882), comme l'a souligné M. Finn, « Proust and Ambient Medico-Literary Homosexualities 1885-1922 », art. cité, p. 51 *sq*. Voir fº 51 rº et fº 52 rº, n. 3, fº 53 rº, n. 3.
6. Elle se développe sur les versos du Cahier 7 (fos 50-51 vos), puis dans le Cahier 6. Voir fº 50 vº, n. 5. L'ouvrage du Dr Laupts sera d'ailleurs republié en 1910 sous le titre *L'Homosexualité et les types homosexuels*.
7. Voir fº 53 rº, n. 3 et 5.
8. G. Sapiro, *La Responsabilité de l'écrivain*, *op. cit.*, p. 346-347. Comme on l'a vu, chacun des portraits de Guercy n'est d'ailleurs présenté que comme un point de vue, celui de Montargis ou celui du héros.
9. Voir R. Revenin, « Conceptions et théories savantes de l'homosexualité masculine en France… », art. cité, p. 25.
10. Pour un exemple, voir l'ouvrage du Dr Laupts : « cette inversion se propagera au loin dans la vie de la race, l'hérédité la reproduira chez leurs héritiers ». Georges Saint-Paul [Dr Laupts], *Tares et poisons. Perversion et perversité sexuelles*, Paris, Carré, 1896, p. 29.
11. G. Sapiro, *La Responsabilité de l'écrivain*, *op. cit.*, p. 347.
12. Rappelons que dans l'affaire Eulenburg, c'est pour discréditer l'entourage plutôt francophile de Guillaume II que le scandale a été lancé dans la presse, et pour favoriser le parti belliciste. F. Tamagne, *Histoire de l'homosexualité en Europe*, *op. cit.*, p. 29, et F. Leriche, *SG*, Le Livre de Poche, 1993, p. 26-27.
13. À propos des théories sur la dégénérescence, voir aussi M. Finn, « Proust and Ambient Medico-Literary Homosexualities 1885-1922 », art. cité, p. 59 *sq*.
14. Voir Marion Schmid, « Apologie ou incrimination ? L'exposé sur la "race maudite" dans les manuscrits de Proust », *Genesis*, 2005, nº 25, p. 69-84.
15. Pour rappel, cette affaire, comme l'affaire Eulenburg, concerne aussi les relations franco-allemandes puisque le polytechnicien Alfred Dreyfus, juif et alsacien, est accusé d'espionnage et de trahison au profit de l'Allemagne. Défendu par Zola dans son fameux « J'accuse » publié dans *L'Aurore* (13 janvier 1898), il sera gracié en 1899 par Émile Loubet et réhabilité en juillet 1906.
16. Une référence explicite à l'affaire Dreyfus figure dans le Cahier 49 et dans *SG* (III, p. 17). Voir fº 51 rº, n. 8.
17. Le quotidien *L'Action française*, qui tient une rubrique intitulée « Le calendrier de l'Affaire Dreyfus », est lancé le 21 mars 1908. En juin 1908, un an seulement avant la rédaction du Cahier 7, le transfert des cendres de Zola au Panthéon avait donné lieu à un sur-

Or si l'on connaît bien l'exploitation des préjugés antisémites à laquelle elle a donné lieu, il n'en va pas de même du rôle qu'auraient pu y jouer les stéréotypes homosexuels[1]. La mention dans le Cahier 7 d'une « brasserie allemande[2] », les références à plusieurs personnages de militaires[3], ou encore le lien entre le personnage de l'homosexuel et les figures de l'espion et du traître[4], que ce soit dans le portrait de Guercy ou dans l'exposé sur la « race maudite », peuvent être interprétés dans ce sens. D'ailleurs la comparaison entre Juifs et homosexuels n'est pas nouvelle sous la plume de Proust. Elle apparaissait déjà, de manière implicite, dans le pastiche de 1908 « L'affaire Lemoine par Michelet », où Proust se livrait, comme l'a souligné Yuji Murakami, à une double imitation, de Michelet et de Drumont[5]. Dans l'exposé sur « la race maudite », Proust emploie de même tout un système de références qui fait appel à la rhétorique de cette droite nationaliste[6] nourrie par l'affaire Dreyfus, rhétorique qui s'est diffusée au tournant du siècle après le succès de l'ouvrage de Drumont *La France juive* (1886), puis avec les nombreux articles sur l'Affaire dans *L'Action française*, dont Léon Daudet, proche de Proust, est l'un des fondateurs. Proust en reprend les concepts phares – celui de patrie[7], comme celui de « race[8] » – et, avec des termes comme « franc-maçonnerie » ou « petit juif » (f° 52 r°), réemploie le vocabulaire et les clichés de l'antisémitisme. Il emprunte aussi à cette droite polémiste son ton virulent et son outrance verbale avec la récurrence du terme « race maudite », l'emploi d'expressions comme « bureaucrates farouches de leur vice » (f° 50 v°) ou encore « secte porte bracelet », « lie de leur race » (Cahier 6, f° 40 r°).

Proust détourne ainsi pour s'en démarquer, dans ce qui s'apparente à un pastiche, le discours de l'extrême droite. Il entend sans doute par là affirmer sa voix et prendre position dans le débat littéraire qui a émergé autour de Barrès, puis de l'Action française, contre Zola et le naturalisme et pour une littérature nationale[9]. Proust lui-même, comme l'a montré Yuji Murakami, avait en 1898 subi les attaques du quotidien nationaliste *La Libre Parole* qui avait pris la défense de Barrès, « écrivain de race française », contre « les jeunes littérateurs juifs » (c'est-à-dire les rédacteurs de la *Revue blanche* dont Proust, cité dans l'article), leur déniant en raison de « leur hérédité » jusqu'au droit de juger de la littérature française[10]. Dans le Cahier 6 (f° 33 r° *sq.*), figure également une critique de Barrès et de son discours de réception à l'Acadé-

saut de haine antisémite, dont Dreyfus lui-même avait de nouveau été la victime, puisque lors de la cérémonie il avait été blessé par deux coups de feu tirés par Louis Grégori, journaliste proche de Drumont. À l'issue de son procès, en septembre 1908, Grégori sera acquitté. Voir Laurent Joly, « Les débuts de l'Action française (1899-1914) ou l'élaboration d'un nationalisme antisémite », *Revue historique*, 2006/3, n° 639, p. 712 *sq.*

1. Comme on l'a vu, lors du procès Eulenburg, le médecin Magnus Hirschfeld (1868-1965) avait été appelé à témoigner comme « expert ». Or, il était lui-même juif et homosexuel. Dès lors, comme le souligne F. Tamagne, cela « imposa l'idée d'une conspiration des deux groupes visant à la ruine de l'Empire ». F. Tamagne, *Histoire de l'homosexualité en Europe*, *op. cit.*, p. 30-31. Sur la comparaison entre Juifs et homosexuels, voir f° 51 r°, n. 8. On note qu'elle apparaît également dans l'ouvrage du Dr Laupts, *Tares et poisons…*, *op. cit.*, p. 105, n. 1.
2. Voir f° 51 v°, n. 4.
3. Voir f° 50 v°, n. 2.
4. Voir Cahier 7, f° 30 v°, n. 2, f° 31 r°, f° 52 r°, n. 6. Voir aussi dans le Cahier 6 : « et les uns comme les autres <on les voit> avec ~~l'audace et~~ l'œil curieux et l'attitude indifférente des espions rôder autour des casernes. » (f° 40 r°).
5. Voir Y. Murakami, « 1898. Le moment antisémite et la genèse d'un cosmopolitisme littéraire », Du côté de chez Swann *ou le cosmopolitisme d'un roman français*, Antoine Compagnon et Nathalie Mauriac Dyer (dir.), Champion, 2016, p. 235. Comme l'a aussi montré Murakami, « Mondanité de Bouvard et Pécuchet » (1893) était également un double pastiche de Flaubert et Drumont. *Ibid.*, p. 220.
6. Sur ce point, voir l'ouvrage de R. Revenin, *Homosexualité et prostitution masculine à Paris (1870-1918)*, L'Harmattan, 2005, p. 100-101. Voir f° 51 r°, n. 8 et f° 52 r°, n. 8.
7. Voir f° 52 r°, n. 1
8. Dans le Cahier 7, le morceau est presque entièrement composé d'une seule longue phrase, rythmée par des points-virgules et par la répétition du mot « race ».
9. Voir G. Sapiro, *La Responsabilité de l'écrivain*, *op. cit.*, p. 381-382. Comme elle le souligne, « les écrivains bien-pensants » ont tendance à « justifier leur moralisme par rapport à l'intérêt national, dont la langue est un enjeu majeur ».
10. Voir Y. Murakami, « 1898. Le moment antisémite et la genèse d'un cosmopolitisme littéraire », art. cité, p. 223-224.

mie française de 1907[1]. Dans le segment consacré à « Sainte-Beuve et Baudelaire » de la fin du Cahier 7, Proust s'élève contre les clichés propagés par Sainte-Beuve sur le poète ; de même, dans le Cahier 6, il souligne que Nerval n'est pas le « fol délicieux » que construit Barrès et affirme, contre la récupération que l'écrivain nationaliste a tenté de faire de lui : « en attendant il n'a rien de mesuré, de bien français » (f° 34 r°). Les pages sur l'homosexualité prolongent donc la perspective critique et polémiste que Proust comptait déployer contre Sainte-Beuve ; elles sont dirigées contre les écrivains nationalistes et contre leur « antisémitisme littéraire[2] » et participent à l'ouverture romanesque qui met un terme au projet initial du « Contre Sainte-Beuve ».

Pour Baudelaire

L'importante section consacrée à Baudelaire et à l'étude de sa poésie qui termine le Cahier 7 et se prolonge dans le Cahier 6 (f°s 10-15 r^os) relève de la partie plus théorique et critique que Proust projetait pour le « Contre Sainte-Beuve ». Celle-ci prenait la forme d'une « conversation avec Maman » et devait venir en conclusion du livre. L'ensemble est loin d'être achevé, comme l'attestent, d'une part, les redites et les ébauches de rédaction dans les premiers folios et, d'autre part, le caractère lacunaire et allusif de certains passages.

Cette section suit une structure implicite en deux temps bien distincts : une première partie, biographique, se présente littéralement comme une glose de l'étude qu'Eugène et Jacques Crépet avaient publiée en 1907[3] (Cahier 7, f°s 56-64 r^os), tandis que la seconde, à cheval sur les Cahiers 7 et 6, présente et analyse la poésie de Baudelaire (f°s 64-71 r^os et f°s 10-15 r^os). Pour la partie biographique, Proust recopie de larges pans de la réédition toute récente de Jacques Crépet, sa principale source d'informations. Il résume ainsi à grands traits la trame factuelle de l'amitié qui lie Sainte-Beuve à Baudelaire, retenant surtout les échanges consécutifs au procès des *Fleurs du Mal* en 1857, puis ceux qui sont relatifs à la candidature sans lendemain de Baudelaire à l'Académie française en 1862.

Pour ce qui est des trois textes écrits par Sainte-Beuve à propos de Baudelaire, et auxquels Proust fait référence, les sources diffèrent quelque peu. Proust s'appuie tout d'abord sur l'édition des *Causeries du lundi* de 1869[4] pour recopier de longs passages de la lettre que Sainte-Beuve adressa à Baudelaire en guise de remerciements pour l'envoi des *Fleurs du Mal* au moment de leur parution en 1857 (f°s 57-59 r^os et f°s 57-59 v^os). L'exactitude des citations et la mention « copier la fin », consignée en clausule d'un paragraphe, attestent une lecture fidèle et suivie. Proust évoque par ailleurs le préambule que Sainte-Beuve a rédigé, quelque dix années plus tard, et qui précède cette lettre dans l'édition des *Causeries*[5] : « Et voici comment dans ce préambule il parle des Fleurs du Mal [...]. » (f° 58 v°). La lettre de Sainte-Beuve, écrite en 1857, avait d'abord été reproduite en appendice du premier volume des *Œuvres complètes* chez Michel Lévy

1. *Ibid.*, p. 225-226.
2. *Ibid.*, p. 225.
3. Eugène Crépet et Jacques Crépet, *Charles Baudelaire. Étude biographique* d'Eugène Crépet revue et complétée par Jacquet Crépet suivie des Baudelairiana d'Asselineau, Albert Messein, 1907. (L'ouvrage est daté de 1906 sur la page de titre, mais l'achevé d'imprimer est du 30 janvier 1907 et le dépôt légal, enregistré par la *Bibliographie de la France*, de 1908. A. Messein décide, en outre, de rééditer le volume cette même année, avec en sous-titre la mention « étude biographique revue et complétée en 1907 », et il change le titre « Charles Baudelaire » en « Baudelaire ».)
4. Sainte-Beuve, *Causeries du lundi*, t. IX, 3e éd., Garnier frères, 1869. La lettre est présentée en appendice (p. 527-529), l'auteur « profitant des quelques pages restantes pour glisser, comme à [s]on habitude, une ou deux anecdotes littéraires ».
5. *Ibid.*, p. 527.

en 1868[1] ; Proust l'avait probablement déjà lue dans sa propre édition des *Fleurs du Mal*, sans pouvoir prendre connaissance toutefois du préambule, dont il souligne ici l'hypocrisie. Il ne peut se référer qu'à cette édition dans la mesure où ce texte n'a jamais été repris de son vivant.

C'est bien, en revanche, dans l'ouvrage de Jacques Crépet que Proust trouve les deux autres documents relatifs à Sainte-Beuve. Les « Petits moyens de défense tels que je les conçois » sont reproduits en appendice de l'étude biographique[2] ; Proust les évoque au tout début de son développement : « [Sainte-Beuve] se contenta de rédiger anonymement un plan de défense [...] » (f° 57 r°). Sainte-Beuve fit paraître en 1862, par ailleurs, un article sur les diverses candidatures de Baudelaire à l'Académie française, qu'il reprit un an plus tard dans ses *Nouveaux lundis*. Proust en recopie deux longs extraits[3], mais le récit détaillé qu'il fait de la campagne de Baudelaire suit de près celui qu'en proposent les Crépet[4]. Sa deuxième source principale d'informations réside dans les *Lettres* parues en 1906[5]. Proust en rapporte un certain nombre d'éléments dont il n'a pu prendre connaissance ailleurs. Il en va ainsi pour l'anecdote sur le pain d'épices (f° 56 r°), l'envoi des « lettres les plus exaltées » (*ibid.*), les remerciements consécutifs à la parution de l'article sur la « folie Baudelaire » (f° 61 r°), ou bien la mention de ses « grands cheveux blancs qui lui donnaient l'air, disait-il, "d'un académicien (à l'étranger !)" » (Cahier 6, f° 14 r°).

Les développements sur Baudelaire et sa poésie qui terminent le cahier ne sont plus liés à la seule vie de l'auteur des *Fleurs du Mal* : loin d'être un simple recueil de « souvenirs », le « livre » de l'été 1909 a bien cette dimension polémique qu'annonçait le titre « Contre Sainte-Beuve ». On peut d'ailleurs voir, dans ce projet de Proust, la conséquence du fait que l'actualité éditoriale place, en 1907, Baudelaire, ses éditeurs et ses critiques au centre d'une vive polémique : la refonte de la biographie d'Eugène Crépet et la parution des *Lettres* ont ranimé les débats autour de la vie du poète – et de la légende qui l'accompagne[6]. Le projet de Proust tel qu'il se dessine dans ce cahier n'est donc pas seulement un projet critique et virulent à l'égard de Sainte-Beuve et de sa lecture biographique des œuvres, mais un plaidoyer en faveur d'un poète dont la postérité est discutée.

Si Proust ne réutilise pas ces passages dans la *Recherche*, il saura s'en souvenir au moment de la rédaction des grands articles d'après-guerre. Il replonge alors dans ses cahiers et distille dans deux articles l'essentiel de ce qu'il avait écrit dans le Cahier 7, mais en le répartissant : le premier article[7], repris en guise de « Préface » à *Tendres Stocks* de Paul Morand, hérite de la partie plus polémique, consacrée aux erreurs de jugement de Sainte-Beuve et aux errements de sa méthode, tandis que le second, « À propos de Baudelaire »[8], s'applique à décrire sa poésie et à la mettre en perspective. Dans le développement repris dans la « Préface » à Morand qui rassemble les différents éléments consignés dans le Cahier 7[9], l'écrivain ne suit pas la progression originelle de son raisonnement et propose un montage, se faisant en quelque manière l'éditeur de ses propres brouillons pour leur donner une forme lisible et ordonnée. Aussi recopie-t-il littéralement la plupart des passages qui étaient restés à l'état d'ébauche, y compris un petit commentaire livré

1. Charles Baudelaire, *Œuvres complètes*, t. I, *Les Fleurs du mal*, précédées d'une notice par Théophile Gautier, Michel Lévy frères, 1868, p. 395-398.
2. Eugène Crépet et Jacques Crépet, *Baudelaire*, *op. cit.*, p. 229-230.
3. Voir f° 58 r° n. 9 et f° 59 r° n. 1.
4. Eugène Crépet et Jacques Crépet, *Baudelaire*, *op. cit.*, p. 149-152.
5. Charles Baudelaire, *Lettres (1841-1866)*, Société du Mercure de France, 1906.
6. Voir André Guyaux, *Baudelaire. Un demi-siècle de lectures des « Fleurs du mal » (1855-1905)*, Presses de l'université Paris-Sorbonne, coll. « Mémoire de la critique », 2007.
7. « Pour un ami (remarques sur le style) », *La Revue de Paris*, 15 novembre 1920. Voir *EA*, p. 606-616.
8. *La NRF*, 1er juin 1921. *EA*, p. 618-639.
9. Voici l'assemblage qu'il effectue sur les quelques pages qu'il consacre à Baudelaire (*ibid.*, p. 609-611) : f°s 56 v°, 59 r°, 56 v°, 57 v° (4 passages), 58 v°, 56 r°, 59 r° et 60 r°.

en aparté et sans réelle incidence (« Ce qui entre parenthèses ne s'accorde pas beaucoup avec "vous avez dû beaucoup souffrir, mon cher enfant[1]" »). Le contexte de l'article de 1921 est autre : dans le cadre du centenaire de la naissance de Baudelaire et en marge des nombreuses publications que cette commémoration engendre, *La Nouvelle Revue Française* a passé commande au mois d'avril auprès de Proust. À la différence des passages sur Sainte-Beuve que Proust publie dans sa « Préface » à *Tendres Stocks*, son analyse critique et stylistique ne s'appuie pas vraiment sur les pages qu'il avait rédigées dans les Cahiers 7 et 6. Si l'on identifie, à quelque dix années d'intervalle, quelques résurgences qui témoignent d'une vision continue et cohérente, le propos n'en est pas moins renouvelé, une grande partie du développement s'appuyant sur de nouvelles analyses, pour la plupart inédites. Proust aime à souligner la nouveauté des *Fleurs du Mal* et l'incompréhension qu'une telle œuvre pouvait susciter auprès de ses contemporains, comme pour mieux justifier alors la parution imminente de *Sodome et Gomorrhe I*.

Relire ces passages sur Baudelaire et Sainte-Beuve dans leur contexte permet de mieux apprécier le projet de Proust tel qu'il s'élabore au cours de cette année décisive qu'est 1909, et de mettre au jour les liens entre les différents segments d'un Cahier qui a fait l'objet d'une lecture souvent fragmentaire. Ainsi lorsque Proust évoque Wilde et son destin dans l'exposé sur la « race maudite », n'est-ce pas que, pour le condamner, la justice était allée chercher les preuves de son immoralité non seulement dans sa vie personnelle, mais aussi et surtout dans ses œuvres ? Le procès avait en effet mis en lumière la question du rapport entre morale de l'auteur et morale de l'œuvre, une partie de l'accusation reposant sur la confusion entre l'homme et ses personnages[2]. Ce procès pouvait donc aussi constituer une pièce indirecte dans l'accusation que Proust entendait porter contre Sainte-Beuve. Pour Proust, il ne s'agit pas, en écrivant sur la vie de Baudelaire ou de Wilde, de produire une nouvelle lecture biographique, mais bien de l'inverse puisque, selon lui, les œuvres anticipent sur la vie. Dans le Cahier 1, Proust, à l'intérieur d'un long morceau critique consacré à Balzac, insère une addition sur un verso à propos de Wilde. Il souligne qu'il y a « quelque chose de particulièrement dramatique dans cette prédilection et cet attendrissement d'Oscar Wilde, au temps de sa vie brillante pour la mort de Lucien Rubempré », puisque « quelques années plus tard il devait être Lucien de Rubempré lui-même », la fin de Lucien de Rubempré n'étant que « l'anticipation – inconnue encore de Wilde il est vrai – de ce qui devait précisément arriver à Wilde[3] ».

Au cours de l'été 1909, Proust consigne ainsi des éléments dont l'importante disparate cache la cohérence d'ensemble de son projet : il ne s'agit pas seulement, pour l'écrivain, de trouver sa voie entre essai et récit, critique et fiction, mais aussi de saisir son temps dans ce qu'il a de plus actuel. Le Cahier 7 porte la trace d'une inscription dans les débats littéraires et politiques contemporains, auxquels Proust saura donner dans son roman une valeur morale et une portée universelle. Le « Contre Sainte-Beuve » est en train de s'écrire et de s'effacer avec, en son cœur, les thèmes décisifs qui reviendront dans *À la recherche du temps perdu* : la mondanité, l'écriture poétique, les souvenirs d'enfance et l'homosexualité.

Julie André, Emanuele Arioli, Matthieu Vernet

1. *EA*, p. 611 et Cahier 7, f°s 58-59 v[os].
2. Sur cette question, voir G. Sapiro, *La Responsabilité de l'écrivain*, *op. cit.*, p. 471 *sq.*
3. Cahier 1, f° 42 v° ; *CSB*, p. 273. Il faut noter que cette question était au cœur même du roman de Wilde, *Le Portrait de Dorian Gray* (1890), puisque le personnage explique lui-même son comportement par l'influence d'un livre dont le héros lui apparaît comme une « figure prophétique de lui-même » : « le livre entier lui parut contenir l'histoire de sa propre vie, racontée avant d'avoir été vécue ». Sur ce point, voir G. Sapiro, *La Responsabilité de l'écrivain*, *op. cit.*, p. 448-449.

Remerciements

Le programme OPTIMA financé par l'ANR et coordonné par P.-M. de Biasi a permis la numérisation du Cahier 7, et le programme CAHIERS-PROUST coordonné par N. Mauriac Dyer celle des autres manuscrits nécessaires à l'établissement de cette édition. Nous sommes également redevables à la Bibliothèque nationale de France pour avoir achevé la numérisation du fonds Proust, et à tous les conservateurs du département des Manuscrits pour leur soutien constant, en particulier à Guillaume Fau, chef du service des manuscrits modernes et contemporains.

Une relecture partielle de la transcription du Cahier 7 a eu lieu au cours de plusieurs séances de travail dans le cadre du séminaire de l'Institut des Textes et Manuscrits modernes du CNRS, organisé à l'École normale supérieure par Nathalie Mauriac Dyer. Les éditeurs remercient tous les participants, dont Chiara Carraro, Audrey Cerfon, Philippe Chardin (†), Simone Delesalle-Rowlson (†), Géraldine Dolléans, Sophie Duval, Jackson Giuricich, Francine Goujon, Joowon Kim, Patrick Maisonneuve, Mireille Naturel, Marie-Agnès Patier, Guillaume Perrier, François Proulx et Lydie Rauzier.

Bibliographie

Pour la bibliographie générale et ses abréviations, voir *supra*, p. VI-VIII.

BARDÈCHE (Maurice), *Marcel Proust romancier*, Les Sept Couleurs, 1971.

BRUN (Bernard), « Brouillons et brouillages : Proust et l'antisémitisme », *Littérature*, mai 1988, n° 70, p. 110-128.

COMPAGNON (Antoine), *Proust entre deux siècles*, Éditions du Seuil, 1989.

GOUJON (Francine), « L'ordre des fragments dans le *Contre Sainte-Beuve* », *BIP*, 1988, n° 19, p. 24-42.

KAOTIPAYA (Dharntipaya), « Édition critique du Cahier 40 de Marcel Proust (NAF 16680) », Université Sorbonne nouvelle Paris III, thèse de doctorat, 1986.

LERICHE (Françoise), « Notes sur le Cahier "Querqueville" les thèses d'Akio Wada et de Takaharu Ishiki, et sur l'activité de Proust en 1909 », *BIP*, 1987, n° 18, p. 11-21.

— « *Louisa*/Sonia, Wanda, Anna, Madeleine, Carmen, Odette, Suzanne », *BIP*, 1988, n° 19, p. 59-83.

— « Palamède XV, baron de Charlus, duc de Brabant, damoiseau de Montargis, prince d'Oloron, de Carency, de Viareggio et des Dunes. Une vision poétique ou politique du Moyen Âge ? », in *Proust et les « Moyen Âge »*, Sophie Duval et Miren Lacassagne (dir.), Hermann, 2015, p. 277-291.

— « La mise au net de Combray en 1909 : une nouvelle datation à la lumière de la Correspondance », *BIP*, 2016, n° 46, p. 17-30.

MAURIAC DYER (Nathalie), « Note sur M. de Lomperolles dans *Jean Santeuil*, ou un aspect négligé de la genèse de Charlus », *Marcel Proust*, 2004, n° 4, textes réunis par Bernard Brun et Juliette Hassine, p. 9-21.

— « Une liste du Cahier 12, exemple de convergence génétique avec l'Agenda 1906 », *BIP*, 2016, n° 46, p. 31-39.

MURAKAMI (Yuji), « Gomorrhe 1913-1915 », *Genesis*, 2013, n° 36, p. 79-90.

— « La méduse et le nid », *BIP*, 2013, n° 43, p. 95-102.

— « 1898. Le moment antisémite et la genèse d'un cosmopolitisme littéraire », in Du côté de chez Swann *ou le cosmopolitisme d'un roman français*, Antoine Compagnon et Nathalie Mauriac Dyer (dir.), Champion, 2016, p. 217-242.

NATUREL (Mireille), *Proust et Flaubert. Un secret d'écriture*, Amsterdam, Rodopi, 2007.

QUÉMAR (Claudine), « L'église de Combray, son curé et le Narrateur (trois rédactions d'un fragment de la version primitive de *Combray*) », *CMP 6*, *ÉP I*, 1973, p. 277-342.

— « Sur deux versions anciennes des "côtés" de Combray », *CMP 7*, *ÉP II*, 1975, p. 159-282.

— « Inventaire du Cahier 7 », *BIP*, printemps 1979, n° 9, p. 63-68.

TEYSSANDIER (Laurence), « La genèse de Charlus dans les cahiers de Marcel Proust », thèse de doctorat, Université de Paris IV, 2009.

— *De Guercy à Charlus, Transformations d'un personnage de* À la recherche du temps perdu, Champion, 2013.

VERNET (Matthieu), « Mémoire et oubli de Baudelaire dans l'œuvre de Proust », thèse de doctorat, Université de Paris IV, 2013.

— « Mémoire et oubli de l'intertexte : le cas Charlus », *Relief*, 2013, n° 7, p. 26-35.

WADA (Akio), *La Création romanesque de Proust. La genèse de « Combray »*, Champion, 2012.

YOSHIDA (Jo), « La genèse de l'atelier d'Elstir à la lumière de plusieurs versions inédites », *BIP*, 1978, n° 8, p. 15-28.

— « Métamorphose de l'église de Balbec : un aperçu génétique du "voyage du Nord" », *BIP*, 1983, n° 14, p. 41-61.
Yoshikawa (Kazuyoshi), *Proust et l'art pictural*, Champion, 2010.
— « Geneviève de Brabant. Réseaux thématiques contextuels », in *Proust et les « Moyen Âge »*, Sophie Duval et Miren Lacassagne (dir.), Hermann, 2015, p. 105-115.

Précédentes transcriptions du Cahier 7

Le relevé est donné par ordre chronologique et notamment d'après Nicole Sebban, « Liste des inédits proustiens publiés », *BIP*, 1991, n° 22, p. 117.

Fallois (Bernard de), *Contre Sainte-Beuve*, Gallimard (1954), coll. « Folio essais » (1987), 1994 (fos 10 r°-14 r°, 39 r°-55 r°, 56 r°-71 r°).
Clarac (Pierre) et Sandre (Yves), *Contre Sainte-Beuve*, Gallimard, coll. « Bibliothèque de la Pléiade », 1971 (fos 56 r°-71 r°).
Quémar (Claudine), « L'église de Combray, son curé et le Narrateur (trois rédactions d'un fragment de la version primitive de *Combray*) », *CMP 6*, *ÉP I*, 1973, p. 277-342 (fos 1 r°-9 r°).
Whiteley (Jeremy Donald), « The Development of Proust's Style in *À la recherche du temps perdu* from the Cahiers de Brouillon to the Final Version », thèse de doctorat, Cambridge University, 1982 (fos 25 v°-32 r°).
Brun (Bernard), *Proust. L'età dei nomi*, Milan, Mondadori, 1985 (fos 1 r°, 25 r°-29 r°).
Wada (Akio), « L'évolution de "Combray" depuis l'automne 1909 », thèse de doctorat, Université Paris IV-Sorbonne, 1986, t. II (fos 25 r°-29 r°).
Yoshida (Jo) *et al.*, *Esq.* de *Du côté de chez Swann*, texte présenté, établi et annoté, relevé de variantes, in *RTP*, I, 1987 (fos 4 r°-9 r° [*Esq. XXIV*], 15 r°-20 r° [*Esq. LXXI*], 21 r°-24 r° [*Esq. XXVI*], 25 r°-29 r° [*Esq. LXV*]).
Rey (Pierre-Louis), *Esq.* de *À l'ombre des jeunes filles en fleurs*, texte présenté, établi et annoté, relevé de variantes, in *RTP*, II, 1988 (fos 30 r°-39 r° [*Esq. XLIII*]).
Kaotipaya (Dharntipaya) *et al.*, *Esq.* de *Le Côté de Guermantes*, texte présenté, établi et annoté, relevé de variantes, in *RTP*, II, 1988 (fos 10 r°-14 r° [*Esq. VI*]).
Compagnon (Antoine), *Esq.* de *Sodome et Gomorrhe*, texte établi et annoté, relevé de variantes, in *RTP*, III, 1988 (fos 29 r°-55 r° [*Esq. I*]).
Teyssandier, Laurence, « La genèse de Charlus dans les cahiers de Marcel Proust », thèse de doctorat, Université Paris IV-Sorbonne, 2009, t. II (fos 30 r°-v°, 31 v°, 32 v°, 33 v°, 34 v°, 47 r°-49 r°).
– *De Guercy à Charlus. Transformations d'un personnage d'*À la recherche du temps perdu, Honoré Champion, coll. « Recherches proustiennes » n° 26, 2013 (fos 47 r°-49 r°).

Protocole de transcription

La transcription est diplomatique ; elle reproduit autant que possible la disposition de la page manuscrite, sans viser toutefois l'exactitude photographique.

L'unité de la transcription est le folio, recto ou verso. Il arrive à Proust d'écrire à cheval sur deux pages : la transcription en tient compte. Le passage à la ligne est respecté. Les ajouts interlinéaires et les additions marginales sont reproduits à leur place.

Lorsque des renvois se font entre des zones d'écriture, par exemple entre les lignes principales et une addition marginale, la transcription schématise les signes que Proust utilise : traits de jonction, croix, cercles, etc.

Les dessins géométriques ou figuratifs divers sont reproduits à leur place dans la transcription, y compris lorsqu'il s'agit de signes de renvoi.

Les passages biffés sont reproduits sous biffure. Si, dans un passage biffé, un ou plusieurs mots avaient été préalablement biffés, ils figurent sous un trait de double biffure.

La croix de Saint-André est reproduite. Quand les traits de biffure adoptent la forme de hachures, ils sont reproduits de manière schématique.

Un caractère plus petit est toujours utilisé dans les cas de modification interlinéaire (supralinéaire et infralinéaire) et d'ajout de lettre(s) dans un mot. On l'utilise également dans les cas d'addition marginale, si cela permet d'être plus fidèle à la disposition originale de la page.

Les surcharges peuvent être analysées comme une biffure suivie d'un ajout. Elles sont donc transcrites de la manière suivante : la partie du mot qui a fait l'objet d'une surcharge est biffée, avant un trait oblique suivi dans un caractère plus petit de la version ultérieure : tou~~s~~/tes, imagina~~ire~~/ée.

Les exceptions sont les suivantes :

– lorsque la surcharge touche un mot inachevé, on ne donne pas la version ultérieure dans un caractère plus petit : ~~Odet~~/Albertine.

– lorsque seule la première lettre d'un mot est surchargée, ce mot est entièrement biffé, et suivi de la version ultérieure : ~~les~~/des.

– dans le cas d'apostrophe surchargée, on omet le trait oblique séparant l'apostrophe biffée de la version ultérieure : j'e ~~avais~~ voulais.

– un signe de ponctuation ou de renvoi surchargé est suivi, sans être biffé, d'un trait oblique et de la version ultérieure : ./, +/le.

Dans le cas où un mot surchargé se trouve ensuite biffé, l'élément surchargé recevra une double biffure : ~~imaginaire~~/ée, sauf s'il s'agit d'une apostrophe : j'~~e avais voulais~~.

Les abréviations sont respectées (« 1er » pour « premier », « M^{e} » pour « Mme », « M^{r} » pour « M. », « P^{cesse} » pour « princesse », « g^{d} » pour « grand », « q.q. » pour « quelque », « t^{t} » pour « tout », etc.), ainsi que les anciens usages orthographiques (« peut'être » pour « peut-être », « grand'mère » pour « grand-mère ») et les habitudes de Proust (omission du trait d'union, locutions en un mot comme « parceque », etc.).

On laisse subsister les incorrections en tout genre : fautes d'orthographe, irrégularités de ponctuation, mots omis, etc. (dans le Cahier 7, par exemple : « suberbe », « syllables », « tarre », « cataclisme »). En ce qui concerne les accents toutefois, on les restitue en cas d'omission et on revient à l'usage dans les cas douteux.

L'italique signale la présence d'un autre scripteur (secrétaire de Proust, copiste…) dont l'identité, quand elle est connue, est précisée en note. Les annotations manifestement postérieures à la mort de Proust, de lecteurs ou de collectionneurs, ne sont pas transcrites et sont signalées dans la « Description matérielle » du cahier, *infra*.

Les mots de lecture conjecturale sont suivis d'un astérisque, sauf s'il s'agit de quelques lettres isolées et biffées.

Les interventions éventuelles de l'éditeur figurent entre crochets droits maigres. Les mots ou passages qui sont restés illisibles sont signalés par la mention [*ill.*] ou [*pass. ill.*].

Présentation des notes

Les notes sont numérotées page par page. Elles sont signalées par un appel chiffré placé en marge de la transcription, à la hauteur de la ligne concernée. Une ligne de pointillés matérialise la frontière entre le corps de la page et ses marges (latérale, supérieure et inférieure). Les appels concernant le corps de la page se trouvent à droite de cette ligne, ceux qui concernent les marges, à gauche.

On numérote d'abord les notes qui concernent le corps de la page, puis celles des marges ; quand un passage commence dans le corps de la page et se prolonge dans la marge, ou l'inverse, on numérote les appels à la suite, dans l'ordre de la lecture.

Le ou les derniers mots du passage qui donne lieu à la note sont cités avant le texte de la note elle-même, en fin de volume.

Fac-similé

On trouvera le fac-similé du Cahier 7 dans le volume correspondant de la présente collection, ou sur Gallica à l'adresse suivante :

https://gallica.bnf.fr/ark:/12148/btv1b6000474c

Le Cahier 7 est également accessible ainsi que l'ensemble des manuscrits numérisés du fonds Proust de la BnF à partir de la page-portail de l'ITEM :

http://www.item.ens.fr/fonds-proust-numerique/

Transcription du Cahier 7

Cahier 7, plat inférieur

~~Je me souviens qu'après~~ | 1.

on
~~A~~/Monsieur le Curé qu'est-ce que ~~mon~~/e dit qu'il y avait un | 2.
homme sur une échelle à peindre dans l'église. | 3.
Mon Dieu Madame j'avais une ordre de l'architecte dio-
césain, je ne pouvais pas l'empêcher. Mais Monsieur le Curé
qu'est-ce qu'il peut y avoir à peindre dans l'église. Mon
Dieu Madame cet ~~peintre~~ artiste qui n'est pas de nos régions
paraît intéressé par tout ce qui touche cette localité car
il a ~~fait~~ m'a t-on dit plusieurs vues de la Gracieuse au | 4.
pris
dessus et audessous du Pont-vieux. | 5.

Monsieur le Curé qu'est-ce qu'on m'a dit qu'il y a maintenant l'
après midi un homme sur une échelle qui prend des vues de votre église | 6.
mais qu'est-ce que le monde d'aujourd'hui va donc chercher mon
Dieu, comme si une église était un endroit pour peindre. Mais qu'est-ce qu'
il y trouve donc de joli dans notre église qui est si misérable qu'il paraît
que celle de Méséglise à côté où il ne va que des fermiers est un vrai palais,
« Ah ! Madame Charles je voudrais que vous la voyiez et de magnifiques vitraux mo- | 7. 8.
dernes. Ah ! Combray n'a pas été favorisé par Monseigneur. Je ne pouvais
pas refuser ~~à cet artiste~~ l'entrée de mon église à cet artiste qui a une
permission en règle de l'architecte du diocèse et de Monseigneur, mais
je déplore qu'en venant ~~peindre~~ faire des tableaux, ~~des~~ d'après ~~ces~~
nos vitraux, il fournisse un appui à ceux qui veulent laisser
l'église dans cet état. Cet artiste qui semble un connaisseur ~~t~~
admire beaucoup ~~le vitra~~ l'affreux vitrail tout noir qui est audessus

derrière autel ~~saints~~
~~de ma chaire~~ et que ~~j'ai déjà~~ tous ~~les prêtres qui m' les~~/ces
mon
messieurs qui m'ont précédé ont demandé ~~d~~/le remplacement.

C'est paraît-il le portrait de ~~Charl~~ Gilbert le Mauvais | 1.
sire de Guermantes recevant de Saint ~~Gilbert~~ l' pour avoir | 2. 3.
~~son pardon~~ Hilaire
l'absolution
fait ~~raser~~ ~~l'ancienne~~ abbaye de Guermantes et mis à mort | 4.
mettre le feu à l'a ~~ancienne~~
première
cent vingt moines. Mon Dieu Madame Charles, je le veux bien
moi, je le veux bien . ~~m~~/Mais ~~je ne vois pas pourquoi un Saint Hi~~
on a
~~ils~~ ~~ont~~ fait à une bien vilaine tête à St Hilaire et ~~ils~~ cette
verrière là rend mon église bien sombre, madame Charles.
~~Je ne vois pas pourquoi un Saint Hilaire~~ Le neveu de M. | 5.
qui nous avait fait cette magnifique entrée ~~dans~~/e ~~Lo Charles X à Combray~~ ~~maréchal de Mac~~ l'Empereur Napoléon III à Combray
Goupil a fait un St Hilaire magnifique pour la chapelle | 6.
qui est fort habile et a été chargé de plusieurs travaux par des châtelains du pays et même des grands magasins de Paris
de Meséglise. Je ne vois pourquoi | 7.
Combray, patrie de St Hilaire et qui possède son cœur dans
la crypte ne serait pas aussi bien traité que Meséglise. Je | 8.
ne vois pas pourquoi je serais forcé de dire la messe devant ce
si on
Gilbert le mauvais ~~qui~~ ~~si~~ ~~on~~ en croit la chronique. Vous
dont ne peut pas
compter les atrocités
me direz que tout cela est bien vieux ~~po~~ madame Charles
pour savoir. Mais je ne lui en veux pas moi à ce brave homme.
Si Saint Hilaire lui a pardonné qu'il aille au paradis.
Mais son vitrail serait en tous cas mieux à Guermantes
que chez nous, quoiqu'il serait encore mieux en poussière.
Ah ! les malandrins qui ont abîmé ma statue de Saint
Hilaire savaient bien ce qu'ils faisaient quand ~~ils~~ ils se
sont introduits dans mon église en brisant la magnifique verrière de | 9.

Cahier 7, f° 2 v°

M. Goupil au lieu d'entrer comme il eût été naturel par l'
abside en brisant la verrière de Gilbert le Mauvais. Je crois
que je leur aurais pardonné le vol des vases sacrés si j'avais été
débarassé de cette maudite verrière. Voyez-vous Madame Charles ~~mon~~
~~d~~ le voisinage de Guermantes n'a pas ~~é~~ porté bonheur à Combray.
J'ai un porche noir, sale, dont on ne voudrait pas pour une ¦ 1.
Et les porches de
église du plus pauvre village. Je vois refaire à neuf toutes les
églises ~~de~~ entre Dreux et les Andelys, dans des pays certes ¦ 2.
moins conséquents que Combray, et on ne touche pas à mon
porche à cause de cette malheureuse statue de la Vierge qui ¦ 3.
dit-on couronne Philibert le beau, premier prince de ¦ 4.
Guermantes. Personne n'en sait rien puisqu'on ne voit plus que
la Vierge et que l'autre statue a été brisée mais c'est assez ¦ 5.
pour qu'on ne me refasse pas mon porche. On ne peut marcher
n' pas
dans mon église sans manquer de tomber puisque vous avez une
dalle ~~plus haute que l'autr~~ qui soit à la même hauteur.
Mais comme ce sont les pierres tombales des abbés de ¦ 6.
Guermantes on ne me refait pas le dallage de mon église. Si
encore leurs corps étaient là à ces saints moines, je ne
dirais rien. Mais il est bien probable qu'ils furent enterrés
à Guermantes où franchement ces dalles, si on tient tant
que ça à les conserver seraient mieux à leur place.
~~Si je veux faire boucher la porte de la crypte qui ne~~
~~sert à rien et où~~ Mais jusqu'~~à~~/au ~~mon~~ presbytère, Madame Charles,
jardin de mon
où je ne peux pas faire enlever ces méchantes pierres qui
font ~~tomber~~ ont déjà cassé la jambe à deux de mes prédécesseurs

parceque ce sont les restes du rempart que le premier sire
de Guermantes, Clodoald, avait fait construire pour défendre 1.
Combray contre Rollon. Mais puisque nous ne sommes plus ex- 2.
posés aux invasions ! Et d'ailleurs je ne pense que ces pierres
nous protégeraient beaucoup. Enfin ce n'est pas maintenant que
des peintres réputés viennent prendre des vues d'après le vitrail
de Gilbert le Mauvais que nous obtiendrons son remplacement.
Je ne compte plus que sur un accident Madame Charles. Je me
suis permis de le dire à l'artiste « Peignez-le Monsieur, si c'
est votre plaisir. Mais si vous le cassez, ne craignez rien, je
ne vous en réclamerai pas les morceaux. »

M. le Curé venait quelquefois, mais ma tante Charles se plaignait 3.
qu'il la fatiguait. Elle ne lui avait pas demandé une explication
qu'elle le regrettait aussitôt à cause des développements infinis
où il entrait. « Monsieur le Curé qu'est-ce qu'on me dit qu'il y a-
vait tantôt un homme sur une échelle qui faisait un
tableau dans votre église » « Et ce sera comme ça jusqu'à
la St Jean Madame, répondait le curé, pas le jour de la
fête Dieu pourtant j'espère. Peut'être on voudra bien me laisser
mon église ce jour là. Mais jusque là je suis bien forcé il y a
une autorisation de Monseigneur et de l'architecte du
diocèse. » « Mais Monsieur le curé qu'est-ce que le monde
d'aujourd'hui va donc chercher ! Faire des tableaux

dans une église ». « Et ~~pei~~ encore que ~~peint-il~~ d'après quoi exécute-
t-il son travail ? D'après le ~~v~~/grand vitrail noir que j'ai
derrière mon autel » « Ce qu'il y a de plus vilain dans
l'église ». « Mon Dieu Madame Charles, je ne dirai pas ce qu'
il y a de plus vilain, car elle n'est pas bien belle ma pauvre
église, la ~~seule qu'on ne~~ plus vieille de tout le diocèse, et
la seule qu'on ne rebâtisse pas ! Mais enfin comme je le lui
disais à cet artiste qu'est-ce que vous lui trouvez donc
d'extraordinaire à ce vitrail. Qu'il est un peu plus sombre
que les autres. Franchement Madame Charles, croyez-vous que c'
est bien beau ~~tous~~ cette couleur rouge, et rouge noir encore,
comme le sang de ces excellents poulets que Françoise nous — 1. 2.
accommode si bien ajoutait-il avec un regard entendu à Françoise
quand elle l'a laissé pendant une heure dans un bol. N'est-ce
Cela fait dans tout le fond
pas Françoise. ~~Cela fait dans sur les marches~~ de l'autel un
faux jour qui est bien préjudiciable à mes pauvres yeux, et
quand je descends les marches de l'autel elles sont toutes — 3.
tachés des reflets de ce fameux vitrail. Je ne sais jamais
où je pose le pied et il me semble qu'on a ensanglanté mon
église comme au~~x~~ temps de la Grande Révolution. Quand je
pense qu'à Meséglise qui est une méchante paroisse de fermiers
ils ont un ~~Sain~~ vitrail de Sainte Claire par M. Goupil, — 4. 5.
superbe
le neveu de notre ~~n~~/excellent notaire, qu~~e~~/i a travaillé pour
la localité
plusieurs châtelains d~~u~~/e ~~pays~~, et même pour plusieurs grands
magasins de Paris, celui là même qui nous avait fait
cette superbe entrée à Napoléon III à Évreux ~~que les~~ — 6.
~~que les malan~~ qui

a été brisée ~~par les~~ ~~ma~~ quand on a volé l'église il y a
quinze ans. Ah ! ils savaient ce qu'ils faisaient les malandrins
brisé
quand ils ~~se~~ sont ~~introduits~~ ~~en brisant~~ cette verrière, pour
superbe
s'introduire dans l'église. Il n'y avait pas de danger
qu'ils entrent par l'autel et qu'ils me débarassent
de ce vitrail. Je crois que dans ma joie je leur aurais
pardonné le vol des vases sacrés. Ah ! je l'ai dit à cet
artiste parisien : ~~av~~ Monsieur peignez ce vitrail si
c'est votre plaisir, mais si vous le cassez, je vous promets
de ne pas vous en redemander les morceaux.
~~Mais~~ Ma tante qui commençait à se fatiguer disait pour
interrompre. « Je suis sûre que si vous demandiez à Monseigneur
une verrière neuve il ne pourrait pas vous la refuser » « Ah !
comptez-y Madame Charles. C'est Monseigneur qui le
premier a si malheureusement attiré l'attention sur ce
méchant vitrail en montrant qu'il représentait St Hilaire 1.
donnant l'absolution à Gilbert le Mauvais, sire de 2.
Guermantes après que celui-ci eut fait brûler la première
église, et mettre à mort le neveu de Charles le Chauve, 3.
abbé de Guermantes. Comme si le souvenir de Gilbert
le Mauvais était bien nécessaire à garder à Combray, où il
rappelle toutes les atrocités que lui prête la chronique. Au
moins avait-il ce mérite de ~~détru~~ remplacer les vieilles églises
par de neuves qu'il faisait bâtir et qui étaient belles
pour le temps puisqu'elles lui valaient le pardon de S^{t}
Hilaire. Mais c'était au XIe siècle Madame

Cahier 7, f° 6 v°

Charles et depuis ce temps là mon église n'a pas été refaite.
Je crois que de Dreux aux Andelys il n'y a pas un porche plus
misérable, plus noir, plus ~~couvert~~ taché de moisissures que
le mien. Est-ce assez vieux, est-ce assez cassé cette pauvre
Vierge qui n'a plus de bras, ~~ces~~ toutes ces niches où il y a à peine
les jambes des Comtes de Garmantes qui ont été brisées dit-on au
temps de la Grande révolution. ~~Ah~~ Hé bien on ne touche pas à
vilains
tout cela. Pensez que dans cette église où ~~ces~~ tous ces vitraux rouges
noir, bleus noir, gris sale, ne donnent pas de lumière, il n'y
a pas deux pas à faire de plain pied, ~~toute~~ une dalle est plus
haute, une plus basse. Mais ~~ce~~ impossible d'y toucher ce
sont les pierres tombales des abbés de Garmantes. Ah ! le voisinage
de Guermantes n'a pas porté bonheur à Combray, Madame Charles,
et on devrait bien envoyer là bas Gilbert le Mauvais, les saints abbés
et tout le reste, et me faire une église neuve. Mais penser qu'
on ne ~~p~~/veut même pas agrandir la place où ~~le café Ledu Le~~ Piperand
voudrait agrandir son café et faire une superbe salle de billard
qui ne manquerait pas d'attirer beaucoup de fermiers des environs
parceque la maison d'Eulalie est bâtie sur ces cryptes de l'
ancienne église dont il reste un méchant bout de cave avec ces arcades qui entrent dans le mur. Il avait déjà fait peindre sur sa
devanture Café Billard en lettres superbes. Il va falloir effacer
cela . » ~~de L~~/De l'autre côté il ne peut s'agrandir puisque c'est le magasin
de M. votre oncle. Mais Madame Charles jusqu'au jardin de mon

presbytère que j'aurais voulu pouvoir faire débarasser de ces ~~f~~ méchantes pierres qui sont bonnes à faire tomber quand je lis mon bréviaire
qui coupent la promenade et font de l'ombre à mes laitues. Hé
un arrêté
bien ~~la~~ ~~municipali~~ préfectoral défend d'y toucher parceque
sont les restes des fortifications que ~~Charl~~ Gilbert le Mauvais fit
élever ~~fit~~ pour défendre Combray des ~~R~~/attaques de Rollon, qui ¦ 1.
n'était peut'être pas plus mauvais que lui Madame Charles.
Mais enfin en tous cas nous ne sommes plus menacés par Rollon je
pense, et en tous cas ~~est~~-ce ~~que~~ ces braves gens ne pensent pas
~~Com~~ notre cité investie
que si ~~Combray~~ était de nouveau ~~envahie~~ ce serait les
talus de pierre
méchantes ~~pierres~~ de mon jardin qui ~~empêcheraient~~ arrêteraient
l'es ~~envahisseur~~ assiégeants de Combray. Elles ne peuvent servir
souvent
qu'à rompre les os à son pasteur. Mais ~~journellement~~ Madame
Charles des étrangers ~~v~~/demandent à monter par ce petit escalier
qui est dans l'église où on voit le reste des murailles de Charles
le Mauvais et où ne peut monter que courbé en d~~os~~/eux, et d'où
on sort plein de toiles d'araignées. Une fois en haut je le veux bien
la vue est superbe, on voit jusqu'à Guermantes, et on voit ¦ 2.
et les pièces d'eau
le cours de la Gracieuse, ~~l'E~~ et les fossés des châteaux comme ¦ 3.
cavalières
sur les vieilles cartes qu'i ~~il y a~~ à la mairie. Mais enfin cela
sont accrochées
vaut-il de se tordre le cou dans cet escalier. Je n'empêche pas
qu'on monte parceque ça fait un petit profit pour Théodore. ¦ 4.
On vient me tourmenter ~~j~~/Madame Charles jusque dans mon presbytère
des anglais qui tiennent Combray en grand honneur parceque
l~~es~~/e sire de Guermantes comte de Combray et autres
lieux était un des compagnons du fameux Guillaume ¦ 5.
le Conquérant

(le curé prononçait toujours G_u_i/lôme ,/(~~je n'~~ sans mouiller
l) je n'ai jamais su pourquoi) me demande~~nt~~/r à voir
font
les restes de remparts qu'il y a dans mon presbytère » « Vous
le voyez messieurs ce sont seulement ces talus de pierre. Vous
~~remp~~
qui êtes des hommes instruits vous devez savoir que ~~Gilbe~~ ~~Charles~~
~~Charles~~ les enfants de Clovis II ayant été portés dans ¦ 1.
un sac dans la rivière, ce furent des abbés de Jumièges dont ¦ 2.
dépendait Guermantes quoique fort éloigné ~~et ils~~ et je
leur raconte ma petite histoire. Il y en a qui demandent à
emporter une pierre. Ah ! si vous pouviez tout emporter
Messieurs ! ». Pour en revenir à cet artiste qui peint notre
fameux vitrail il m'a demandé s~~i~~i je pensais qu'il pourrait
quand il aurait fini ici transporter ~~ces~~/ses pinceaux à Guermantes
où il y a une célèbre collection de vitraux comme ceux-ci
et les tombeaux des cinquante neufs abbés de Guermantes. Mais ¦ 3.
je ne pense pas que la Comtesse qui est si fière qu'elle n'a pas ¦ 4.
daigné recevoir un pauvre prêtre de Combray laissera ~~entrer~~
~~chez~~ un artiste pénêtrer dans son château où ~~vi~~ il faut remonter ¦ 5.
à Charlemagne pour pouvoir entrer. ~~Elle se croit~~ Ah !
Madame Charles il y a des gens qui se croient toujours au temps
~~Aur~~ Oriane
de Louis le débonnaire quand ~~Claire~~ de Guermantes ~~d~~/faisait ¦ 6. 7.
~~déc~~ ~~jeter~~ décapiter en un jour soixante vassaux et jeter leurs
têtes dans ces fameux fossés de Guermantes qu'on ne me trouve
pas assez noble pour me faire franchir. ¦ 8.

« ~~Le~~ Ils ne ~~peuvent rien co~~ sont plus un nom ; ils ~~ne peuvent~~ 1.
nous apportent moins que
~~restent~~ forcément ~~audessous~~ ~~de~~ ce que nous rêvions d'eux. Moins ?
Et aussi, plus, peut'être. Il en est d'un monument comme d'une
personne. Il s'impose à nous par un signe qui a ~~forcément~~ échappé
généralement
aux descriptions qu'on nous en a donnés. Comme ce sera le plissement de
le nez trop gros
sa peau quand il rit, ou ce qu'il y a d'un peu niais dans la bouche, ou la
chute des épaules qui nous frappera dans l'aspect premier d'un personnage
célèbre dont on nous a parlé, de même ~~chaque œuvre d'art a elle~~
~~aussi~~ quand nous verrons pour la 1re fois St Marc de Venise, le 2.
monument nous paraîtra surtout bas et en largeur avec des mâts de
à ces
fête comme un palais d'exposition, ou Jumièges ~~dans la cour~~ , géantes 3.
tours de cathédrale dans la ~~loge~~ ~~de~~/u concierge d'une petite propriété des 4.
cour
environs de Rouen, ~~nous y semblera plus colossales~~ ou à Saint Wandrille 5.
cette reliure rococo d'un ~~li~~ missel ~~roman~~ ~~goth~~ roman, comme
dehors
dans un opéra de Rameau ce~~tte apparence~~ ~~dix h~~ galant d'un 6.
drame antique. Les choses sont moins belles que le rêve que 7.
nous avons d'elle, mais plus particulières que la notion abstraite qu'
on en a. T~~u~~/e ~~n'as~~ souviens-tu comme tu ~~étais heureuse~~ ~~d~~/les ~~lettres~~ 8.
recevais avec plaisir
simples cartes si heureuses que je t'envoyais de Guermantes
Souvent depuis tu m'as demandé, raconte moi un peu ton plaisir. Mais
les enfants n'aiment avoir l'air d'avoir eu ~~l~~/du plaisir de peur que
leur ~~f~~/parents ne les plaignent pas. ~~Ils~~ Je t'assure qu'ils n'aiment
pas non plus avoir l'air d'avoir eu du chagrin pour que leurs parents
les plaignent trop. Je ne t'ai jamais ~~reparlé~~ raconté Guermantes.
~~Hé bien voilà. Vois-tu~~ ~~si~~ Tu me demandais pourquoi quand tout

ce que j'ai vu, sur quoi tu comptais pour me faire plaisir a
été une déception pour moi Guermantes ne l'a pas été. Hé
bien ~~Guermantes a été une dé~~ voilà. ~~Guermantes a été Certains n Te~~
~~Vois-tu à Guermantes ce qui est beau~~ Ce que je cherchais à Guermantes
je ne l'y ai pas trouvé. Mais j'y ai trouvé autre chose. Ce qui
est beau à Guermantes c'est que les siècles ~~morts~~ qui ne sont plus
y essayent d'être encore, le temps y a pris la forme de l'espace | 1.
mais on le reconnaît bien. ~~Et le temps de Frédégonde dans la~~ | 2.
~~crypte de l'église~~ Quand on entre dans l'église à gauche il y
trois ou quatre
a ~~des~~ arches rondes qui ne ressemblent pas aux arcades ogivales du
et
reste qui disparaissent engagées dans la pierre, ~~dans la~~ de la muraille,
dans la construction plus nouvelle où on les a engagées. C'est le ~~XIe X^{e}~~
~~siècle~~ XIe siècle, avec ses lourdes épaules rondes qui passe là | 3. 4.
furtivement encore, ~~qui~~ qu'on a muré, et qui regarde étonné
le treizième siècle, et le quinzième qui se mettent devant lui
qui cachent ce brutal et qui nous sourient. Mais il reparaît plus
bas, plus librement dans l'ombre de la crypte, où entre deux pierres,
comme la tache de sang des meurtres anciens que ce prince commit | 5.
sur les enfants de Clotaire ~~le~~ deux lourds arceaux barbares du
temps de Chilpéric. On sent bien que c'est ~~dans~~ qu'on | 6.
traverse du temps, comme quand un souvenir ancien nous
revient à l'esprit. Ce n'est plus dans la mémoire de notre
vie mais dans celle des siècles. Quand on arrive ~~au château~~
dans la salle du cloître qui donne entrée au château on marche
sur les tombes des abbés qui gouvernèrent ce monastère | 7.

depuis le VIIIe siècle./, et qui sous nos pas, sont allongés sous l~~a~~/es longues
pierre gravées où crosse en main, foulant aux pieds une noble
inscription latine ils sont couchés. Et ~~cela fait que toute ré~~
si Guermantes ne déçoit pas comme tou~~s~~/tes les choses d'imagination
quand elles sont devenues une chose réelle, c'est sans doute que
ce n'est à aucun moment une chose réelle, car même quand on
s'y promène, on sent que les choses qui sont là ne sont que l'enveloppe
d'autres, ~~q~~ ~~et l'imagination trav~~ que la réalité n'est pas ici mais très
loin, que ces choses touchées ne sont qu'une figure du Temps, et
~~l~~ l'imagination travaille sur ~~les~~ ~~ch~~ Guermantes vu, comme sur
le nom de Guermantes lu, parce que ~~e~~ toutes ces choses ce ne sont
encore que des mots, des mots pleins de magnifiques images et
qui signifient autre chose. C'est beau ce grand réfectoire pavé de
dix, puis vingt, puis cinquante abbés de Guermantes, tous grandeur
nature./, ~~Il semble qu'on ait~~ représentant le corps qui est
dessous. C'est comme si un cimetière de dix siècles d'histoire
avait été retourné pour nous servir de ~~ta~~ dallage. La
forêt qui descend en pente au dessus ~~pied~~ du château, ce n'est pas de ces
forêts comme il y en a autour des châteaux, ~~q~~ des forêts de
chasse, qui ne sont qu'une multiplication d'arbres. C'est l'
antique forêt de Guermantes où chassait Childebert et vrai- 1.
ment comme dans m~~es~~/a lanterne magique, comme dans Shakes- 2. 3.
peare ou dans Maeterlinck à gauche il y a une forêt.
Elle est peinte sur la colline qui domine Guermantes,
elle en veloute de vert tragique, ~~et d'une chronique~~
~~mérovingienne~~ le côté ouest, comme dans l'illustration

Cahier 7, f° 12 v°

enluminée d'une chronique mérovingienne. Elle est grâce
à cette perspective quoique profonde, délimitée. Elle est « la forêt »
qui est « à gauche » dans le drame. Et de l'autre côté le
en bas
fleuve où furent déposés les énervés de Jumièges. Et les 1.
tours du château sont encore je ne te dis pas de ce temps là mais 2.
dans ce temps là. C'est ce qui émeut en les regardant.
On dit toujours que les vieilles choses ont vu bien des choses
depuis et que c'est le secret de leur émotion. Rien n'est plus
faux. Regarde les tours de Guermantes, elles voient encore 3.
la chevauchée de la reine ~~d~~/Mathilde, leur consécration 4.
par Charles le Mauvais. Elles n'ont plus rien vu depuis.
L'instant où vivent les choses est fixé par la pensée qui
les reflète. À ce moment là elles sont pensée, elles reçoivent 5.
leur forme. Et leur forme ~~éter~~ immortellement, fait
durer un temps au milieu des autres. Songe qu'elles s'élevèrent
les tours de Guermantes, dressant indestructiblement le XIIIe siècle
là, à une époque où si loin que leur vue eût porté elles
n'eussent pas aperçu pour le~~ur~~/s saluer et leur sourire, les tours de
Chartres, les tours d'Amiens, les tours de Paris qui n'existaient pas
encore. ~~Songe à cette chose immat~~ Plus ancienne qu'elle songe
à cette chose immatérielle l'Abbaye de Guermantes, plus ancienne que
~~ses~~/ces constructions, qui existait depuis bien longtemps quand Guillaume partit 6.
à la conquête de l'Angleterre, alors que les tours de Beauvais,
de Bourges ne se dressaient pas encore et que le soir le voyageur
qui s'éloignait ne voyait pas audessus des collines de
Beauvais se dresser sur le ciel, à une époque où les

les maisons de La Rochefoucauld, de Noailles, d'Uzès, d'e 1.

~~H~~/Fezensac, ~~d'Harco com~~ élevaient à peine audessus de terre

leur puissance qui devait, comme une ~~cloch~~ tour monte dans les airs,

peu à peu

traverser un à un les siècles, alors que, tour de Beurre de 2.

la grasse Normandie, Harcourt au nom fier et jaunissant

de ~~pierre~~
granit ciselé

n'avait pas encore au sommet de sa tour ~~ciselé~~ les sept fleu-

~~de duc~~

rons de la couronne ~~ducale~~,/. Alors que bastide ~~itali~~ à l'

ducale

italienne qui devait devenir le plus grand château de France

Luynes n'avait pas encore fait jaillir de notre sol toutes ces 3.

les ~~terres meubles de m~~ armoiries de
Brantes

seigneuries, tous ces châteaux de prince et tous ces châteaux 4.

la princerie les remparts crénelés de

fort, ~~son rempart~~ de Joinville ~~et ses créneaux de ses bois~~ les

~~les biches et~~ les ombrages~~, le~~ les remparts de Châteaudun et de Montfort

~~hermines de ses~~ bois de Chevreuse, qu'il devait ~~de mariage en mariage~~

avec ses hermines et ses biches

~~unissant de mariage en mariage et d'acquisition en acquisition~~

~~un bois à un château, et des souvenirs à un privilège assembler~~

~~mystiquement dans un sa puissance comme sur le champ d'azur~~

~~de son blason.~~ tous ces biens au soleil ~~qui~~ unis ~~par~~ mystiquement

\+ brillant rassemblés côte à côte abstraite

à travers la France et ~~rassemblés~~ dans la puissance de sa maison, comme

~~abs~~

au champ d'azur d'un blason un château d'argent ou une

tour de gueules, rassemblés sur un champ d'azur

avec des étoiles de sable

un château au midi, une forêt à l'ouest, une ville 5.

au nord tout cela uni ~~de~~ par des alliances et rejoints par

tous ces biens au soleil brillant

des remparts, assemblés côte à côte, abstraitement dans sa

puissance, comme dans un symbole héraldique, comme

un château d'or, une ~~b~~ tour d'argent, des étoiles de

sable que'au travers des siècles conquêtes et mariages ont inscrit symé

triquement pour le panonceau et pour le vitrail,

dans les quartiers d'un champ d'azur.

Le petit noyau des Verdurin — 1.
Swann toujours fourré chez
~~comme si~~ c'est comme en peinture.

selon
Le tout ~~pour~~ les Verdurin ~~d~~ c'était de savoir se faire — 2.
ce qu'ils appelaient un « petit noyau agréable ».
un petit « clan », sans qu'on vît une raison spéciale à ce nom — 3.
écossais.

Malheureusement Forcheville qui était extrêmement vulgaire — 4.
croyait flatter Swann et donner une grande idée de lui
aux Verdurin en leur apprenant ses belles relations. Et — 5.
comme il ne voulait pas dire comme quelque chose d'extraordinaire
« vous savez il connaît beaucoup ~~plus~~ les Montesquiou etc » — 6.
cordialement
il ~~avait trouvé cette formule~~ disait ~~d~~ comme si ç'avait
~~un~~ tout le temps
été un vice « ah ! celui-là il est ~~toujours~~ fourré chez
les La Rochefoucauld ». Ce qui était d'autant plus faux que — 7.
seul
Swann n'allait plus guère que chez les Verdurin. Mais le nom des
personne qu'ils ne connaissaient pas, ~~étaient pénibles aux Verdu-~~ — 8.
des
~~rin, non~~ étaient accueillis ~~par~~ ~~les~~ Verdurin ~~avec un silence~~
~~glacial et cet air de ne pas~~ ~~avec~~ ~~cet~~ ~~air glacial de ne~~
~~pas avoir entendu qu'on réserve généralement à l'aveu de mens~~ — 9.
~~d'une faute qu'on veut i~~ ~~produisait aux Verdurin l'effet de~~
~~ces aveux de fautes qui nous blessent et qu'ils feigne~~
~~ces révélations désagréables que nos amis croient quelquefois devoir~~
~~nous faire « légèrement ».~~ ~~ave~~ ~~cette ex~~ ~~com~~ par un silence
~~glisser~~

réprobateur. Leur visage ne prenait pas positivement une expression | 1.
de blâme, mais cette absence d'expression que perdait volontairement toute espèce d'expression, comme quand nous ne
voulons pas prendre acte de quelque chose qu'essaye de
coupable
nous « glisser » un de nos amis en l/qui se trouve en faute
et veut le prendre légèrement
vis à vis de nous, ou cherche à nous faire une commission
parle
de la part d'une personne à qui nous dit « négligemment »
d'
qu'il a une fête à laquelle il ne nous a pas invité, etc.
ou d'une faute qu'il sait nous être désagréable, ou nous fait
brouillée
les amitiés d'une personne dont nous lui avons « défendu de nous
avec
reparler ». Tel était le visage par lequel les Verdurin accuei
entendaient le nom des ennuyeux, q qu'on ne pouv que | 2.
quelques « amis », « quelques « camarades », quelques « camaros » | 3. 4.
étaient assez fous pour préférer certains soirs au « petit noyau »
tel était celui avec lequel ils entendirent la révélation, faite
sans méchanceté d'ailleurs, que Swann était « toujours
fourré » chez des gens qui ne faisaient pas partie du petit
noyau. Si à ces moments là Monsieur Verdurin avait levé les
immobile
yeux sur sa femme, il eût pu constater quelle admirable gravité
admirer gravité
de pape, quelle l'a absolue impassibilité quelle majesté
pétrification subite , la gr pé majesté
soudaine presque papale du visage de sa femme. Son front bombé
conscient
sous ses cheveux gris n'était plus un réceptacle pensant où
s'agitait le nom des personnes chez qui Swann était
peut s'agiter
« toujours fourré » mais une belle étude de ronde bosse

Cahier 7, f° 16 v°

en plâtre qui fait l'admiration de l'amateur. Son nez légèrement
froncé laissait voir une échancrure calquée sur la vie, on
aurait dit que sa bouche allait parler. Celle de M. Verdurin ne
une certaine ~~et un certain effor~~
se fermait pas car il parlait avec application de la chose dont on avait
à la fois de naturel et d'enchaînement
parlé avant la triste remarque de Forcheville de manière à bien
l'
établir qu'on n'e avait pas entendu, comme quelqu'un qui a reçu ~~du~~
~~une~~ du papier timbré et ne veut pas être « touché » par lui a soin
rendre l
~~de ne pas~~ l'e ~~ouvrir~~ rendre sans que l'enveloppe ait été ouverte.
D'ailleurs les révélations de Forcheville étaient presque inutiles
Bien vite les Verdurin avaient compris que Swann n'était pas
dans « le ton » de leur petit noyau ». Impossible de lui arracher
d'aveu formel de l'infamie des ennuyeux. Quand la mère
de la pianiste ~~disait~~, d'après Mᵉ Verdurin, ~~les~~ réceptions de
Bois Boudran ou de plaignait ~~tournait en ridicule~~ personnes obligées d'assister aux
Mouchy, Swann se contentait d'un bon rire, ~~qui ét voulait~~
~~dire : « je ne veux pas me fatiguer à~~ que les Verdurin trouvaient
« très bête » et quand M. Verdurin lui disait que tout le monde
lui assurait que M. Robert de Montesquiou était assommant et
dénué d'esprit, Swann ne pouvait s'empêcher de dire que c'
était exactement le contraire, ~~ce qui faisait attitude de~~
~~fidélité à ses opinions et au bon sens que M. Verdurin attribuait~~
~~à la prudence mondaine~~ M. Verdurin allait jusqu'à lui dire
: « Mais dites donc franchement votre pensée, nous ne lui
son
répéterons pas ! ». Car le « courage de ~~ses~~ opinions » paraîtra toujours
de la lâcheté à ceux devant qui il s'exerce. On attribue
à un calcul de prudence ~~sociale~~ ~~la~~' imprudente spontanéité
avec laquelle on ~~res~~ ~~procl~~ proclame les opinions auxquelles

1.
2.
3.
4.
5.

on reste fidèle. Swann était accusé de ménager « la chèvre et
le chou » et Madame Verdurin comme ~~t~~ ces grands inquisiteurs | 1.
qui ne pouvait extirper l'hérésie au fond des cœurs ~~et de~~
mais exigeait au moins les apparences extérieures de l'orthodoxie,
sentant qu'elle ne pouvait à cause de Swann réaliser l'unité
morale du petit noyau, ~~verif~~ [ses nerfs] ne pouvait ~~en~~ [physiquement] supporter l'aveu
[proféré] de sa dissidence, et un jour où Swann avait dit en riant à la
mère du pianiste qui prétendait que l'Impératrice était contrefaite, [, selon Verdurin,] | 2.
que c'était ~~la~~ [une des] plus belles femmes qu'il eut jamais vues, Me Verdurin
exaspérée lui avait criée [du fond du cœur] « Trouvez-le si vous voulez, mais au
moins ne nous le dites pas ! ».

~~Monsieur Piperand~~ | 3.

Le jeune docteur n'était pas un mauvais homme, ~~mais il avait~~
~~l'air touj~~ mais à quelque heure que vous le rencontriez, ~~son~~ [seul dans la rue ne pensant à rien]
~~nez~~ audessus de son nez rond ses yeux ronds aussi ~~ava ex~~-
avaient l'~~interrogation souriante de~~ air interrogatif et
~~blagueur~~ [~~ri~~ malicieux] de quelqu'un qui voudrait ~~savoir~~ bien qu'on lui dise
si c'est une blague mais qui à tout hasard ~~ret~~ ébauche d'
avance une espèce de rire qui permette, ~~de~~ si c'en était une, de | 4.
montrer qu'on l'avait bien vu. C'est ce qui faisait que Verdurin
lui trouvait une charmante expression fine « et [même] sarcastique », quoique personne ne fût moins fin. Quant à sarcastique le pauvre
homme avait trop à faire pour « laisser venir » comme il disait
et se rendre compte si ~~ce que~~ les paroles des autres, les phénomènes | 5.
de ses malades, les situations de la vie et d'une manière générale la

~~qui aimait~~ je s~~ai~~/uis sûre que
Cela n'empêchait pas Me Verdurin de lui dire : ah docteur ~~vous êtes~~
1. vous un tendre, malgré vos apparences sarcastiques. Et le docteur
au mot de sarcastique répondait toujours on ne sait ~~par~~ trop par
sarcastique
quelle confusion « ~~sarcastique~~ Ah ! Socrate./, ~~Je veux dire la~~
~~méth~~ la méthode sarcastique ! »
Plus habituellement quand on disait la chose la plus insignifiante
2. il trouvait très rapidement quel ~~l~~ expression consacrée on pouvait
y adapter. S'il disait qu'il ne pourrait venir de quelques jours étant
obligé de s'absenter ~~quelques jours~~, ~~M~~ et si Me Verdurin disait :
« Quel malheur ! » ~~!~~ ~~Il ajoutait~~ après une seconde d'hésitation il
~~en levant la main~~, ~~en souriant, la main levée~~
3. ajoutait : « Quel malheur pour la France ! » ~~avec une emphase ironique~~
~~et l'air mo m~~
~~qui signifiait que Me Verdurin venait de dire une terrible banalité.~~
peut'être*
~~Si Me Verdu~~ ~~quelqu'un~~ ~~prononçait le n~~ ~~de se moquer no de~~
~~ce qu'il disait~~ ~~de se moquer de M^e de~~/~~Verdurin à qui dont il~~
en souriant, la main levée avec une emphase ironique,
pour se
et ~~l'air de se~~ moquer de Me Verdurin dont il avait l'
air de compléter la pensée, en disant : voilà la ridicule
seulement
~~banalité~~ que vous alliez dire. Car il n'aimait pas les g^des
g^de phrase.
et
phrases, ~~ainsi~~ montrait~~-il~~ sa finesse en les dénonçant
partout. Si quelqu'un disait : il a été élevé, il
souriait ~~de m~~ de même, levait la main et ajoutait :
« élevé à la hauteur d'une institution ! » ~~Et~~ Cette finesse

chose inconnue qui allait se présenter était un sarcasme ou non,
pour penser à en faire lui-même. Il ~~y~~ pensait à être sarcastique
comme quelqu'un qui ne veut pas laisser voir qu'il ne sait pas l'allemand
et qui écoute d'un air intéressé une phrase dont il ne comprend pas
un mot, prétend parler lui-même cette langue. Le peintre 1.
à qui les ennuyeux préféraient Besnard, avait fait un grand por- 2. 3.
fine et même
trait de lui où était encore accentuée l'expression sarcastique
~~et spirituelle~~. ~~Et~~ Dans la rue à deux rangées de voiture de lui
il avait peur ~~de~~/en répondant à votre salut de ne pas avoir
préventivement indiqué la compréhension du sarcasme, et un sourire
hésitant brillait dans son œil. Chez les Verdurin quand on le
présenta à Swann, ~~il s~~/~~lui~~ le sourire entendu hésita un instant et
Swann se dit : « C'est probablement quelqu'un que j'ai rencontré
chez des filles. Pourvu qu'il n'en parle pas devant Wanda ! ». 4. 5.
Me Verdurin « recueillait » Me Cotard quand son mari était
trois
parti près d'un malade, avec les enfants qui tous comme petits
canards
~~oisons~~ qui jetés à l'eau font déjà tous les mouvements du canard,
avaient déjà, surtout le plus petit, un œil rond, préventivement
souriant et interrogateur ce qui faisait à dire à Me Verdurin : Ah !
il est malin comme un singe.
je vous réponds qu'il ne sera pas bête celui-là. ~~»~~ C'est déjà le joli œil
fin de son père. »

qu'il y eût positivement de
~~Il y avait d'ailleurs sans~~/Sans programme arrêté d'avance d'ailleurs, parceque
on laissait les artistes jouer ou non « comme cela leur chantait » disait
volontiers Me Verdurin, ~~il y q on arrangeait pourtant~~ on avait
toujours quelques numéros intéressants chez les Verdurin. Ce qui faisait
que quand ~~le le docteur rene~~ quelques « initiés » se rencontraient

parut si amusante à Forcheville qu'il fut immédiatement
conquis. Il n'avait dîné la 1re fois qu'avec Me Cottard, le
d[r] ayant été appelé par une consultation en province. Quand il vit
le d[r] qu'il ne connaissait pas il se tordit de toutes ces plaisanteries
et après le dîner il ne put s'empêcher d'aller tout d'un trait à
Me Cottard : « Quel homme exquis que votre mari ! Quel causeur
délicieux. C'est un vrai régal de l'entendre ! »

ils se demandaient « savez-vous ce que <u>nous</u> <u>aurons</u> ce soir chez
Me Verdurin ». ~~Quelquefois~~ Me Verdurin laissait « chacun libre » mais ¦ 1.
quelquefois ~~quand~~ à un artiste elle disait ~~: «~~ en prenant exprès un
air vulgaire : « Dites donc est-ce que vous n'allez pas travailler
de votre métier, vous » ce qui faisait beaucoup rire tout le monde
excepté Swann qui ne pouvait pas rire de ce qu'il ne trouvait pas
drôle./, en un mot un parfait poseur.

Le peintre ~~disait, avec un rire~~ dépeignait un ~~Rembrandt~~ qu'il avait ¦ 2.
vu et se récriait d'admiration ~~faisait semblant de ne pas pouvoir~~
J'ai voulu voir avec quoi il les faisait ~~e~~/ses fleurs, j'ai ¦ 3.
~~retenir un faible rire~~ « ~~Vous savez~~ on ne sait pas comment c'est
été me mettre le nez sur la toile, ah ! bien ouiche
fait~~, je me suis mis dessus ah ! bien sans blague vous savez vous avez~~
~~l'air de croire que j'exagère~~, on ne sait pas si c'est fait avec de
des rubis du papier
la colle, avec ~~du papier~~, avec ~~des rubis~~, avec du soleil,
avec du caca, ça n'a l'air fait avec rien, pas moyen de ¦ 4.
ça sent bon, ça fait mal à la tête, et on ne sait pas
trouver le truc, et tout y est, c'est du miracle, c'est avec quoi
de la rouerie, du miracle
de la sorcellerie, (riant) « c'en est malhonnête » ~~sérieuse~~
gravement « et c'est si loyal ! » et Me Verdurin répondait : ¦ 5.
« ~~J~~/~~Ça~~ Ce qu'il m'amuse quand il s'emballe comme ça ». Et le
peintre : « Non, mais c'est pas de la blague, vous croyez que j'exagère,
mais non ! » « Mais non nous ne croyons pas que vous exagérez, mais nous
voulons que ~~n~~/vous mangiez. » Le peintre invitait Swann à son atelier
avec Wanda. Du reste il disait toujours j'aime faire des mariages. Il est ¦ 6. 7.
~~mais~~ ~~bête~~*
gentil se disait Swann.

Je rougis presque de parler de l'abside de l'église de ¦ 1.
Combray, /./, tant elle était grossière~~. C~~/auprès de tant d'absides
célèbres que j'ai vues depuis. Comme ~~l'eg~~ ~~l'ég~~ ~~la rue~~ ~~ou~~
s~~ur laquelle~~ le croisement de rue sur lequel elle donnait
de niveau
était beaucoup plus bas que la place de l'église, l'absi-
pierre plein et
de ~~e~~ se trouvait surélevée sur un mur de ~~maçonnerie~~ ~~des~~ ¦ 2. 3.
, plein et sans ouverture
~~plus~~ irrégulière des plus grossiers et qui n'aurait rien eu de
particulièrement ecclésiastique, si à une assez grande hauteur
n'avait commencé une série de grandes verrières./, qui
donnaient à cette partie de l'édifice un aspect peu symétrique puisque toute la plus grande partie de la muraille grossière
ne contenait rien qui répondît à ces verrières. ~~Et cependa~~
Depuis j'ai vu les plus belles absides du monde, celle de ¦ 4. 5.
Beauvais, celle de Chartres, celle d'Amiens, ~~et~~ de Reims
et combien d'autres. Et je me suis demandé avec de grands ¦ 6.
écrivains laquelle produisait la plus profonde impression
religieuse. ~~J'ai discuté pour savoir si les fenêtres blanches~~ d'
~~Amiens et la clarté qu'elles font pénétrer dans l'esprit l'élève plus~~
~~vers les vérités de la foi~~ Parfois j'ai placé plus haut les fenêtres ¦ 7.
blanches d'Amiens et cette grande clarté qu'elles répandent, parfois
cette glorieuse imbrication des fenêtres de Beauvais ~~qui s~~ où

ruissela le sang des martyrs dont elle raconte la vie. Et toutes ces 1.
Puis
impressions ont été effacées par l'abside de Beauvais. ~~Et~~ j'ai 2.
préféré à Beauvais même des absides romanes, moins belles, mais qui
d'un sentiment
m'ont paru ~~plus~~ ~~mystiques~~ religieux plus profond encore. J'ai pensé
tout cela. Seulement un jour dans une petite ville obscure, au
de trois
tournant ~~des~~ ruelles, j'ai vu une muraille grossière et surélevée et
tout en haut des verrières qui rappelaient la disposition de cette
abside de Combray à laquelle je n'avais certainement jamais repensé
depuis. Alors cette fois là je n'ai pas eu à me demander, car ce n'était
guère une œuvre d'art, si elle exprimait ~~bie~~ profondément ou
non un sentiment religieux, mais ~~le~~ ces murs m'ont paru ne pas
de ni
être la même espèce que les murs des maisons, des monuments, et
~~par b~~ comme à Combray, j'ai pensé : « l'Église ! » ~~Le~~
~~de Combray~~
~~petit porche de la sacristie était~~ ~~Une des façades~~ ~~(car celle qui était~~
~~sur la place n'était que ce que j'ai su plus tard s'appeler transept~~
~~et qui était plus développé à Combray que la façade occidentale) était~~
~~rue St Hilaire~~, . Cette différence ~~pro~~ intime, profonde entre ~~les~~
mettait entre elle et tout ce qui pouvait
l'église, et toute autre chose bâtie ~~était telle~~ pour moi à
l'avoisiner une différence que rien ne pouvait combler
~~Combray~~ ~~qu'~~une façade de l'église (la façade occidentale, car ~~j'ai~~
ainsi
~~appris~~ celle qui était sur la place ~~et j~~ était en réalité ce que
depuis
j'ai appris s'appeler transept, qui était à Combray plus développé 3.
que la vraie façade) ~~qui~~ se trouvait rue St Hilaire sans aucune
séparation des autres maisons, de sorte que l'Église était là entre la 4.
maison de Me Loiseau, et la maison du receveur, absolument comme 5.
une autre maison, qui aurait eu son numéro si l'usage avait été de

mettre des numéros aux maisons à Combray, qui demeurait rue
Hilaire comme un ~~h~~ autre habitant de Combray, devant qui le
facteur passait le matin en faisant sa tournée et ne s'arrêtait pas parcequ'il n'y avait personne. Et malgré cela ~~elle~~ si familière, si
~~concitoyenne~~ mitoyenne des maisons, si concitoyenne des habitants, elle
idéale
était pour moi pierre sacrée et la ligne de démarcation entre sa façade
et le mur de Me Loiseau était aussi infranchissable pour moi qu'
un abîme. Me Loiseau avait à sa fenêtre des fuchsias dont ~~souvent~~ les
branches venaient retomber sur le mur de l'église. Mais ils ne
me paraissaient pas plus sacrés pour cela que mon oncle quand il s'age-
nouillait dans la chapelle derrière l'autel, sous le vitrail de Charles le
dépassant de la fenêtre de M^{e}
Mauvais. Tandis que la pierre sur laquelle le fuchsia venait avec une Loiseau 1.
coquetterie indue appuyer tendrement ses poires de cristal violet,
était sacré. J'en dirai autant du clocher. Il y avait des rues où
de côté
on l'apercevait audessus des toits sans voir l'église,/. ~~et cela me~~
~~donnait~~. Depuis c'est une façon de voir les églises que j'ai souvent
beaucoup aimée, qui rend charmants des clochers, des tours, des
dômes qui ne le sont pas toujours, et j'ai dans mon souvenir des
vignettes autrement jolies que celle du clocher de Combray aper- 2.
~~à Falaise~~ dans une ville de Normandie 3.
çu de la rue de l'Oiseau. Il y a~~v~~ deux charmants hôtels
blancs du XVIIIe siècle qui me sont à beaucoup d'égards chers
et vénérables, et entre qui, ~~d~~ ~~vis~~ la flèche de St Gervaise s'é- 4.
lance, ayant l'air de terminer les deux façades, mais d'une
matière si différente, si ~~friab~~ précieuse, si annelée, si
même
ciselée, si rose et vernie, que quand on l'a regarde du beau 5.
jardin ~~qui~~ descend, ~~de~~ commun aux deux hôtels, et d'où elle a

comme on n'aperçoit pas l'église
l'air de s'élancer de leur toit, on sent tout de suite qu'elle n'en fait
pas partie et qu'elle en est aussi différente que la tourelle rose et
entre
crênelée d'un coquillage est différente de deux galets ~~sous~~ lesquels elle 1.
est prise sur une plage. Je sais même à Paris Bd Haussmann 2.
la maison d'un homme aimable et savant d'où par la fenêtre
on voit audessus de trois rangées de toits sombres, une cloche violette
et élancée qui n'est autre que le dôme de St Augustin, impossible à reconnaître vu ainsi sans l'église et qui donne à cette petite
vue découpée dans la fenêtre l'a ~~aspect~~ et jusqu'à la couleur de certaines
ressemblance
vues de Rome de Piranesi. Mais rien de tout cela ne peut 3.
donner une idée de l'émotion que me donnait le clocher de
Combray quand je l'apercevais audessus des maisons, comme si le
visage du bon Dieu dont le corps eût été caché, m'avait regardé, 4.
d'au milieu des hommes, impossible d'être confondu avec eux.

~~Souvent dans~~/Dans les promenades du côté de Meséglise nous ¦ 1. 2.
à gauche en pente
laissions ~~de côté~~ un petit ~~bourg appelé Pins~~ chemin ~~qui~~ bordé
des deux côtés de quelques arbres qui s'épaississant au fur et
à mesure qu'il s'éloignait formait ~~un~~ à l'horizon, dans un creux
un vrai petit bois dominé par le clocher du bourg de Pinsonville. ¦ 3.
~~Dix fois on avait voulu que nous allions à Pinsonville mais je~~
~~préférais p Parfoi~~ Mon père voulait toujours « pour changer un ¦ 4.
peu » aller jusqu'à Pinsonville, mais je préférais les champs de
bleuets, de sainfoin de coquelicots et nous continuions en ligne ¦ 5.
droite de sorte que je n'allai jamais jusqu'à Pinsonville.
Mais c'était un des noms ~~familiers~~ que l'on disait souvent à la
maison. On achetait au marché des volailles ~~qui venaient~~ apportées
par des paysans de Pinsonville. Quand la pluie nous prenait
sur la route de Méséglise, nous nous arrêtions sous les arbres qui
descendent à Pinsonville, et quand elle était finie on
voyait souvent un arc en ciel audessus du clocher de
Pinsonville. L'année où nous revînmes à Combray à la fin
de l'automne pour la succession de ma tante ~~Claire~~ Bathilde, ¦ 6.
il faisait froid, je lisais au coin du feu « La Conquête de ¦ 7.
l'Angleterre par les Normands » puis quand j'étais fatigué quelque temps qu'il fît je partais, ivre du repos accumulé et
des idées ~~qui éch~~ montées par la lecture qui demandaient à se
transformer en mouvements de droite et de gauche comme une
toupie qu'on a tourné longtemps sur elle-même et qui ¦ 8.

1. Suite de 3 pages après
si ma grand'mère ne tardait pas trop, nous pourrions déjeuner un peu plus tôt et que

2. j'aurais le temps de faire une grande promenade sur la falaise, de retrouver

3. d'un point bien choisi l'effet d'Elstir, et ensuite de descendre ~~rocher~~
sans que le soleil fût encore baissé car c'étaient des effets d'après midi non de soir que je

4. ~~par rocher~~ jusqu'au bord de la mer, ~~m'asseoir~~ aux rochers du diable,

m'asseoir sur un de ces rochers presque entourés par le flot et au pied

desquels je verrais ces belles ombres profondes que le tableau d'Elstir m'avait

donné si envie de revoir. Jamais journée ne conviendrait mieux. ~~Au moment~~
~~ces~~ ~~le~~ ces

5. ~~où je formais ce projet~~ Tandis que je faisais ~~le~~ calculs de l'heure où il faudrait
pour avoir le temps de voir tous cela

partir, ~~qui sont comme la partie active, émoti agrandissant encore~~

~~la belle journée en la faisant commencer plutôt, et qui sont la partie active,~~
hâte

~~émotionnelle~~, calculs, préparatifs, ~~encore de l'heure du déjeuner~~, qui ~~sont la~~
~~s'ils~~

~~partie active, émotionnelle d'une promenade qui en font sentir ne sont pas le~~
~~la beauté~~ ~~la beauté du paysage mais~~ qui

~~but esthétique et la beauté de la promenade~~, ~~en font sentir~~ en sont la partie active,
le beau paysage

émotionnelle, réelle, qui ~~la~~ font s~~entir~~/ortir du domaine de l'abstraction et le montrent
~~él~~ rayonnant d'une

~~attendant à notr~~ impatiente, réclamant le temps qui lui est nécessaire, attendant à notre

porte notre dernière bouchée, et qui agrandissant la belle après midi, la font

~~plus lon~~ commencer plutôt à l'heure où d'habitude on se met seulement à table,
qui

6. et élargissent ~~le paysage de fal~~ certes ne sont pas le but esthétique, la
~~en~~ sensation directe

beauté d'une promenade mais ~~en~~ sont ~~la~~/~~sa~~/~~la~~/sa ~~partie~~ ~~active~~, émotionnelle, parcequ'

ils la font sortir du domaine de l'abstraction ~~et pour la faire se réaliser aujourd'hui~~
petits nos habitudes

~~même~~, et aux dérangements qu'elle apporte ~~dans~~ notre vie ~~d'aujourd'hui nous font~~
aujourd'hui

~~sentir qu'elle y est effectivement entrée qu'elle ne se réalisera, qu'elle~~ à

7. la place qu'elle prend bousculant le déjeuner et le reste, nous font sentir qu'elle est

là, qu'elle est entrée dans notre vie d'aujourd'hui, qu'elle réclame le temps
qu'il lui faut ; l'après midi apparaît soudain comme plus vaste parce qu'elle

8. va commencer une heure plus tôt ont peut-être sur nous un pouvoir plus émotionnel,
plus actif, parcequ'ils sont la sensation directe de la présence de la promenade jusque là restée comme
un ~~spectacle~~ plaisir abstrait et simplement possible dans notre existence d'aujourd'hui même où elle bouscule

veut s'échapper dans tous les sens. Et les herbes, les vieux murs, 1.
de moi
les taillis recevaient de droite et de gauche des coups de
canne ou de parapluie qui n'étaient peut'être que
des idées confuses qu'i ~~il eût été préférable~~ ne connurent
jamais le repos dans la lumière d'une phrase pour avoir 2.
préféré l~~a~~/e ~~d~~ plaisir immédiat d'une destinée plus
active. Je dis de canne ou de parapluie car la pluie cette
année là où j'étais seul et libre, ne m'arrêtait
pas. Plus tard j'ai connu les bienfaits du téléphone et
du club ~~à~~ qui ~~on demand~~ nous envoie dans les dix minutes
une voiture fermée si le temps est mauvais. Et j'ai ~~trou~~
répété comme tout le monde que c'était agréable, mais on
ne m'a jamais vu par la glace de la voiture que le visage
ennuyé des personnes qui n'ont qu'à téléphoner pour avoir une
voiture. Tandis que ces promenades que je faisais ~~à~~/~~autour~~ de 3.
audelà
Combray, « par tous les temps » et qui par la malheureuse 4.
longueur des chapitres de la Conquête de l'Angleterre faisait
que juste au moment où mes yeux commençaient à se
temps
brouiller sur les actions d'Harold, l~~a~~/e ~~pluie~~ commençait à 5.
~~tomber~~, et que les premières gouttes se décidaient à tomber
se brouiller
à peu près au moment où moi je me décidais à sortir, ces
promenades là sans aucun des conforts fournis par le téléphone 6.
et le club je les ai fait ~~p~~/en chantonnant tout le temps 7.
toujours
pendant que mon parapluie opposait au vent une
et à la pluie

il
1. le déjeuner, prend la place qu~~i~~'l lui faut – ~~et~~ qui agrandissent le'après midi en
la faisant commencer une heure plus tôt et le paysage de falaise et de mer qui
vient nous attendre et nous presser à notre porte sans attendre notre dernière
bouchée – j'eus la sensation ~~que mon h~~ d'être regardé fixement par quelqu'
Sans me retourner
un qui était non loin de moi. ~~Je~~ ~~me retournai~~ tout à fait je changeai la
entre deux
direction de mon regard ~~q~~/et j'aperçus un homme ~~habi~~ ~~d'un certain~~ âges,
assez gros attachait
grand et ~~fort~~, mis avec recherche et qui ~~me regardait~~ ~~fixait~~ sur
et qui semblaient me traverser de part en part avec une attention profonde
moi des yeux dilatés et ~~brillants~~ tout en frappant nerveusement avec une badine
fixes
ses pantalons de toile blanche. Le reste de son costume était sombre et absolument
différent de ceux que je voyais sur la plage. Il portait un chapeau de paille noire
passée simplement comme s'il venait de la ~~q~~/cueillir
2. et avait à la boutonnière une rose de l'espèce appelée mousseuse ~~un~~ dont la
intensité
queue trop longue pendait ~~sur~~ ~~son~~ librement. L'extraordinaire ~~attention~~ avec
un sentiment de malaise et même une certaine
3. laquelle il semblait m'observer me causa une ~~légère~~ frayeur. L'idée d'un
de' ~~pickpocket~~ aux apparences élégantes,
escroq
~~rat d'hôtel~~, me suivant pour tâcher de me parler, de pénétrer dans l'hôtel
me vint à l'esprit./, et ~~Mais D~~ sembla confirmée par ce fait qu'aussitôt qu'il
~~s s'~~ qu'i[l] s'e ~~aperçut~~ rendit compte que je le voyais, l'inconnu détourna les
~~à la fois dédain~~ et pour
yeux d'un air de ~~dédain~~, ~~de suffisant~~ ~~et~~ de distraction, ~~comme s'il avait~~
bien ~~exagéré~~ comme
~~voulu~~ montrer qu~~e ce n'était~~ ~~pas du tout moi~~ ~~qu'il regardait~~, ~~et se mit à~~
il était occupé de toute autre chose que de moi
~~s'absorber~~ il s'absorba dans la contemplation de l'affiche de casino qu'il
et tout en chantonnant à mi voix
~~parut~~
commença à lacérer de sa badine, ~~tout en chantonnant à~~ mi voix,/. ~~et~~/Et tirant son
sortant de sa poche un
~~calepin parut noter quelque rensei~~ ~~tirant~~ ~~son~~ calepin sur lequel il sembla
noter les indications du spectacle qu'elle donnait, puis il tira sa montre, regarda
l'heure, regarda au bout de l'avenue d'un air d'impatience, en mettant sa main
en visière en haut de son chapeau de paille s'il ne voyait arriver personne et
des
fit ~~un~~ gestes d'ennui qui signifiaient : « Encore personne que c'est ennuyeux de
rester là ». Du moins il croyait sans doute que c'était cela que ~~s~~/faisait

joyeuse résistance. Et généralement ~~j'avais fait deux lieues~~
et ~~j'arrivais au petit~~ ~~à un quart d'heure~~ après une
promenade de deux lieues ~~sur~~ faite dans ces conditions, j'
étais fort avancé sur le chemin du retour et je'appro
chais du « vieux pont » quand la pluie ayant définitivement 1.
cessé l'eau ~~de~~ ~~so~~ sombre de la rivière se transformait en une
substance lumineuse et trouble un peu de soleil ~~dorait~~
jaunissait les feuilles des lilas du parc Swann, et c'était 2. 3.
dans un ciel bleu que le clocher de Combray souriait de 4.
soleil dominait mon retour fatigué et joyeux. + Ces promenades
me faisaient tant de bien que ma grand'mère ne se consolait 5.
pas de me voir rentrer à Paris et comme c'était impossible de
laisser Combray ouvert pour moi seul, on s'était presque
entendu avec une femme de Pinsonville qui offrait de
me prendre en pension et j'aurais été libre toute la 6.
journée de me promener dans les champs. Mais ~~j'av~~
la pensée de vivre à Pinsonville ne me plaisait pas, je
désirais rentrer ~~à Paris~~ avec mes parents, et le projet de
ma grand'mère fut abandonné

× ah ! sur toute cette route quand je frappais avec ma canne 7.
ou avec mon parapluie le tronc des pommiers ou les ronces 8.
des haies comme j'aurais voulu en faire surgir une femme. 9.
Le vent qui courait devant moi dans les sillons, ce grand 10.
vent qui était la 1re chose qu'on reconnaissait quand
en venant de Paris on arrivait à Combray et qui les premiers

+ 3 fois ~~moins~~ non pas comme quelqu'un qui a chaud, mais comme quelqu'un qui
veut montrer qu'il a chaud.
croire sa mimique. En quoi il se trompait complètement car elle montrait seulement
d'un air d'attention
qu'il désirait qu'on crût cela. Il avait beau froncer les sourcils en regardant l'
comme si sa lecture l'eût vivement intéressé
affiche je sentais très bien qu'il ~~ne voyait même pas ce qui était~~ eût été
incapable de dire ce qui était imprimé dessus, car il pens~~ait~~/er à tout autre
devait
chose. ~~Il~~ tira son calepin je suis sûr qu'e ~~il n'avait rien écrit ou q~~ comme
Sur
dans une scène de théâtre il n'avait rien écrit ou que des mots sans signification.
Et que la personne dont il épiait l'arrivée au bout de l'avenue en regardant
l'heure n'était qu'un être imaginaire, créé pour lui donner une contenance.
~~Comédie pour dissimuler~~ Une comédie jouée et très mal ~~r~~/pour effacer de mon
esprit l'idée qu~~e~~' il m'espionnait, ~~était~~ était peut'être quand j~~e~~' ~~l~~'avais surpris son
regard, sur le point de me voler, fut une des suppositions que l'extrême exagération des mouvements significatifs de l'attention, de l'attente, de l'intérêt de l'
ennui, ~~de~~ me suggérèrent. Une autre fut que c'était peut'être simplement un
individu un peu détraqué, chez lequel les impressions trop vives se traduisent par des
mouvements un peu incohérents./, et se trouvait singulièrement confirmé par sa gesticula-
la pomme
tion nerveuse, ce chant bizarre, les coups répétés d~~u~~/e ~~bec~~ de sa canne, dont il tenait
frappés contre ~~ses bottines~~ par la
son pied qu'il avait tout petit, un vrai pied
de femme,
1. ~~en main~~ le petit bout contre ~~ses~~ ~~bottines~~ ~~mains~~ ~~conv~~ ~~convulsées~~, ~~dont les~~
les doigts convulsés de ses mains gantées
~~gantées~~
2. ~~doigts convulsés en tous sens~~, ~~avaient~~ ~~avaient~~ qui avaient l'aspect ~~co~~ tourmenté de fleurs d'orchidées aux pétales capricieusement contournées et séparées
~~Pour s'essuyer le front~~
les unes des autres. ~~Il~~ ~~releva~~ son chapeau de paille en arrière (et je vis que
l~~e~~va Levant
en
3. ~~par~~ contraste avec sa moustache très noire , peut'être un peu teinte, ses
et s'essuya le front, et souffla très fort 2 ou
cheveux coupés court étaient légèrement grisonnants)./, puis élevant sa rose à ses X
narines, la respira longuement, avec une mimique excessive qui pouvait elle aussi
ou bien être destinée à anéantir mes soupçons en le montrant occupé de mille ~~petites~~
choses, ou ~~un peu fou~~ révéler un certain déséquilibre nerveux, peut'être aussi
~~une~~ la vanité puérile de ~~demi fou~~ qui craignent ~~peut'être quelque ne~~ ~~en ayant~~
certains névrosés quand
ils vous ont regardé avec attention ~~que vous ne preniez pré tiriez~~ de vous avoir induit à

jours m'empêchait de dormir, ~~m~~ ~~faisait courir en~~ et qui courait 1.
en chasse devant moi sur les sillons, et parfois roulait
en souffles plus doux, ce vent exaltait mes désirs, le soleil
qui paraissait par moments les alanguissait. Quelquefois dans
un chemin désert je m'arrêtais je me disais ; ~~une~~ ~~quelco~~ elle
n'ai qu'à
va paraître, là, au bout de ces arbres. Je fermer les yeux, quand
je les rouvrirai, elle sera là et me fera signe. Et je n'avais
devant moi que les pommiers insensibles, ou le petit clocher
de Pinsonville.

Ainsi ~~dans ce chemin que j'avais~~ au bout de cette
allée d'arbres où je m'étais si souvent arrêté à cueillir
des fraises et des violettes, après la fontaine qui alimente la 2.
Pinsonne, il y avait une fille qui tandis que je frappais
désespérément les arbres pour tâcher d'en faire sortir une dryade, 3.
soupirait après les jeunes gens et serait venue jouer avec moi
dans les bois. ~~Ce~~ ~~Ainsi sur~~ ~~Q~~ Ainsi ~~to~~ tout pays est
peuplé de désirs, sous chaque pierre il y a du bonheur
en
possible, ce bourg déshérité de Pinsonville ~~habitait la~~
où j'avais failli passer toute un hiver habitait une fille 4.
plus belle que toutes celles que plus tard j'ai connu depuis 5.
Pinsonville ce lieu si familier à mon enfance en prenait une

croire qu'ils se font de vous une idée extraordinaire et croient rabattre votre orgueil
et ~~relever~~ consoler leur amour propre, en se montrant occupés de tout excepté de vous.
~~En sorte que tout le manège~~, ~~de l'inconnu~~ ~~ce qui était d'ailleurs peu vraisemblable~~, ~~était peut'être~~ destiné
~~supposait~~ ~~Dans ce cas~~ ~~qu'il occup vena avait~~

1. Dans cette hypothèse à vrai dire peu vraisemblable le manège de l'inconnu ~~prouvait~~ qu'e ~~il croyait ce qui était vrai mon attention occuper mon attention~~ prouvait qu'il croyait occuper mon attention et voulait en profiter pour m'inculquer l'idée qu'e ~~il n~~ je n'occupais nullement la sienne. J'en étais là de mes réflexions quand je tressautai en m'entendant appeler par ma grand mère que je n' avais pas vu venir, et qui vint me prendre

2. pour faire un tour de plage. Je ne jugeai pas à propos

3. ~~Le lendemain~~ Il fait un temps magnifique me dit le lendemain matin ma

4. grand'mère, et qui conviendra sans doute à ton ami pour faire cette photographie. Je vais aller acheter quelques petites choses dans le magasin de modes pour être un peu moins mal arrangée, et te faire un peu plus honneur sur la photographie. Si tu veux être à onze heures au coin de l'~~allée d~~ avenue du casino, nous pourrons

5. faire ensuite ce tour de plage. J'étais un peu irrité (voir là où c'est, sur la coquetterie) Je fus à onze heures avenue du casino. Ma grand'

6. mère n'y était pas encore et j'étais un peu agacé de cette coquetterie. Il ~~fa~~ faisait très chaud et ~~ce~~/l' avenue tout au soleil était déserte, le monde était plutôt au bord de la mer qui était pleine et donnait un peu de ~~brise~~ fraîcheur. ~~De l'avenue elle était pâlie par le soleil~~. C'était une de ces mers pâlies par le beau temps que je n'aimais pas il y a trois jours parceque j'y cherchais en vain la mer, mais que depuis la veille je désirais tellement voir depuis que le tableau d'Elstir ~~m'en avait appris la beauté~~ ~~l'avait~~ la convertissant en beauté m'avait donné le désir d'y retrouver ces oppositions d'ombre et de lumière, ~~ce br cette buée de la lumière, ces voiles attach~~ cette pâleur de fleurs sur laquelle

7. des voiles comme des papillons, étaient appliqués sans bouger, je regardais l'heure et je me disais que

8. (voir 2 pages avant)

9. Enfin s'il fait beau comme tu voudras pour la photographie. Le lendemain

10. 11. il faisait un temps suberbe, la mer avait cette apparence volatilisée qui m'avait

12. tant déçu jusqu'ici et où maintenant je me promettais de retrouver la mer d'Elstir, je fis quelques pas sur la plage et me promis aussitôt après déjeuner, laissant

13. ma grand mère se faire photographier par Montargis que je n'avais pas rencontré ce matin, de monter sur la falaise, chercher ~~la pri~~ à voir les bateaux

14. noyés dans le ~~bleu~~ mauve, les rochers roses ciselés comme des cathédrales, et

15. ~~surtout~~ et descendre ensuite ~~des~~/e rocher en rocher jusqu'à la mer au bord des belles ombres

sorte de plénitude, de ce qu'il avait contenu. Et elle recevait une sorte de charme mystérieux d'avoir eu comme résidence, comme prison, comme ennuyeux village de tous les
jours, ce lieu qui n'~~était~~ avait guères été qu'un nom à
l'horizon de mes promenades avec quelquefois un arc en ciel
sur son clocher, et qui ~~main~~ depuis bien des années n'était
plus qu'un nom de rêves, de ces pays presque légendaires aux
quels ne nous rattachent plus rien que de très anciens souvenirs,
noms de contes de fée à qui ne manquait plus que la fée mê- 1.
me qui donnait quelque chose de voluptueux à ces syllabes
que prononçaient avec l'accent traînard de Combray mon 2.
oncle et ma tante : « il doit pleuvoir du côté de Pinsonville ».
des bois
Dans ces bois de Pinsonville, se serait déroulée sur l'herbe
lèvres de
cette Viviane à forme de couleuvre sur lesquelle~~s~~ j'essayais 3. 4.
maintenant de retrouver le goût des violettes, des fraises et du
vent des promenades d'autrefois.

Le couloir B^d Haussm.

L'antichambre Straus. 5.

Abel. 6.

Je n'aurai pas la voiture ~~ces jours-ci parce que~~ 7.
Montargis m'avait dit mon oncle Guercy doit venir ~~e~~/voir 8. 9.
Tu verras, c'est un type, un homme qui ~~a fait~~ ne s'est pas
ennuyé dans la vie, il a eu toutes les femmes de la terre quoiqu'on 10.
ne sache pas exactement lesquelles parcequ'il est très discret. ~~Mais il~~
Il a bien trompé ma pauvre tante Guercy, mais cela ne l'a pas

sombres. J'avais donné rendez-vous à ma grand'mère qui était allé acheter un fichu (~~po~~ pour
la photographie) au coin du casino et je l'attendais dans l'avenue déserte à cette
étaient
1. heure où il commençait à faire chaud ~~et~~ où les gens all~~aient~~/és déjeuner, où
2. des affiches annonçaient quelque ennuyeux spectacle du soir. Ma grand mère
n'arrivait pas et ne voulant pas manquer ma promenade je maudissais
sa coquetterie stupide quand je sentis que j'étais regardé, fixé, par
à quelque distance
3. un ~~M^r^~~ qui ~~n'~~était ~~pas loin~~ de moi et me retournant j'e ~~aper~~ vis
quelqu'un

4. de lui faire part des inquiétudes que m'avait causées l'inconnu et je lui demandai
~~seulement d'al~~ ~~de ne pas~~ que nous n'allions pas trop loin pour être rentré exactement à
midi. Hé bien me dit-elle ~~je s~~ fais plutôt quelques
pas tout seul, je vais tout faire préparer pour que tu n'attendes pas. Quand un
peu avant midi je revins vers l'hôtel, je vis venir dans ma direction en sens inverse
~~Me de Villeparisis,~~ qui bientôt m'aperçurent et que je ne pouvais
plus éviter, Me de Villeparisis, Montargis, et l'inconnu aux
moustaches noires. ~~q~~ C'était l'oncle Gurcy. Comment allez-vous ce matin me
trop joli le ciel a
~~Une~~ dit Madame de Villeparisis, quel joli temps, ~~ça a l'air pourtant~~
bien me dit elle
~~un petit peu~~ fragile, comme on dit chez moi. Je vous présente mon neveu
(en voyant qu'on me présentait cet homme mûr je me rengorgeai…
en me disant que je devais être un personnage beaucoup plus considérable
que je ne croyais) le baron de Guermantes, oh pardon dit elle
5. en se reprenant en riant, de Guercœur, mon Dieu après tout tu t'appelles
bien Guermantes, il n'y a pas une si grande erreur.

empêché d'être toujours un délicieux mari pour elle. Il avait pour
elle des attentions comme en ont seulement les femmes, d'une 1.
délicatesse. Et si tu savais ce qu'il l'a pleurée. Il ne quittait
plus le cimetière. On craignait pour sa raison. C'est un type, 2.
mais c'est un bien brave homme, et intelligent, artiste, un peu
trop entiché de noblesse, mais c'est peut'être son seul défaut, et
cela ne l'empêche pas d'être très bon avec les gens du peuple 3.

marchais
Je [~~ne marchais~~] ~~jamais~~ seul sur le chemin de l'hôtel en attendant 4.
ma grand-mère quand je sentis que j'étais regardé par quelqu'un
qui était à quelque distance de moi. Je levai les yeux et je
vis un homme assez grand et assez gros avec des cheveux 5.
son chapeau de paille très sombre laissant voir des cheveux légèrement grisonnants un costume extrêmement
~~gris~~, une moustache noire, et une rose à la boutonnière qui me 6.
recherché et sombre toute passée ~~non pas à la boutonnière~~ et laissant
frappant avec pendre sa tige
regardait en ~~faisant~~ nerveusement ~~tourner~~ une badine ses
si
pantalons de toile blancs. Il avait des yeux extraordinairement
qu'ils s'aperçut
fixes ~~qui~~ me firent presque peur, mais aussitôt qu'il ~~vit~~ que
je l'avais vu, il détourna la tête et se mit à regarder les affiches 7. 8.
vivement
du concert qui était sur la palissade de bois avec une ~~extrême~~ 9.
excessive je ne sais quoi
attention, en chantonnant et en ~~trac~~ lacérant le coin de l'affiche 10.
du bout de sa canne, puis il tirait sa montre regardait au loin
comme s'il attendait quelqu'un, tira un calepin et prit en note
quelque chose qui était sur l'affiche. ~~L'affi~~ Je pensai : je
ne sais pas quelle raison cet homme avait de me regarder
tout à l'heure, mais s'il s'imagine que je suis dupe

1. + assez pour que je cessasse de me demander comme je l'avais fait au début si
2. ce n'était pas quelque voleur assassin, ou quelque espion qui était à q.
q. ~~ques~~/pas de moi.

bel homme si
et distingué ~~quand~~ on ne voyait pas
3. Il était ~~à la fois~~ très ~~bien~~ ~~de sa personne~~, ~~et~~ ~~affreux avec son~~
yeux dilatés et
ces ~~regard~~ fixes ~~et fourbe qui le rendait affreux~~ ~~ces yeux~~ brillants,
et ~~toute cette gesticulation~~ ces regards faisant semblant d'être distraits, atten-
tifs à quelque préoccupation, la prétention agaçante qu'il y avait dans son air
de négligence, de siffloter avec dédain ; il était si peu naturel qu'il tira sa
rose de sa boutonnière, se mit à la sentir, et ~~laissant voir~~ tâchant de manifester
~~pa~~ sur sa figure le plaisir que probablement il ne ressentait pas. ~~Je me~~
Il faisait chaud ~~mais il~~ et il est possible qu'il en souffrît mais relevant son chapeau
en arrière pour dégager son front, il souffla comme s'il voulait montrer qu'il
avait chaud. Ses cheveux coupés court étaient légèrement grisonnants et un
trop
contraste faisait avec sa moustache noire ~~un contraste~~ peut-être teinte, un contraste
bien
4. qui n'était pas non plus très agréable. Il ramassa sa ~~p~~/badine, se frappant avec elle ses
bottines et il me sembla qu'il avait ~~des~~ pour un homme aussi grand et aussi fort des
pieds invraisemblablement petits. Il croyait peut-être tenir sa canne d'une façon

de la comédie qu'il joue pour le moment il faut qu'il me croie bien 1.
J'eus surtout l'impression qu'il était
bête. ~~Et de fait il devait~~ être un peu fou, car il mettait à
montrer qu'il ne regardait pas de mon côté, à s'absorber dans
la lecture du programme et à épier l'arrivée au bout du
~~lui~~
chemin d'une personne qui ne devait certainement pas venir,
simulée, mimée avec trop d'exagération
une attention ~~trop exagérée~~ pour que toute personne passant
par là, et à plus forte raison moi qui avais surpris son regard
comme une comédie fort
~~ne~~ pût la considérer comme autre chose que ~~simulée~~, ou
mal jouée ou la gesticulation incohérente d'un dément. 2.
qu'il me donna
~~démente~~. Cette impression d'exaltation et de ~~mensong comédie~~
~~naïv~~ rouerie ~~par trop naïve trop~~ audacieuse et naïve
vaine trop
~~bien naïve~~, ~~qui ne pouvait tromper personne et qu'il poursui-~~
~~vait avec si tant d'audace fut la pre fut surtout l'impression~~
détourna
~~qu'il me produisit et elle~~ était si déplaisante qu'elle ~~m'absorba~~
mon attention sur elle seule, sur sa qualité spécifique, ~~si~~ antipathique et bizarre, et l'absorba + 3.
~~au point d'oublier ma première crainte en me demandant si~~
~~c'était un voleu assassin ou un espi~~on. Il fit quelques
et je pus à mon tour le regarder un peu 4.
pas de long~~s~~ en large. ~~Il était vraiment a~~ Bien que ses traits
eussent quelque chose de fort distingué, il était affreux avec
ses yeux brillants et qui faisaient semblant d'être distrait,
sa démarche gesticulante, ses mouvements nerveux, son
exaltation visible, et sa négligence jouée, sa moustache 5.
probablement teinte et sa rose de jeune homme que pour
comble il approcha de son nez, avec une grimace de plaisir
des plus ridicules. J'aperçus ma grand mère, nous allâmes
faire quelques courses, et j'hésitais à faire part à ma
grand mère de mes craintes de tout à l'heure quand nous
la grande
~~vîmes~~ vîmes déboucher d'e ~~une~~ rue trois personnes : M[e] de
Villeparisis, le monsieur à la moustache teinte et Montargis

très naturelle du Monsieur qui a chaud en attendant des amis au soleil,
mais il la tenait par le bout qui touche à terre, c'était la pomme fort
sombre, qui me parut très jolie avec laquelle il tapait sa bottine et s~~es~~/a
~~doigts~~ en la tenant se recourbaient autour d'elle, les doigts écartés,
main qui
1. comme convulsés avec le tortillement bizarre de pétales d'orchidées.
~~J'étais si absorbé à regarder cet homme é~~ C'était bien les
2. mouvements bizarres et fiévreux d'un neurasthénique. J'étais si absorbé
à regarder cet homme étrange que je' ~~ne~~ eus un soubresaut en ~~attendant~~/entendant
« Enfin tu viens lui dis-je
près de moi ma grand'mère que je n'avais pas vue ~~et nous allâmes en~~
~~le plaisir~~ j'étais si pressé de déjeuner pour aller faire une promenade.
~~Hé bien fais~~
3. Je voudrais vérifier cet effet que j'ai vu chez Elstir. Ma pauvre grand
mère était déjà désolée de m'avoir fait attendre

4. + Me de Villeparisis nous arrêta un instant. Je vous présente mon neveu
5. le ~~marquis~~ vicomte
M. de Gurcy dit-elle à ma grand'mère. Monsieur me dit-elle, je vous
le vicomte ~~Non seulement~~
présente mon neveu ~~M~~. de Guermantes. Allons bon, voilà que je t'
appelle le vicomte de Guermantes maintenant dit-elle en se reprenant en
m après tout tu es bien un Guermantes tout de même. et ~~non seulement~~ laissant
riant tandis que l'inconnu me saluait d'un air glacial~~, en regardant d'un~~
flotter au loin dans le vague ses yeux qui bien loin de ~~me~~/se ~~regarder fixement~~ comme tout à l'heure ne
même fixer attentivement sur moi on lui
autre côté comme pour ne pas prendre ~~part~~ connaissance de la personne qu'~~on~~
daignèrent même pas me regarder et ~~restèrent~~ ~~ne daignè~~ ~~et~~ prendre connaissance de la personne qu'on
~~présentait~~, ~~il me tendit deux doigts gantés collés l'un auprès contre l'autre, comme~~
~~un évêque qui donne à baiser son anneau, et que je fus obligé de serrer avec~~
~~toucher~~
~~ma main comme une précieuse relique~~ lui ~~don~~ nommait, tandis qu'il inclinait impercep
tiblement la tête d'un air glacial, me tendait, comme un évêque son anneau à baiser
deux doigts que je ~~d~~/fus obligé de serrer avec vénération et murmurait charmé mais
en faisant suivre ce mot d'un « ~~h~~euh », qui ~~sur~~ ~~lui ôtait to~~ lui donnait un caractère
c'était
d'obligation pénible et de politesse sans ~~valeur~~ sincérité. Mais je ne pensais guères à tout cela, le
nom de Guermantes m'avait frappé. « Qu'est-ce que ~~ta tante~~ Me de Villeparisis a donc

\+ son salon 1.
Je compris que c'était l'oncle Guercy dont Montargis m'avait
parlé il y a quelques jours. ~~Le jour même nous nous rencontr~~
Nous saluâmes ⊹. Et le soir nous étant rencontrés dans le hall 2.
et nous passâmes la soirée dans +
de l'hôtel Me de Villeparisis nous présenta. M. de Guercy
avait ~~ceci de très~~ entre autres choses bizarres celle-ci c'est que
si dans la rue ses yeux brillants fixaient indéfiniment
~~quel~~ une personne ou une chose, ~~chez lui, chez des personnes~~
~~de co~~ dès qu'il était avec des personnes de connaissance,
à fleur de tête ~~ne~~ 3.
chez lui, dans un salon, ses yeux, entre leurs cils rares, regard~~aien~~t
~~pas les personnes~~ voyaient les personnes sans jamais les regarder, 4.
de sorte que quand on lui ~~disait~~ bonjour, comme aucun signe ne
allait lui dire
témoignait qu'il vous avait vu, et que son regard était dans
une direction différente, on se préparait à appeler son atten-
par quelque bruit
tion ~~p~~/~~au mom~~ ~~avant~~ au moment de s'incliner devant lui,
mais à ce moment lui qui vous avait parfaitement vu,
vous tendait la main avec ~~cette gra~~ une merveilleuse
grâce, d'ailleurs pleine de hauteur, sa belle main où le 4^{e}
doigt se détachait légèrement, comme dans la main d'un archevêque qui donne son anneau à baiser. Cette habitude de ne 5.
eût été
pas ~~dire~~ laisser soupçonner qu'il vous voyait ~~serait~~ ~~assez~~ compréhen-
sible chez un homme de passé, reçu dans le monde par
mauvais
tolérance, et qui craignant qu'on ne lui rendît pas son bonjour,
restait sur une prudente expectative. Chez le marquis de Guercy,
membre du comité des deux plus grands cercles de Paris, je
pense qu'il était attribuable au contraire à la volonté de
ne jamais dire bonjour le premier. Toujours est-il que cela

dit à ton oncle lui dis-je en faisant quelques pas devant avec lui. Elle l'a appelé
M. de Guermantes. Est-ce qu'il serait par hasard parent des Guermantes qui
~~où il y a to les portraits de tous les Guermantes~~
ont le château de Guermantes près de Combray, ~~qui descendent de Guenièvre de~~
1. ~~B et même des reliques de G~~ qui descendent de Guenièvre de Brabant.
Mais naturellement qu'il est leur parent me dit-il en riant. Il est simplement
notre vieux
le frère du possesseur actuel. Mais comment connais-tu ~~le~~ château de Guermantes.
Est-ce que tu l'as jamais visité ? « Non jamais il paraît qu'il y a les
C'est un beau spectacle
bustes de tous les anciens Guermantes » « Oui ! dit ~~avec~~ ironiquement Montargis
moitié par modestie puisque il était à ma stupéfaction parent des Guermantes et
~~p~~ à cause de son mépris pour ces choses. Il y a ce qui est <u>un peu</u> plus
2. intéressant ~~ajouta-t-il avec ironique~~ un admirable Delacroix.
3. 4. et ~~un admirable~~ ~~Hor~~ des tapisseries de toutes beautés. « Mais, alors ~~elle~~ M^e^
Villeparisis ~~est reçue~~ ~~chez~~ elles se voient
connaît est du ~~même milieu~~
de ~~Villeparisis~~ ~~connaît~~ ~~M^e^ de~~ Guermantes ! ~~dis~~ » « Comment ~~est~~
~~Guermantes~~ connaît ~~au chât~~ ~~qu'est~~ se
M^e^ de
~~reçue~~ me dit-il d'un air étonné. ~~Et n'y est pas reçue parcequ'~~
connaissent
~~elle n'y va pas, mais~~. ~~M^e^ de~~ Guermantes, celle du château de
Ma tante
Guermantes est la nièce de ~~M^e^ de~~ Villeparisis, elle a été élevée
ma tante
par elle et mariée par elle à son cousin germain, également
5. neveu de ma tante, M. de Villebon, aujourd'hui M. de Guermantes, frère de mon oncle que tu viens de voir. ~~Comment~~ Comment
mais je comprends Me de Villeparisis avait parlé à ma tante de ses neveux
autrefois
Villebon. » « Hé bien c'étaient les Guermantes qui n'en portaient pas
encore le titre tant que le beau père de ma tante vivait. À ce moment-là
mon oncle s'appelait M. de Guercœur. Ah ! il y en a des noms dans
que tu viens de voir
cette famille que c'est n'y rien reconnaître. » « Comment M. de Guercœur.
à
6. Mais en effet ce doit être le même M^r^ que je vis à la Sablonnière ». En
réalité me dit Montargis le titre régulier que ~~le cadet second frère~~
mon oncle

et évitait le regard d'une autre
lui donnait tandis qu'il vous parlait ~~le singulier aspect de ces~~
personne qu'il avait vue,
marchands ~~ambulants~~ qui ~~arrê~~ tandis qu'ils vous déballent 1.
en plein vent
leur marchandise et vous débitent leur boniment, regardent
ailleurs pour voir si la police, la « Rousse » ne va pas fondre 2.
sur eux et les emmener au poste. Quand on me présenta
à M. de Guercy il me dit bonjour d'un air tellement désagréable ~~en~~/et de ~~ne pas même~~ continuer à parler d'autre chose à Me
de Villeparisis que malgré que Montargis m'e ~~eût~~ l'eût dépeint
comme très entiché de noblesse, je ne pouvais comprendre qu'il fût 3.
cependant si impoli. Il ~~m'avait~~ me dit un bonjour glacial, 4.
sans cesser une seconde sa conversation et d'un air si distrait qu'
il semblait probable qu'il ne pourrait pas se rappeler une minute après
qu'e ~~il~~ je lui avais été présenté. Je fus donc bien étonné
quand me rencontrant le lendemain au milieu de la foule des
personnes qui regardaient baigner et où je pensais qu'il était
si impossible à quelqu'un qui ne m'avait vu qu'une fois de
me reconnaître, il vint me dire, du même air glacial et
impertinent que Me de Villeparisis m'avait cherché pour
faire une promenade et que je ferais bien de passer à l'hôtel, puis
il s'en alla en touchant ~~l~~ à peine son chapeau./, et en mur-
murant du bout des lèvres un ~~adieu~~ aurevoir inintelligible
et sec. C'était du reste un abîme de contradictions que M. 5.
de Guercy. Dès les premiers mots que je lui entendis dire
je vis que sa grande prétention, son goût exclusif, était à
tout ce qui est mâle, viril, énergique. Il faisait des 6.

le titre
1. ~~cadet du Cte de Guermantes doit porter~~ devrait porter c'est Prince des
Dunes. Seulement comme c'est un maniaque il est furieux de toutes
les principautés que des parents à nous, un peu moins bien ont achetés,
et par protestation, entre les divers titres qu'il possède ~~f~~, il a choisi
2. celui de Baron ~~des~~ de Saint Mégin qui du reste lui plaît particulièrement
parcequ'il est un des plus anciens de la famille, qui ~~lui~~ donnèrent aux
Guermantes bien plus qu'aux Montmorency le droit de s'intituler les
premiers barons de France. Mais mon jeune cousin, le fils de mon
3. 4. oncle, l'estimable Félibien, pour plaire au femmes se fait déjà appeler
le Prince d'Agrigente. Ah ! C'est un beau prince va ! Montargis me
quitta à la porte de l'hôtel où le soir dans le hall nous retrouvâmes M^e de
5. Villeparisis et M. de Guercœur qui cette fois fut présenté à ma grand mère.
Je crus d'abord en voyant combien il était aimable avec elle qu'e ~~il ch~~ Montargis avait dû lui reprocher sa froideur avec moi et qu'il cherchait à la réparer.
brillant
~~Mais je~~ Je voulus lui dire bonjour mais ~~il~~ je ne pouvais pas attraper son regard qui
tandis que sa voix un peu aiguë faisait des frais à ma grand mère et ~~lui racontait le pays qu'il avait traversé~~ lui parlait
entre ses ~~yeu~~ cils courts était fixé je ne sais trop où, un peu comme ceux
6. 7. de ce trajet de Me de Sévigné dont Me de Villeparisis lui avait sans doute parlé. « Justement ma cousine la Duchesse de +
de ces marchands qui regardent partout à la fois si la police ne vient pas
tout en débitant leur boniment. ~~Il ne m'a même pas~~ Je voulus aller lui dire
bonjour, mais peut-être ne m'avait-il même pas reconnu ; je'allai
cependant, et au moment où je ~~dis en~~ m'inclin~~ant~~/i ~~bonjour M^r d~~
devant lui j'allais dire
bonjour Monsieur, ~~ses ye~~ sans détourner vers moi ~~ces~~/ses yeux qui probablement
avaient aperçu tout en
me' ~~voyaient très bien tandis~~ qu'ils regardaient ailleurs, il me tendit, les lèvres
deux doigts
pincées et le visage glacial, ~~deux doigts~~ sans s'interrompre un instant de
parler à ma grand'mère. Je vis qu'il ne me reconnaissait pas ~~et je~~
8. et je sortis faire un tour le laissant avec ma grand mère de
causer

\+ de Chaulnes, ~~a~~/possède précisément ce château qui vous intéresse Madame
J'y ai passé quelque temps chez ma cousine mais à vrai dire il ne reste pas grand chose de
Me de Sévigné.

marches énormes, ~~pren~~ arrivé tout suant prenait un bain froid,
ne parlait jamais qu'exercices, parcourir la France à pied, coucher 1.
dans les fermes etc. ~~Quand il disait d'un homme « c'est une~~
~~vraie femme,~~ ~~c'est un efffém~~ Aussi avait-il toujours l'air de
trouver tous les hommes efféminés, et déblatérait contre eux 2.
avec une vivacité haineuse. Quand il disait d'un homme :
« C'est une vraie femme » on sentait qu'il ne pouvait rien 3.
dire de plus grave, que c'était pour qui s'était attendu
à trouver une nature loyale et virile, comme si on l'
avait trompé sur la qualité de la marchandise. Mais à 4.
côté de cela il avait souvent des délicatesses de sentiment,
d'expression comme en ont rarement les hommes. ~~J'avais~~
~~été~~ Avec ce que je savais de ses idées sur la virilité j'
avais été navré que Montargis parlât devant lui de mes tristesses
le soir avant de m'endormir. Et le lendemain comme je m'
apprêtais à monter dans ma chambre je vis venir à moi M. de Guercy qui me dit en me tendant un petit paquet. « Tenez, vous
puisque
aimez ce que fait le peintre Z, voilà un petit album de ses œuvres 5.
gravées, vous regarderez cela avant de vous endormir pour
ne pas être triste ». J'étais extrêmement ému parceque
jamais un homme de son âge, une « grande personne »
n'avait fait ainsi attention à moi ; je crois que si j'avais
osé je l'aurais embrassé, mais ses vilaines moustaches teintes
lui donnaient quelque chose de trop bizarre qui intimidait
Et le lendemain quand je voulus le lui rendre, il me pria de le
garder en souvenir du plaisir qu'il avait eu à me connaître
comme si un homme de son âge et de son importance pouvait

1. 2.

~~Aussi je fus bien étonné le lendemain~~ Il y a pourtant ~~un~~ quelques meubles qui
lui ont servi. J'ai peut'être encore des photographies que mes jeunes cousins m'avaient
envoyées. Je me ferais un plaisir de vous les soumettre. Comme il continuait à parler
et ~~semblait ne pas m'avoir reconnu~~ je m'éloignai avec Montargis. Bientôt
ma grand'mère vint nous retrouver. Me de Villeparisis était montée, et M.
dis que désormais j'éviterais
de Guercœur était allé faire un tour sur la mer. Je me ~~promis~~ de ne plus
lui dire bonjour ~~que quand je ne pourrais faire aut~~, ce qui était d'autant plus
~~facile~~ qu'il ne me reconnaissait évidemment pas. ~~Je~~ ~~Aussi fus-je bien~~
simple ~~matin~~
~~étonné~~ ~~Le lendemain~~ ~~précisément j'all l'apercevant~~ ~~qui~~ Aussi fus-
je bien étonné le lendemain à l'heure du bain de le voir venir droit sur
moi sans qu'il eût paru me voir et me dire d'une voix sèche Monsieur
votre grand'mère vous cherchait, elle vous attend ~~à~~/devant l'hôtel.

avoir du plaisir à faire la connaissance d'un bambin comme moi.
Mais ce fut dit sans ironie, avec une de ces inflexions délicates qui
démentaient sa prétention à la trop grande virilité, sans avoir l'
air de faire valoir son souvenir le dépréciait plutôt. C'était
charmant. Ainsi quand il se laissait aller à causer un peu longtemps ~~t~~ on était surpris de le trouver bien différent de ce qu'il
prétendait être. Je n'~~oserais~~ pas dire qu'il était efféminé puisque
aurais osé
c'était ce qu'il haïssait le plus, haïssait jusqu'à la rage, mais
enfin ~~son~~ à propos de tel trait touchant qu'~~on~~/il contait, ~~on ent~~
on aurait cru entendre dans sa voix tout un chœur de 1.
sœurs délicates, de mères passionnées, qui répandaient
avec effusion leur tendresse. Même parfois et c'était moins
agréable, quand la conversation était méchante, et il l'
était avec beaucoup d'esprit, on aurait cru entendre au fond de
son gosier, une Célimène qui minaudait et ajustait son prochain 2.
avec des traits qui donnaient à sa voix à ce moment des tons
aigus et perçants. Mais c'était surtout son rire qui était un
vrai rire de coquette, si aigu que parfois on se regardait en l' 3.
écoutant.+ Les mains aussi, fort belles, de vraies mains de
femme avaient des mouvements mièvres, des nervosités, des
impatiences, prenaient un journal et s'en ~~éventai~~ faisaient
un éventail, prenaient une fleur et s'en faisaient une
boutonnière mais non sans l'avoir longuement sentie d'
abord d'un air rêveur. ~~Bien que ma grand mère ne fût pas
suspecte de trouver plus de « distinction~~ Et ce rire était

d'autant plus agaçant que par moments chez cet homme grave et
triste il ~~sort~~ s'échappait brusquement à propos de rien, en des
gaietés de petite folle, une exaltation une volupté de pensionnaire
qui s'échappe. Et il avait des talents pour tout, il s'y
connaissait en robes comme personne. Il jouait du piano sans
avoir jamais appris comme une jeune fille qui « étudie » son
piano dix heures par jour.
Ma grand'mère qui n'était pas suspecte de trouver ~~plus~~ de
distinction aux gens du monde parce que c'étaient des gens du mon[de]
~~en trouvait inf~~ trouva M. de Guercy « d'une entière distinction[»,]
manières, sentiment, tout en lui lui plut. ~~Elle sut~~ ~~Ils s'entre~~
Sans doute il lui marqua en deux ou trois endroits ~~so~~ l'insanité de
son orgueil aristocratique, mais moins sévère que ses sœurs, et
formée par mon grand père à l'acceptation, au goût curieux [de]
divers préjugés, ma grand mère ne se choquait pas plus de l'en[ten]
dre féru de quartiers, que si causant avec un paysan breton
elle l'avait trouvé plein de croyances à l'efficacité du
romarin contre les rhumatismes. Cela lui plaisait au contrai[re.]
Elle savait parfaitement que M. de Guercy n'aurait pas fait d'
elle sa relation habituelle mais elle ne lui en voulait pas parce [qu']
elle ne l'eût pas désiré. Rien ne permet plus facilement de
se plaire et de s'amuser sympathiquement du spectacle
de l'orgueil aristocratique que d'être aussi entièrement
dénué de snobisme que l'était ma grand'mère et tout
le petit monde familial dans lequel j'ai été élevé. Mais

1.

ils avaient d'interminables conversations sur la musique, sur la | 1.
nature, sur ~~les promena~~ la vie du touriste à pied ; sur ~~les excu~~
les voyages que cela permettait dans les parties les plus inaccessi
bles de la Bretagne et de l'Auvergne, ~~menant la vie du~~
~~paysan~~ couchant dans les fermes ou dans les châteaux, comme
un paysan ou comme un seigneur, jamais dans les plages
ou ville d'eaux, comme un stupide parisien (c'était une
g^{de} exception que M. de Guercy avait faite en venant voir
dans une de ces plages qu'il détestait ~~M^{e} de~~ Villeparisis. | 2.
sa tante
Encore cette plage lui déplaisait-elle moins que les autres parcequ'
elle gardait une vieille ville de nobles et de pêcheurs et c'est | 3.
dans la vieille ville qu'il rentrait coucher le soir quand il avait
quitté souvent fort tard sa tante Villeparisis. Le peu
de temps que M. de Guercy resta à - XX ne lui permit d' | 4.
avoir avec ma grand'mère que deux ou trois conversa-
et
tions mais il fut fort aimable lui conseilla, comme ~~ma g^{d}~~
notre situation à l'hôtel devenait difficile à cause des hostilités | 5.
qu'excitait ma grand'mère ~~d~~/en faisant ouvrir tou~~s~~/tes les fenêtres,
anciens
de louer dans une de ces vieilles maisons d'armateurs ~~qui~~ | 6.
en dont plusieurs
étaient charmantes. Il amena même ma grand mère voir
une où on aurait loué deux étages et ma grand mère
revint tellement enthousiasmée par cette maison d'
autrefois qu'elle voul~~ut~~/ait quitter l'hôtel tout de suite.
Bien que Françoise eût très bien fait la cuisine c'était une | 7.

plus
~~trop~~ grande dépense tout de même, mais ma grand'mère qui était d'une
économie ridicule pour toutes les dépenses somptuaires et qui nous
laissait sortir comme des enfants de malheureux, n'épargnait rien
de ce qui était bon pour la santé, propre à former le cœur et 1.
l'esprit ou à laisser des souvenirs. Et la vie dans cette petite
cette famille
maison d'e armateurs du XVIIIe siècle qui ~~dès~~ cette époque
depuis
« vivait noblement » c'est à dire en nobles, en ayant cessé
le commerce, l'enchantait au point qu'elle disait que ce
serait à venir exprès à T pour y habiter, que cela formait 2.
le goût des enfants, était un délice. Enfin M. de Guercy fut charmant pour ma grand'mère. Il faut dire que
s'il était très désagréable avec les hommes, il était charmant avec les femmes. ~~Il disait rarement du mal des fem-~~
~~mes et en disait beaucoup~~ Lui qui disait tant de mal des
hommes, et ~~se~~ surtout de ceux qui « étaient de vraies femmes » 3.
il ne disait jamais des femmes et ~~i~~ voyait tout en rose
à leur sujet. ~~Il~~ Dès qu'on parlait d'un jeune homme il
disait c'est une petite fripouille, c'est une petite horreur 4.
c'est un garçon à ne pas fréquenter. Il parlait des jeunes gens 5.
avec une sorte de haine, avec cette violence que certains hommes qui ont souffert par l'amour ont quand ils
parlent des femmes ~~e~~/qui à leurs yeux sont toutes des coquines.
Au contraire il était charmant avec les femmes, ne s'occupait
que d'elles, les conseillait jusque dans les petits détails de leur

toilette. Je ne peux pas dire qu'il ne fût pas très gentil avec moi mais si
une femme était là fût-ce ma grand mère, je n'existais plus. Et
pourtant j'avais l'impression qu'il avait peut'être moins de sympathie
pour ma grand mère que pour moi. Le lendemain il partit et ~~vint~~ en
nous disant adieu me dit quelques phrases charmantes sur le mauvais   1.
arrangement de la vie qui ne rapproche les êtres que pour les séparer
qui me flattèrent extrêmement car elles avaient l'air de s'adresser
à moi comme si j'avais pu inspirer quelque sympathie ~~à~~/et
quelque regret à un homme de l'âge et de la valeur du Mis de
Guercy.

un gros et grand homme
Tous les jours après le déjeuner arrivait ~~le Mis de Guer~~ un Mr à
la démarche dandinée, aux moustaches teintes, toujours une fleur à la
boutonnière : le Mis de Guercy. Il traversait la cour ~~répondant d'~~   2.
~~un geste extrêmement hauta~~ et allait voir sa sœur Guermantes
sût
je ne ~~sais~~ ~~s'il~~ ~~savait~~ que nous habitions dans la maison. En tous
crois pas qu'il
cas je n'eus pas l'occasion de le rencontrer. J'étais souvent
à la fenêtre à l'heure où il venait mais à cause des volets
il ne pouvait me voir et d'ailleurs il ne levait jamais la tête.

Pas de blanc. 1.
Je ne sortais jamais à cette heure là et lui ne venait jamais à aucune
autre. ~~Pendant la première année que nous étions~~ Sa vie était extrêmement réglée. Il voyait les Guermantes tous les jours de une heure
à deux heures, montait chez Me de Villeparisis jusqu'à trois, puis allait 2.
au club, faire différentes choses et le soir allait ~~dans le mo~~ au théâtre, quelquefois dans le monde mais jamais chez les Guermantes le
soir excepté les jours de g^{de} soirée qui étaient rares et où il faisait
tard une courte apparition.

La poésie qu'avaient perdu par la fréquentation ~~les~~ le Cte et la Ctesse 3.
de Guermantes ~~e~~/s'était reportée pour moi sur le P^{ce} et la P^{cesse}
de Guermantes. Bien que ~~l~~ ~~n~~/assez proches parents comme je ne les
connaissais pas, ils restaient pour moi le nom de Guermantes. Je
les avais entrevus chez ~~les~~ Guermantes et ils m'avaient fait un
leurs
vague salut de gens qui n'ont aucune raison de vous connaître.
Mon père qui passait tous les jours devant leur hôtel rue de 4.
Solférino disait : ~~s~~/C'est un ~~vrai~~ palais, un palais de conte de 5.
fées. De sorte que cela ~~e~~/s'était amalgamé pour moi avec les
~~e~~/féeries encloses dans le nom de Guermantes, avec Guenièvre 6.

Il semblait qu'un plaisir intact, non dégradé par
aucune idée humaine, aucun souvenir matériel de
fréquentation qui rend les choses pareilles aux autres
1. m'était offert sur cette carte. C'était un nom, un
2. pur nom, encore plein de ses belles images qu'aucune
souvenir terrestre n'abaissait, c'était un palais de
conte de fées qui par le fait de cette carte reçue devenait
un objet de possession possible./, ~~Cela me s~~ et ~~d~~ de
par une sorte de prédilection flatteuse du nom mystérieux
pour moi. Cela me sembla trop beau pour être vrai. Il y avait
entre l'intention qu'exprimait, l'offre que manifestait l'adresse,
3. et ce nom aux syllables douces et fières un trop grand contraste

de Brabant, la tapisserie ~~de Com~~ où avait posé Charles VIII et
le vitrail de Charles le Mauvais. La pensée que je pourrais un
jour être lié avec eux ne me serait même pas entré dans l'esprit 1.
quand un jour j'ouvris une enveloppe.

Le Prince et
~~Le Prince et La~~/la P^{cesse} de Guermantes seront chez
eux le

L'hôtel de conte de fées s'ouvrant de lui-même devant moi,
moi étant invité à me mêler aux êtres de légende, de lanterne 2.
magique, de vitrail et de tapisserie qui faisaient pendre haut et 3.
court au IXe siècle, ~~me pa~~ ce fier nom de P^{ce} de Guermantes
semblant s'animer, me connaître se tendre vers moi puisque enfin c'
était bien mon nom et superbement écrit qui était sur l'enveloppe,
tout cela me parut ~~si~~ trop beau pour être vrai et j'eus [peu]r que ce
fût une mauvaise plaisanterie qu'e ~~on~~ m'avait faite. ~~Je ne~~
Les seules personnes quelqu'un
~~p Mes Je ne pouvais me renseigner auprès~~ auprès de qui j'eusse pu
me renseigner auraient été nos voisins Guermantes qui étaient en 4.
voyage, et dans le doute j'aimais mieux ne pas aller chez
eux. Il n'y avait pas à répondre, il n'y a~~vait~~/urait eu qu'à
mettre des cartes. Mais je craignais que ce ne fût déjà trop si
comme je le pensais j'étais victime d'une mauvaise farce. 5.
~~Mes par~~ Je le dis à mes parents qui ~~avec le c~~ ne comprirent 6.
ridicule
~~pas~~ mon idée. ~~Ils étaient si dénués~~ ~~N'ayant jamais souhaité d'~~
~~aller dans cette société, ils ne trouvaient rien d'ex~~ Avec cette
espèce d'orgueil que donne l'absence entière de vanité
d'équivalent de l'
et de snobisme, ils trouvaient la chose du monde la

plus naturelle que les Guermantes m'eussent invité. Ils n'atta-
chaient aucune importance à ce que j'y allasse ou n'y allasse
pas mais ne voulaient pas que je m'habitue à croire qu'on voulait me
faire des farces. Ils trouvaient plus « aimable » d'y aller !
mais d'ailleurs indifférent, trouvant qu'il ne fallait pas s'attribuer
d'importance et que mon absence serait inaperçue, mais que d'autre
part ces gens n'avaient pas de raison de m'inviter si cela
ne leur avait pas fait plaisir de m'avoir. D'autre part mon
grand père n'était pas fâché que je lui dise comment cela se passait chez les Guermantes depuis qu'il savait que la P^{cesse} était
la petite fille du plus grand homme d'état de Louis XVIII, et papa ¦ 1.
de savoir si comme il le supposait cela devait être « superbe
à l'intérieur ». Bref le soir même je me décidai, ~~et~~
~~p~~ on avait pris de mes affaires un soin particulier. Je voulais me
commander une boutonnière chez le fleuriste mais ma grand mère ¦ 2. 3.
trouvait qu'une rose du jardin serait plus « naturelle » alors* après avoir marché sur un massif en pente et en piquant
mon habit aux épines des autres, je coupai la plus belle, et je
sautai dans ~~le~~ ~~tra~~ l'omnibus qui passait devant la porte, ¦ 4.
~~ne sachant~~ trouvant plus de plaisir encore que d'habitude à
être aimable avec le conducteur et à céder ma place à l'
intérieur à une vieille dame en me disant que ce Monsieur
qui était si charmant avec eux avait une belle rose ~~invisible~~
~~dont il~~ sous son pardessus dans le parfum montait ~~en secret~~ ~~mystérieuse~~ invisible ¦ 5.
à sa narine ~~comme un~~ pour le charmer comme un secret d'amour
et qui dirait : arrêtez-moi au P^{t} de Solférino sans qu'on sût

que c'était pour aller chez la P[cesse] de Guermantes. Mais une fois au Pont
de Solférino où ~~les~~ tout le quai était encombré d'une file stationnante
et mouvante de voitures, une parfois se détachant et des
valets de pied courant avec des manteaux de soie claire
sur le bras, ~~une~~ ma peur me reprit, c'était sûrement une
farce, et quand j'arrivai au moment d'entrer, entendant qu'on
annonçait les invités, j'eus envie de redescendre. Mais j'étais pris
dans le flot et ~~n'y~~ ne pouvais plus rien faire distrait d'ailleurs
par la nécessité d'avoir à enlever mon pardessus./, prendre un numéro,
jeter ma rose qui s'était ~~fanée~~ déchirée sous mon paletot et
dont l'immense tige verte était tout de même trop « naturelle »,
je murmurai mon nom à l'oreille de l'huissier dans l'espoir qu'
il m'annoncerait aussi bas, mais au même moment j'entendis avec
un bruit de tonnerre mon nom retentir dans les salons Guermantes qui
étaient ouverts devant moi et je s[entis] que l'instant du cataclisme
était arrivé. Huxley raconte qu'une dame qui avait des hallucinations avait cessé d'aller dans le monde parce que ~~constamment elle~~
ne sachant jamais si ce qu'elle voyait devant elle était une
hallucination ou un objet réel elle ne savait comment agir.
Enfin son médecin après douze ans la force d'aller au ~~bal~~ bal, ~~tout~~ ~~thé~~
~~va bien d'abor~~ ~~on~~ au moment où ~~elle~~ ~~v~~/on lui ~~désigne~~ tend un fauteuil,
elle voit un vieux Monsieur assis dedans. ~~Quelle~~ Elle se dit ~~ou~~
il n'est pas admissible qu'on me dise de m'asseoir dans le
fauteuil où est le vieux Monsieur. Donc ou bien [*ill.*] le
vieux monsieur est une hallucination et il faut m'asseoir
dans ce fauteuil qui est vide, ou ~~si~~ c'est la maîtresse de

1.
2.

de maison qui me tend le fauteuil qui est une hallucination et il
ne faut pas que je m'asseye sur le vieux Monsieur. Elle n'avait qu'une
seconde pour se décider, et pendant cette seconde comparait le
visage du vieux Mr et celui de la maîtresse de maison qui
lui paraissaient tous les deux aussi réels, sans qu'elle pût
plutôt penser que c'était l'un que l'autre qui était l'hallucination. Enfin vers la fin de la seconde qu'elle avait pour se décider
elle crut à je ne sais quoi que c'était peut'être plutôt le
vieux Mr qui était une hallucination. Elle s'assit, il n'y
avait pas de vieux Monsieur, elle poussa un immense soupir de
soulagement et fut à jamais guérie. Si pénible que fût
dût
certainement être la seconde de la vieille dame malade devant le
fauteuil, elle ne fut pas peut'être pas plus anxieuse que la mienne
quand à l'orée des salons Guermantes j'entendis de la bouche
lancé par
d'un huissier j gigantesque comme Jupiter, mon nom voler
comme un tonnerre obscur et cat dévastateur catastro
phique dans les salons Guermantes, et quand tout en m'
avançant d'un air naturel pour ne pas avouer* par m qu'il
laisser croire par mon
hésitation
y avait mauvaise farce de quelqu'un que j'en étais complice
des
je tenais mes yeux attach
cherchais la Princesse de Guermantes pour voir s'ils
Prince
allaient allaient me faire mettre à la porte. Dans le
brouhaha des conversations ils n'avaient pas dû
entendre mon nom, la Princesse, en toile mauve
robe
« Princesse » un magnifique diadème de perles et de
saphirs dans les cheveux causait sur une causeuse avec des

1.

Quand au Prince je ne sais où
sans se lever il était
personnes, et tendait la main aux entrants. Elle ne m'
avait pas encore vue. Je ~~tenais~~ me dirigeais vers elle mais
en la regardant avec la même fixité que la vieille
dame regardait le vieux Monsieur sur lequel elle allait
s'asseoir, car je suppose qu'elle devait faire attention pour
dès qu'elle sentirait sous son corps la résistance des genoux
du Monsieur ne pas insister sur l'acte de s'asseoir. Ainsi
j'épiais sur le visage de la P[cesse] de Guermantes dès qu'elle
m'aurait aperçu la première trace de la stupeur et de l'
indignation pour abréger le scandale et filer au plus vite.
Elle m'aperçoit, elle se lève, alors qu'elle ne se levait
pour aucun invité, elle vient vers moi, mon cœur tremble,
mais se rassure en voyant ses yeux bleus briller du plus
charmant sourire et son long gant de Suède en courbe
gracieuse se tendre vers moi « Comme c'est aimable
d'être venu, je suis ravie de vous voir. Quel malheur
que nos cousins soient justement en voyage, mais c'
est d'autant plus gentil à vous d'être venu comme cela
nous savons que c'est pour nous seuls. Tenez vous
trouverez M. de Guermantes dans ce petit salon, il sera
dans
charmé de vous voir. » Je m'inclinai ~~avec~~ ~~une~~/un
profond salut et la Princesse n'entendit pas mon soupir
de soulagement. Mais ce fut celui de la vieille dame devant
le fauteuil quand elle ~~vit qu'elle n'avait~~
se fut assise et vit qu'il n'y
avait pas de vieux Monsieur. ~~M. de Guermantes ne f~~

Dès ce jour j'e ~~étais~~ guéri de ma timidité. J'ai peut'être
fus à tout jamais

1.
2.

bien
reçu depuis ~~bien~~ des invitations plus inattendues ou plus flatteuses
que celles de M. et de Me de Guermantes. Mais les tapisseries de
Combray, la lanterne magique, les promenades du côté de Guermantes ne leur donnaient pas leur prestige. J'ai toujours compté
sur le sourire de bienvenue et n'ai jamais compté avec la
mauvaise farce. Et elle se fût produite que cela m'aurait été
tout à fait égal. M. de Guermantes recevait très bien, trop
bien, car dans ces soirées où il recevait le ban et l'arrière
ban de la noblesse, et où venaient des nobles de second ordre
de province ~~qui se croyaien~~ pour qui il était un très grand
seigneur, il se croyait obligé à force de rondeur et de
familiarité de main sur l'épaule, et de ton bon
garçon, de « ce n'est pas amusant chez moi » ou de
« je suis très honoré que vous soyez venu » de dissiper chez
tous la gêne, la terreur respectueuse qui n'existait
pas au degré qu'il le supposait. À quelques pas de lui causait
ne
avec une dame le Mis de Guercy. Il regardait pas de mon 1.
côté, mais je sentais que ses yeux de marchand en plein vent 2.
m'avaient parfaitement aperçu. ~~Je n'a~~ Il causait avec
une dame que j'avais vue chez les Guermantes, je la saluai d'
abord, ce qui interrompit forcément M. de Guercy mais malgré
cela, déplacé et interrompu il regardait d'un autre côté
absolument comme s'il ne m'eût pas vu. Non seulement il
m'avait vu mais me voyait car dès que je tournai vers lui
pour le saluer, tâchant d'attirer l'attention de son
visage souriant ~~à~~/d'un autre côté du salon et de ses
yeux épiant « la rousse », il me tendit la

main et n'eut qu'à utiliser pour moi sans bouger son sourire 1.

disponible et son regard

~~éternel et~~ vacant que je pouvais prendre pour moi puisqu'il 2.

sa main libre une amabilité

me disait bonjour, que j'aurais pu prendre pour une ironie contre

moi si je ne lui avais pas dit bonjour, ou pour ~~n~~' l'expression

ou

de n'importe quelle pensée aimable ironique à l'endroit

d'un autre ou simplement gaie si j'avais pensé qu'il

ne m'eût pas vu. J'avais serré le 4e doigt qui semblait

regretter dans une inflexion mélancolique l'anneau d' 3.

archevêque, j'étais pour ainsi dire entré par effraction 4.

dans son bonjour incessant et sans acception de personnes je ne

pouvais pas dire qu'il m'avait dit bonjour. J'aurais pu à la rigueur

se

penser qu'il ne m'avait pas vu ou pas reconnu. Il ~~co~~ remit à

parler avec son interlocutrice et je m'éloignai. On joua une

opérette

petite ~~comédie~~ pour laquelle on n'avait pas invité de jeunes filles. Il

en vint après et on dansa. 5.

Comme je sortais du dans la cour

E~~n sortant~~ ~~Dans~~ le vestibule en bas je retrouvai le Mis de Gurcy

qui venait de mettre une dame en voiture

et ôtai mon chapeau ~~s~~/plutôt que je ne le saluai, à sa mode,

pour qu'il ne pût ni me trouver impoli s'il me reconnaissait

ni prendre ce geste pour lui s'il ne me reconnaissait pas. Il 6.

ne fit aucun mouvement signifiant qu'il me voyait mais

s'approchant de moi me demanda des nouvelles de ma grand
mère, me proposa de faire quelques pas avec moi, et avec une
gentillesse qui me toucha infiniment me prit familièrement
par le bras. Au bout de quelques pas j'aperçus ~~le mari de~~
un des invités des Guermantes que je connaissais bien de vue
mais dont je crois que je n'ai jamais su le nom qui
revenait vers l'hôtel. ~~Guer~~ M. de Guercy qui maintenant qu'il n'était plus dans le monde avait quitté son
œil à la rousse ne l'avait pas vu. Il l'aperçut à 1.
quelques pas et avec une violence à me renverser, retira 2.
bras
brusquement sa ~~main~~ de dessous le mien. J'[en] fus stupéfait
et fus aussi blessé de voir qu'il rougissait devant quelqu'
un de m'avoir donné cette marque d'amitié,. ~~M~~ L'
invité qui probablement ne se souciait pas de faire la
conversation à cette heure détourna la tête mais M.
~~crai~~ devinant
de Guercy sans doute qu'il m'avait froissé appela :
« Adalbert » lui demanda ce qu'il faisait : « j'ai oublié 3.
dit Adalbert en me regardant de côté ~~l'éventail~~ je lui
ma femme a oublié son éventail 4.
ai dit de continuer en voiture car elle est fatiguée et
je suis venu le chercher. Ah ! la vie de mari » Guercy
répara admirablement la méchanceté qu'il m'avait faite.
Il me présenta ~~et avec un g^d^ lux dit~~ de ma g^d^ mère
~~mais~~ parla
dit que j'étais bien avec sa belle sœur Guermantes ~~que~~
~~j~~ avec sa tante Villeparisis que j'étais à la soirée
Mais ce luxe d'explications ~~n~~ effaça pour moi
la gentillesse de la présentation. Il avait l'air de

s'excuser d'être avec moi et de montrer que j'e ~~étais~~ connaissais
des gens de leur monde. Puis ~~ce qui fut pire encore il dit~~
~~à son ami~~ demandant à son ami si cela ne le gênait pas
qu'il allât avec lui il me dit d'un ton glacial, bonsoir
Monsieur mes hommages à votre grand mère et à ma tante
Villeparisis si vous la voyez avant moi, et me laissant à peine
toucher la place vide l'anneau épiscopal sur le 4e doigt ¦ 1.
vite retiré il partit avec son ami qui me fit un salut poli ¦ 2.
mais hostile. Et ce qui me blessa le plus c'est que je sentis bien que
dans le fond cela ne l'amusait pas de revenir avec ce Monsieur qui
avait l'air stupide mais qu'il tenait à lui marquer par là qu'il
me connaissait peu et était enchanté de se débarrasser de moi.

ou du moins fermait les yeux
Le Comte de ~~Gurcy~~/Guercy s'était assoupi. ~~Je le voyais~~ Depuis ¦ 3. 4.
quelque temps il était fatigué très pâle, malgré la moustache noire
et les cheveux ~~frisés~~ gris frisés, on le sentait vieux, mais resté
noble
très beau. Et ainsi immobile, sculptural, ~~les yeux clos~~,
blanc, sans regard
~~le visa~~ le visage
il m'apparut tel qu'après sa mort, sur la pierre ¦ 5.
de son tombeau dans l'église de Guermantes. Il me
semblait qu'il était sa propre figure funéraire que son
individu était mort et que je ne voyais que le visage ¦ 6.
de sa race, ce visage que le caractère de chacun avait
transformé avait aménagé à ses besoins personnels,
les uns intellectualisé, les autres rendu plus guerrier ¦ 7.

comme la pièce d'un château qui selon le goût d'~~un~~/u châtelain 1.
a été tour à tour salle d'études ou d'escrime. Il
m'apparaissait le visage bien délicat, bien noble, bien beau,
ses yeux se rouvraient un vague sourire qu'il n'eut pas le
temps de rendre artificiel flotta sur son visage dont j'étudiais
en ce moment sous les cheveux défaits en mèches l'ovale
~~et les~~ du front et les yeux, sa bouche s'entrouvrit, son
regard brilla audessus de la ligne noble de son nez, sa 2.
main délicate releva ses cheveux et je me dis : Pauvre
M. de Gurcy qui aime tant la virilité s'il savait l' 3.
l'air que je ~~lui~~ trouve à l'être ~~que j'ai en ce~~ las et souriant que j'ai
~~impression qu'il me fait~~ en ce moment. ~~Devant moi~~ je
devant moi
~~ne peux pas me persuader que je n'ai~~ On dirait que c'
est une femme ! ~~Ces mots~~ Mais au moment même où
en moi-même
je prononçais ces mots il me sembla qu'une révolution 4.
magique s'opérait en M. de Gurcy. Il n'avait pas
bougé mais tout d'un coup il s'éclairait d'une lumière 5.
intérieure ~~q~~ où tout ce qui m'avait chez lui choqué
troublé, semblé contradictoire, se résolvait en harmonie
me
depuis que je venais de dire ces mots : on dirait une femme. 6.
J'avais compris, c'en était une ! C'en était une. Il 7.
appartenait à la race de ces êtres, contradictoires en effet puisque 8.
leur idéal est viril justement parceque leur tempérament
est féminin, qui vont dans la vie, ~~en apparence~~ à côté des
comme eux
, en apparence ~~semblables~~ tout ~~le petit disque~~
autres mais portant ~~dans leur prunelle~~
~~dans l'épai~~ de ce petit disque de la prunelle
au travers
~~qui nous fait projette sur~~ où notre désir est intaillé et 9
[*ill.*] ~~et les seins~~
à travers lequel nous voyons le monde, non l~~a~~/e ~~corps d'une nymphe~~

il

1. ~~Race en qui~~ Le mensonge où ~~elle~~ est obligée de vivre au milieu des autres, il
vit avec lui en lui-même, puisque femme, il est obligé pour ~~ne~~/se plaire
à soi-même de se croire homme ; ~~et redresse ridiculeme~~ s'il marche
~~d'un air indiffé~~ d'un air qu'il croit indifférent et dont la négligence
2. voulue redouble son agitation, toujours dans le sillage de quelque panache
militaire, il redresse ridiculement, d'un air de héros, des hanches de
femme, il ~~parle~~ d'un air de dédain ce qu'il désire, il flétrit sincèrement
regarde
3. 4. l'efféminement avec des intonations de coquette et une voix de fausset.
5. 6. Les uns solitaires, allant chaque dimanche du château où ils vivent reclus,
'un
loin du monde « méchant » jusqu'à mi chemin ~~du~~ château voisin où leur
camarade d'enfance aujourd'hui marié, fait la promenade inverse. Et là
au carrefour des trois chemins, ~~sous le b~~ sur le talus désert, ~~sans s'e être dit~~
~~un mot~~, ils renouvellent l'étreinte de leur enfance, sans se dire un mot, se
7. quittent sans s'être parlés, et quand ils se revoient dans la semaine n'e s'
avouent jamais ce qu'ils ont fait, ne se l'avouent pas à eux-mêmes, et
attendent au prochain dimanche, sans pluie et sans lune, comme si c'étaient
deux fantômes muets de leur enfance qui réapparaissaient un instant.
D'autres ~~fiers de leur vice,~~ ~~comme d'une profession~~ ~~comme d'une race~~ criant
8. leur foi, ou du m[oins ~~n~~]~~e c~~ ne se plaisant qu'avec leurs correligionnaires, parlant
leurs langues, disant volontiers des mots consacrés, faisant les gestes rituels,
9. d'autres corrects, barbus, bureaucrates farouches de leur vice, se tiennent
10. vis à vis de tous les jeunes gens sur une réserve de demoiselle de
province qui croirait impudique de dire bonjour, quelques uns merveilleusement beaux,

~~mais la tête rase et la poitrine non~~ le corps non d'une nymphe, 1.
~~le~~ et droite
mais d'un éphèbe qui vient projeter son ombre virile ~~et défendue~~
sur tout ce qu'ils regardent et tout ce qu'ils font. Race maudite 2.
puisque ce qui est pour elle l'idéal de la beauté et l'aliment du
désir est aussi l'objet de la honte et la peur du châtiment, et
qu'elle est obligée de vivre jusque sur les bancs du tribunal où elle vient 3.
comme accusée et ~~devant~~ le Christ, dans le mensonge et dans le parjure, 4.
~~en~~ devant
puisque son désir ~~est~~ en quelque sorte, si elle savait le comprendre
serait
inassouvissable puisque n'aimant que l'homme qui n'a rien d'une
femme, l'homme qui n'est pas « homosexuel » ce n'est que de celui là 5.
~~et~~
qu'elle peut ~~espérer être comprise, aimée~~. ~~attendre~~ ~~que son désir~~
assouvir
~~li~~ un désir qu'elle ne devrait pas pouvoir éprouver pour lui, qu'il ne
devrait pas pouvoir éprouver pour elle si ~~d~~ le besoin d'amour n'était
pas un grand trompeur et ne lui faisait pas de la plus infâme « tante » 6.
l'apparence d'un homme, d'un vrai homme comme les autres, qui par
miracle, se serait pris d'amour ou de condescendance pour lui,
puisque comme les criminels elle est obligée de cacher son secret à
douleur 7.
ceux qu'elle aime le plus, ~~soit~~ craignant ~~le~~/a ~~mépris~~ de sa famille, le
maudite,
mépris de ses amis, le châtiment de son pays ; race persécutée, ~~pour~~ 8.
comme Israël, et comme lui ayant fini dans l'opprobre commun
d'une abjection imméritée par prendre des caractères communs, 9.
l'air d'une race, ayant tous certains traits caractéristiques
des traits physiques qui le souvent répugne[nt,] qui quelquefois 10.
sont beaux, des cœurs de femme aimants et délicats, mais
aussi une nature de femme soupçonneuse et perverse, coquette
et rapporteuse, des facilités de femme à briller en tout,

spirituels, nobles, recherchés dans le monde ~~par les f~~ où ils passent avec
1. une tristesse d'anges déchus, regardant sans pouvoir le~~u~~/s exaucer les femmes
se tuer pour eux, dédaigneux de la duchesse, ~~ir~~ troublés par le
majordome ; quelques uns maternels épris de dévouement, cherchant
toute leur vie à faire recommencer un député ou à trouver du travail pour
un maçon ; ~~et d'autres chastes s~~' certains épris de direction, voulant
perfectionner et conduire, professeurs de morale ou d'art, qui serrent
2. leurs élèves dans leur bras ; d'autres chastes, regrettant l'arrangement
envoie
3. de la vie qui ne permet pas d'épouser le chef de gare et qui ~~change~~
aux colonies le chef de bataillon
~~de garnison~~ ~~le colonel~~, résumant le plaisir de leur vie à donner
deux sous de pourboire au télégraphiste ; ~~quelques uns affolés de toilette~~,
~~de chants~~ chez quelques uns la femme ayant presque levé le masque viril,
cherchant les occasions de se travestir, de se peindre, de montrer
ostentatoires, impudiques
4. leurs seins ; et d'autres hideux, tenant dans une brasserie allemande
l'homme
la main du ~~jeune homme~~ qui est à côté d'eux, relevant leur manche
5. pour laisser voir le bracelet de leur bras, ~~faisant s~~ forcent à se
lever et à sortir les jeunes gens ~~honnêtes~~ ~~éc~~ effrayés par les œillades
de leur désir ou la provocation de leur haine préventive, servis
6. avec politesse et mépris par le garçon de café philosophe qui connaît
la vie et accepte les pourboires ; tous ~~fuyant leurs pareils~~ ambitieux de
ne frayer qu'avec ceux qui ne sont pas de leur race, mais ne se trouvant
sans contrainte qu'avec ceux-là ; ne voulant aimer, être aimés que
de ceux qui ne sont pas de leur race mais ~~finissant par~~ le/a possibilité
de plaisir étant à la fin la seule orientation du désir, finissant par
se ~~persuad~~ plaire à ceux qu'ils rejetaient d'abord, ~~parce qu'ils~~
par la nécessité du consentement et aussi par l'espoir ~~d'être~~ [*ill.*]
aller au
devant d'un désir
pour* [eu]x*

une incapacité de femme à exceller en rien ; exclus de la famille
avec qui ils ne peuvent être en entière confiance, de la patrie 1.
aux ~~lie~~ de qui ils sont des ~~cris~~ criminels non découverts, de
yeux
~~leurs amis~~ leurs semblables eux-mêmes à qui ils inspirent
le dégoût de retrouver en eux-mêmes l'avertissement ce que 2.
ce qu'ils crurent un amour naturel est une ~~maladie~~ folie 3.
maladive, et aussi cette féminilité qui leur déplaît, mais pour 4.
tant cœurs aimants exclus de l'amitié parceque leurs
amis pourraient soupçonner autre chose que de l'amitié quand
ils n'éprouvent que de la pure amitié pour eux, et ne
les comprendraient pas s'ils leur avouaient q^{d} ils éprouvent
autre chose, objet tantôt d'une méconnaissance aveugle qui
ne les aime qu'en ne les connaissant pas, tantôt d'un
dégoût qui les incrimine dans ce qu'ils ont de plus pur, tantôt d'une curiosité qui cherche à les expliquer et les
comprend tout de travers, élaborant à leur endroit une
psychologie de fantaisie qui même en se croyant impartiale 5.
est encore tendancieuse et admet a priori comme ces juges 6.
pour qui un juif était naturellement un traître qu'un homo
sexuel est facilement un assassin ; comme Israël encore
~~se fuyant~~ recherchant ce qui n'est pas eux, ce qui ne 7.
sont pas d'eux, mais éprouvant pourtant les uns pour les
autres, sous l'apparence des médisances, des rivalités,
des mépris du moins homosexuel pour le plus homosexuel
comme d'u plus déjudaysé pour le petit juif, une solidarité profonde, dans une sorte de franc maçonnerie qui ~~plu~~ 8.
est

1.

et quelquefois, avec une ironie amère, dans le médecin
dans l'homme du monde qui lui met une boule noire au cercle
~~qu~~'il ~~consulte~~ ~~sur~~ son vice, dans le prêtre à qui il se
par qui veut faire soigner
confesse, dans le magistrat chargé de l'interroger !
, civil ou militaire,
~~dans l'ambassad~~
dans le souverain qui le fait poursuivre.

2. suite du morceau de la page précédente du même côté.

3 menant en notre temps une vie aussi romanesque que celle du conspirateur,

4. ~~aussi~~ et de l'aventurier ; secrétant autour d'eux un halo d'efféminement

vaste
est plus ~~puissante~~ que celle des juifs parcequ'e ~~elle est plus secrète~~
~~et~~ ce qu'on en connaît n'est rien et qu'elle s'étend à
l'infini et qui est autrement puissante que la franc
maçonnerie véritable parce quelle repose sur une ~~identité~~
conformité
~~conformité~~ de nature, sur une identité de goût, de
besoins, ~~de~~ pour ainsi dire de savoir et de commerce,
qui à première vue décèle le frère du duc qui monte
en voiture dans le voyou qui lui ouvre la portière, ou plus — 1.
+
douloureusement parfois dans le fiancé de sa fille, race qui — 2.
met son orgueil à ne pas être une race à ne pas différer
que
du reste de l'humanité pour ~~laisser~~ ~~à~~ son désir ne lui apparaisse
pas comme une maladie, leur réalisation même comme une
impossibilité, ses plaisirs comme une illusion, ses caractéristiques comme une tarre, de sorte que ces pages les premières — 3. 4.
~~l~~ je peux le dire depuis qu'il y a des hommes et qui écrivent
~~qu'elle ait~~ ~~sur~~ qu'on lui ait consacrées dans un esprit de justice
~~de compréhensi~~ pour ~~ses~~/les mérites moraux et intellectuels
qui ne sont comme on le dit enlaidis en elle, de pitié pour
son infortune ~~nativ~~ innée et pour ses malheurs injustes — 5.
seront celles qu'elle écoutera avec le plus de colère et qu'elle
lira avec le sentiment le plus pénible, car si au fond de presque
tous les juifs il y a un antisémite qu'on flatte plus en lui — 6.
trouvant tous les défauts mais en le considérant comme un chrétien
au fond de tout homosexuel il y a un antihomosexuel
à qui on ne peut pas faire de plus grande insulte que de lui
reconnaître les talents, les vertus, l'intelligence, le

dans un
gare, ~~au~~ théâtre, ~~dans une ga~~
1. Parfois dans une ~~foule~~ ~~vous en~~ vous en avez ~~souvent~~ remarqué de
au visage maladif, à l'accoutrement bizarre
ces êtres ~~bizarres et~~ délicats, ~~porteurs d'un plaisir singulier dont l'~~
~~amateur n'est pas facile à trouver~~. ~~Et leurs yeux tout en l'air de~~
d'un air d'apparent qui leur serait ~~ayant~~
~~se~~ promen~~er~~/ant ~~avec~~ ennui sur une foule indifférente, ~~cherche s'ils~~
~~ne reconnaîtront~~ ~~jettent sur elle, pour voir s'il ne trouvera~~
rencontreront
des regards qui cherchent en réalité s'ils n'y ~~trouveront~~ l'
amateur difficile à trouver du plaisir singulier qu'ils offrent et ~~à~~
~~qui~~ pour qui ~~leur~~/a ~~me~~/uette investigation qu'ils dissimulent sous cet air de
2. paresse lointaine, serait déjà un signe de ralliement. La nature ~~n'a~~
elle fait
3. 4. ~~pas~~ comme pour certains animaux, pour certaines fleurs, en qui les organes
de l'amour sont si mal placés qu'ils ne trouvent presque jamais le plaisir, ne les
a pas gâtés sous le rapport de l'amour. ~~Elle en fait dépendre la possibilité~~
~~de la réunion de circonstances si rares, d'une portée rencontre si exceptionnelle,~~
~~qu'ils ont~~ Sans doute l'amour n'est pour aucun être une chose
absolument facile ~~et~~, il exigerait la rencontre d'êtres qui souvent
suivent des chemins différents. Mais pour cet être à qui la nature
fut si marâtre la difficulté est centuplée. ~~Le' seul êt~~ ~~L'ê~~ ~~L'es espèce~~
d' ~~êtres à qui il peut s'unir existe~~ L'espèce à laquelle il appartient
~~existe~~ est si peu nombreuse sur la terre qu'il a ~~moins~~
~~mille fois moins de chances~~ des chances de passer toute sa vie sans jamais
rencontrer le semblable ~~qui~~ qu'il aurait pu aimer. ~~Il se cr~~ ~~Sans doute il~~
de nature
5. Il le faudrait de son espèce, femme pour pouvoir se prêter à son désir, homme
d'aspect pourtant pour pouvoir l'inspirer. ~~Il~~ Il semble que son tempérament

cœur, et en somme comme à toute créature humaine le droit à
l'amour sous la forme où la nature nous a permis de le concevoir
si ~~on~~ cependant pour rester dans la vérité on est obligé de confesser
que cette forme est étrange, que ces hommes ne sont point pareils ¦ 1.
aux autres et

~~comme les Juifs~~ radotant sans cesse avec une satisfaction irritante que
Platon
que ~~Michel Ange~~ était homosexuel, comme les Juifs que Jésus ¦ 2.
Christ était juif, sans comprendre que' ~~c'est la nor~~ il n'y
avait pas d'homosexuels à l'époque où ~~il était d'usage~~ l'usage et
le bon ton était de vivre avec un jeune homme comme aujourd'hui d'entrete
nir une danseuse, où Socrate l'homme le plus moral qui fût jamais, fit ¦ 3.
garçons
sur deux jeunes ~~gens~~ assis l'un près de l'autre des plaisanteries toutes naturelles
comme on fait sur ~~deux fiancés~~ un cousin et sur sa cousine qui ont
l'air amoureux l'un de l'autre et qui sont plus révélatrices d'un
état social que des théories qui pourraient ne lui être que
personnelles – de même qu'il n'y avait pas de juifs avant
la crucifixion de Jésus Christ, si bien que pour originel qu'
il soit le péché ~~v~~/a son origine historique, dans la non conformité survivant à la réputation ; mais prouvant alors par sa résis
tance à la prédication, ~~à~~/~~au mép~~ à l'exemple, au mépris, aux
châtiments de la loi, une disposition que le reste des hom[mes] sent si
forte et si innée qu'elle lui répugne davantage que des crimes
qui ~~impos~~ nécessitent une lésion de la moralité, car ces crimes ¦ 4.
on ~~peut e~~ peuvent être momentanés et chacun peut comprendre
l'acte d'un voleur, d'un assassin mais non d'un
homosexuel ; partie donc réprouvée de l'humanité
mais membre pourtant essentiel, invisible, innombrable

soit construit de telle manière, si étroit, si fragile, que l'
sans compter
amour dans des conditions pareilles ~~est une impossible gageure.~~
~~Sans doute il se co~~ la conspiration de toutes les forces sociales
ennemies qui le menacent, et jusque dans son cœur par le scrupule
et l'idée du péché, soit une impossible gageure. Ils la
Mais
tiennent pourtant. ~~Sans doute~~ le plus souvent ~~ils~~ se contentent
d'apparences grossières, ~~d~~ et faute de trouver non pas l'homme
femme, mais la femme homme qu'il leur faut, ils achètent d'un
homme des faveurs de femme, ou ~~accept~~ ~~se pers~~ ~~prêtent~~ par l'
dont
illusion ~~que~~ le plaisir ~~recherché et reçu~~ finit par embellir
ceux qui ~~nous~~ le procurent, ~~se p~~ trouvent quelque charme
aux qui les aiment.
1. viril ~~à~~ ~~des~~ êtres tout efféminés~~,~~ ~~Mais parfois~~

de la famille humaine, soupçonné là où il n'est pas, ~~peut ê~~
étalé, insolent, impuni là où on ne le sait pas, partout,
dans le peuple, dans l'armée, dans le temple, au théâtre, au
bagne, sur le trône, se déchirant et se soutenant, ne voulant
pas se connaître, mais se reconnaissant, et devinant un semblable
[d]ont surtout il ne veut pas s'avouer de lui-même – encore
moins être su des autres qu'il est le semblable – vivant dans
l'intimité de ceux qu~~i~~/e la vue de son crime si un scandale
se produi~~rait~~/sait rendrait comme la vue du sang, féroce comme 1.
des fauves, mais habitué comme le dompteur en les voyant
pacifiques avec lui dans le monde à jouer avec eux, à parler
homosexualité, à provoquer leurs grognements, ~~jusqu'au~~
~~jour inf~~ si bien qu'on ne parle jamais tant homosexualité
que devant l'homosexuel, jusqu'au jour infaillible où
tôt ou tard il sera dévoré, comme le poète reçu dans tous les 2.
lui
salons de Londres, ~~cond~~ poursuivi ne pouvant trouver un ~~théâtre~~ 3.
lui et ses œuvres lit
où reposer, elles une salle ~~t~~/où être jouée et après l'expiation 4.
et la mort, voyant s'élever sa statue audessus de sa 5.
tombe, obligé de travestir ses sentiments, de changer tous ses
mots, de mettre au féminin ses phrases, de donner des excuses
à ses propres yeux tous*
à ses amitiés, à ses colères,
plus gêné par la nécessité intérieure et l'ordre impérieux de
son vice de ne pas se croire en proie à un vice que par la nécessité
sociale de ne pas laisser voir ses goûts.

le tiers et le quart 1.
de t^{tes} les paroisses
de ses amis
baronnet
meeting
soit dit entre nous
ma bourgeoise, mon épouse

Sainte Beuve et Baudelaire 2.

à l'égard de qui
Un poète que tu n'aimes qu'à demi et ~~pour~~ ~~il est~~ convenu 3.
que Ste Beuve, qui était très lié avec lui, a fait preuve de
la plus clairvoyante, de la plus divinatrice admiration, c'est
Baudelaire. Or ~~m~~ si Ste Beuve, touché de l'admiration,
de la déférence, de la gentillesse de Baudelaire qui tantôt lui
envoyait des vers, et tantôt du pain d'épices, et lui écri- 4.
vait sur Joseph Delorme, sur les Consolations, sur ses ~~arti~~ 5. 6.
lundis, les lettres les plus exaltées, lui ~~re~~ adressait de' affectueuses
lettres, il n'a jamais répondu aux prières réitérées de Baudelaire
de faire même un seul article sur lui,/. ~~À l'occasion des~~
~~Élections à l'Académie~~ Le plus grand poète d~~es~~/u XIXe siècle,
et qui, en plus était, son ami, ne figure pas dans les Lundis, où 7.
tant de Comtes Daru, de d'Alton Shée ~~et d'a~~, ~~de P~~ et d' 8. 9.
autres ont le leur. Accessoirement, dans l'article sur 10.
les Élections à l'Académie il dit quelques mots, charmants,
d'ailleurs, sur les fleurs du mal : « J'appelle cela moi la
Folie Baudelaire » et il ajoute ces mots inouïs « Ce qui

1. 1 « Ste Beuve heureux de pouvoir venir en aide à son ami sans
2. se compromettre » comme dit naïvement M. Crépet qui ~~veut~~ croit faire
~~l'éloge de la conduite~~ de Ste Beuve.
l'éloge de la conduite

3. Il commence par remercier Baudelaire de~~s~~ ~~m~~ sa dédicace, ne peut pas
4. se décider à dire un mot d'éloge, dit que ces pièces qu'il avait
déjà lues font réunies « un tout autre effet », qu'évidemment c'
est triste./, affligeant, mais que Baudelaire le sait bien,/. Cela dure
ainsi pendant une page sans qu'un seul adjectif laisse supposer si S[te]
Beuve trouve le livre bien. ~~Nous~~ Il nous apprend ~~S[t]~~ seulement que Baude
laire aime beaucoup Ste Beuve et que Ste Beuve sait ~~bien~~ les qualités de
cœur de Baudelaire. Enfin vers le milieu de la seconde page, il se
lance, enfin une appréciation : (et c'est dans une lettre de remerciement
5. et à quelqu'un qui l'a traité avec quelle tendresse et quelle déférence)

~~est certain~~ c'est que M. Baudelaire gagne à être vu ; 1.
~~apercevant~~*
que là où l'on s'attendait à voir ~~entrer~~ un homme étrange
~~excentri~~

Du moins il n'y figure qu'accessoirement. Une fois au
moment du procès de Baudelaire, Baudelaire implore une 2.
lettre de Ste Beuve le défendant, Ste Beuve trouve que
ses attaches avec le régime impérial le lui interdisent,
et se contente de rédiger anonymement[1] un plan de défense dont 3.
l'
~~son~~ avocat était autorisé à se servir, mais sans nommer
Ste Beuve et où il ~~trouv~~ disait que Béranger avait été
aussi hardi que Baudelaire ~~« sans vouloir~~ en ajoutant « Loin 4.
de moi de diminuer rien à la gloire d'un illustre poète (ce n'
est pas Baudelaire, c'est Béranger) d'un poète national cher 5.
à tous, que l'empereur a jugé digne de publiques funérailles
Mais il avait adressé
etc. » ~~Plus tard il écrivit~~ à Baudelaire une lettre sur les 6.
Fleurs du Mal qui a été reproduite dans les Causeries du Lundi,
en faisant valoir, pour diminuer sans doute la portée de
dans la pensée de
l'éloge, que cette lettre avait été écrite ~~pour défendre~~ 7.
venir en aide à la défense *
~~son ami~~. Il y a de charmantes appréciations sur certaines pièces 8.
des fleurs du mal, sur l'une notamment que l'e ~~auteur~~ regrette
critique
de ne pas voir « écrite en latin » ce qui n'est peut'être pas un
éloge bien flatteur, et où dans son goût de métaphore
poursuivie, Ste Beuve termine en disant à Baudelaire,
après les ~~plu~~ Fleurs du mal, après le plus beau volume de vers

mais
1. « En faisant cela avec subtilité (première appréciation, qui peut se prendre dans
~~les~~ en bien ou en mal), avec raffinement, avec un talent curieux (c'est le
premier éloge si ç'en est un, il ne faut du reste pas être difficile ce sera
à peu près le seul) et un abandon quasi précieux d'expression, en perlant
(souligné par Ste Beuve) en pétrarquisant sur l'horrible », et pater
nellement « vous avez dû beaucoup souffrir mon cher enfant.
Suivent quelques critiques, puis de grands compliments sur deux pièces
seulement ~~« Tri~~, ~~s~~/le sonnet Tristesse de la lune « qui a l'air d'être
Anglais
d'un contemporain de la jeunesse de Shakespeare, et « à celle qui
2. 3. est trop sage » dont il dit « Pourquoi cette pièce n'est-elle pas en
latin, ou plutôt en grec ». J'oublie qu'un peu plus haut il lui avait
parlé de sa « finesse d'exécution. Et comme il aime les méta
phores suivies il termine ainsi : « Mais encore une fois il ne s'agit
pas de cela ni de compliments, j'ai plutôt envie de gronder (il ne s'agit pas
de compliments, à quelqu'un qu'on aime et qui vient de vous envoyer les
Fleurs du Mal, quand on a passé sa vie à en faire à tant d'écrivains
4. sans talents) copier la fin.

~~C'est ce que B~~
Mais ce n'est pas tout, cette lettre Ste Beuve dès qu'il avait su qu'
on comptait la publier ~~en~~ l'avait redemandée, probablement pour
voir ~~si~~ s'il ne s'était pas laissé aller à trop d'éloges (ceci du reste
est simplement une supposition de ma part.) En tous cas en la

qu'il y ait dans la poésie française, comme à un commençant
qui n'aurait pas encore « piqué sa première tête » et quitté 1.
les rives connues : «

Une autre fois (et peut'être bien parceque Ste Beuve avait été
publiquement attaqué par les amis de Baudelaire pour n'avoir 2.
pas eu le courage de témoigner pour lui en même temps que d'Aurévilly 3.
etc devant la Cour d'assises) à propos des Élections à l'Académie 4. 5.
Ste Beuve fit un article sur les diverses candidatures. Baudelaire 6.
était candidat. Ste Beuve, qui du reste aimait donner des
leçons de littérature à ses collègues de l'Académie comme il aimait
donner des leçons de libéralisme à ses collègues du Sénat, parceque s'il 7.
restait de son milieu il lui était très supérieur et qu'il avait des
velléités, des accès, des prurits de' ~~e~~ art nouveau, d'anticléricalis
me et de révolution, Ste Beuve parla en termes charmants et brefs
des fleurs du mal, ~~disant : « J'appelle cela la Folie Baudelaire »~~
« ce petit pavillon que le poète s'est construit à l'extrémité du 8.
Kamtchatka littéraire, j'appelle cela la Folie Baudelaire[»] 9.
(toujours des « mots », des mots que les hommes d'esprit peuvent citer
en ricanant : il appelle cela la « Folie Baudelaire ». Seulement
le genre de causeurs qui citaient cela à dîner, ~~pouv cita~~ le pouvaient
quand le mot était sur Châteaubriand ou sur Royer Collard. Ils ne 10.
savaient pas qui était Baudelaire) Et il termine par ces mots inouïs

donnant dans les Causeries du Lundi il crut devoir la faire précéder
1. – ~~disons~~ je dirai franchement, l'affaiblir encore – par un petit préambule où il
dit que cette lettre avait été écrite « dans la pensée de venir en aide
à la défense. Et voici comment dans ce préambule il parle des Fleurs du
2. Mal, bien que cette fois-ci où il ne s'adresse plus au poète « son ami » il
~~n'a plus~~ é n'a plus à le gronder et il pourrait être « question de compliments ». « Le poète Baudelaire ~~avait~~… avait mis des années à extraire
de tout sujet et de toute fleur (~~mani~~ cela veut dire à écrire les ~~fleurs~~/Fleurs
du Mal) un suc vénéneux, et même, il faut le dire, assez
agréablement vénéneux. C'était d'ailleurs (toujours la même chose !)
un homme d'esprit (!)./, assez aimable à ses heures (en effet, il lui
3. écrivait : je'ai besoin de vous voir comme Antée de toucher la Terre) et
très capable d'affection (c'est en effet tout ce qu'il y a à dire sur
4. l'auteur des Fleurs du Mal. Ste Beuve nous a déjà dit de même que Stendhal était modeste et Flaubert bongarçon). Lorsqu'il eut publié
ce recueil, intitulé Fleurs du Mal (« Je sais que vous faites
des vers, n'avez-vous jamais été tentée d'en donner un petit recueil,
5. disait un homme du monde à Me de Noailles), il n'eut pas seulement
affaire à la critique, la Justice s'en mêla, comme s'il y avait
véritablement danger à ces malices enveloppées et sous entendues
dans des rimes élégantes./, ~~On ne peut que~~ puis les lignes, ayant l'air d'
6. excuser ~~par des~~ par la raison du service à rendre à l'accusé, les é (du moins c'est mon impression)
les éloges de la lettre. Remarquons en passant que les « malices enveloppées »
ne vont pas beaucoup avec le « Vous avez dû souffrir beaucoup mon

Ce qui est certain c'est que M. Baudelaire « gagne à être 1.
l'
vu ~~»~~./, que là où on s'attendait à voir entrer un homme
étrange, excentrique, on se trouve en présence d'un candidat
poli, respectueux, exemplaire, d'un gentil garçon, fin
de langage et tout à fait classique dans les formes – ». Je
ne peux pas croire qu'en écrivant les mots gentil~~s~~ garçon,
gagne à être connu, classique dans les formes, S^te^
Beuve n'~~est~~ ait pas cédé à cette espèce d'hystérie du
langage qui par moments lui faisait trouver un irrésis-
tible plaisir à parler comme un bourgeois qui ne sait pas
écrire à dire d'~~un~~/e Me Bovary « le début est finement 2.
touché ». Mais c'est toujours le même procédé, ~~ne~~
~~trouver à fa~~ faire quelques éloges « d'ami » de Flaubert,
des Goncourt, ~~de Stendhal~~ de Baudelaire et dire que
d'ailleurs ce sont dans le particulier les hommes les plus délicats,
amis les
les plus ~~sûr~~ sûrs. Dans l'article rétrospectif sur Stendhal 3.
c'est encore la même chose (« plus sûr dans son procédé. ») 4.
Et après avoir conseillé à Baudelaire de retirer sa candida- 5.
ture ~~et lui~~, comme Baudelaire l'a écouté et a écrit sa
lettre de désistement, Ste Beuve l'en félicite et l~~ui~~/e
~~annon~~ console de la façon suivante : « Quand on a lu (à l'~~a~~/a 6.
séance de l'Académie) votre dernière phrase de remerciement,
conçue en termes si modestes et si polis, on a dit tout
haut : Très bien. Ainsi vous avez laissé de vous une bonne

cher enfant. ~~Quelle vieille~~ Avec Ste Beuve que de fois on est tenté
1. de s'écrier : Quelle vieille bête ou quelle vieille canaille.

2. Et il appelait la lettre citée plus haut et qui a été reproduite à la fin des
fleurs du mal, « lettre d'amitié et de compliments » de compliments, lui qui
écrivait à Ste Beuve sur ce ton : « J'ai besoin d'aller quelquefois vous voir,
comme Antée avait besoin de la Terre »

impression. N'est-ce donc rien. » N'était-ce rien que d'avoir fait
l'impression d'un homme modeste, d'un « gentil garçon » à M. de 1.
Sacy et à Viennet ? N'était-ce rien ~~que~~ de la part de Ste Beuve, 2.
grand ami de Baudelaire que d'avoir donné des conseils à son avocat, à
condition que son nom ne fût pas cité, d'avoir refusé tout article
sur les Fleurs du Mal, même sur les traductions de Poë mais apr[ès]
d'avoir dit que la « Folie Baudelaire » était un charmant pavil[lon]
etc. Ste Beuve trouvait que tout cela c'était beaucoup. Et
ce qu'il y a de plus effrayant, (et qui vient bien à l'appui de ce
que je te disais), ~~Baudelaire était du même av~~ si fantastique
que cela puisse paraître, Baudelaire était du même avis ! 3.
Quand ~~les~~ ses amis s'indignent du lâchage de Ste Beuve au moment d[e] 4.
son procès et laissent percer leur mécontentement dans la presse,
Baudelaire est affolé, il écrit lettre sur lettre à Ste Beuve, pour 5.
le bien persuader qu'il n'est pour rien dans ses attaques, il écrit à
Malassis et à Asselineau : Voyez donc combien cette affaire peut 6. 7. 8.
m'être désagréable... Babou sait bien que je suis très lié avec 9.
l'oncle Beuve, que je tiens vivement à son amitié, et que je me
donne moi la peine de cacher mon opinion quand elle est contr[aire]
à la sienne etc. Babou a l'air de vouloir me défendre contre quelqu['un]
qui m'a rendu une foule de services (?) » Il écrit à Ste Beuve 10.
que loin d'avoir inspiré cet article il avait persuadé à l'auteur
« que vous (Ste Beuve) ~~aviez~~ faisiez toujours tout ce que vous deviez
et pouviez faire ». Il y a encore peu de temps que je parlais à 11.
Malassis de cette grande amitié qui me fait honneur etc. À suppose[r]
que Baudelaire ne fût pas sincère alors, et que ce fût par politique

qu'il tînt à ménager Ste Beuve et à lui laisser croire qu'il trouvait qu'
il avait bien agi, cela revient toujours au même, cela prouve l'importance que
Baudelaire attachait à un article de Ste Beuve (qu'il ne peut d'
ailleurs pas obtenir), à défaut d'articles aux quelques phrases d'éloges
qu'il finira par lui accorder. Et tu as vu quelles phrases. Mais
si piètres qu'elles nous semblent, elles ravissent Baudelaire. ~~Quand~~
Après l'article « gagne à être connu, c'est un gentil garçon, 1.
folie Baudelaire etc » il écrit à Ste Beuve : « Encore un 2.
service que je vous dois ! Quand cela finira-t-il ? Et
comment vous remercier ? . — . . Quelques mots cher ami pour
vous peindre le genre particulier de plaisir que vous m'avez procuré
. . . Quant à ce que vous appelez mon Kamtchatka, si je
recevais souvent des encouragements aussi vigoureux que
celui-là, je crois que j'aurais la force d'en faire une immense
Sibérie etc. Quand je vois votre activité, votre vitalité, je
suis tout honteux (de son impuissance littéraire !) Faut-il
maintenant que moi, l'amoureux incorrigible des Rayons 3.
Jaunes et de Volupté, de Ste Beuve poète et romancier,
je complimente le journaliste ? Comment avez-vous fait pour arriver
à cette certitude de forme etc, j'ai retrouvé là toute votre élo-
quence de conversation etc   et pour finir « Poulet Malassis
brûle de faire une brochure avec votre admirable article ».
Il ne borne pas sa reconnaissance à une lettre, il fait un article 4.
non signé dans la Revue anecdotique sur l'article de Ste Beuve : 5.
« Tout l'article est un chef d'œuvre de bonne humeur, de
gaieté, de sagesse, de bon sens et d'ironie. Tous ceux qui ont l'

intimement
honneur de connaître l'auteur de Joseph Delorme etc ». Ste
Beuve remercie le directeur en disant à la fin, toujours avec ce goût
de faire dérailler le sens des mots : « Je salue et <u>respecte</u> le 1.
bienveillant anonyme. » Mais ~~ce n'était~~ Baudelaire ~~tenait à~~ 2.
n'étant pas certain que Ste Beuve l'avait reconnu lui écrit
pour lui dire que l'article est de lui. Tout cela vient à l'
appui de ce que je te disais qu'e ~~il y~~ l'homme qu'i ~~il y~~ vit dans un
même corps avec tout grand génie, a peu de rapport avec lui, que
c'est lui que ses intimes connaissent et qu'ainsi il est absurde de
juger ~~p~~/comme Ste Beuve le poète par l'homme ou par le
dire de ses amis. Quant à l'homme lui-même il n'est
qu'un homme et peut parfaitement ignorer ce que vaut le
poète qui vit en lui. ~~Ste~~ Baudelaire se trompait-il à ce
point sur lui-même. Peut'être pas, théoriquement. Mais
si sa modestie, sa déférence, étaient de la ruse, ~~l~~ il ne
se trompait pas moins pratiquement sur lui-même puisque lui qui
avait écrit le Balcon, le Voyage, les Sept Vieillards, il
~~croyait important~~ ~~se jugeait~~ ~~par d~~ ~~il~~ s'apercevait dans une sphère
où un fauteuil à l'Académie, un article de Ste Beuve étaient
beaucoup pour lui. Et on peut dire que ce sont les meilleurs, les
plus intelligents qui sont ainsi, vite redescendus de la sphère où
ils écrivent les Fleurs du Mal, ~~o~~ le Rouge et le Noir, l'Éducation
Sentimentale, et dont nous pouvons nous rendre compte nous qui
ne connaissons que les livres, c'est à dire les génies et que la fausse
image de l'homme ne vient pas troubler, à quelle hauteur elle est
audessus de celle où furent écrits les Lundis, Carmen et Indiana, 3.

pour accepter avec déférence, par calcul, par ~~f~~ élégance de
fausse
caractère ou par amitié, la supériorité d'un Ste Beuve,
d'un Mérimée, d'une George Sand. Ce dualisme ~~a quelquechose~~ si
naturel a quelque chose de si troublant. Voir Baudelaire désin 1.
carné, respectueux avec Ste Beuve, et tantôt d'autres intriguer
pour la croix, Vigny qui vient d'écrire les Destinées mendiant 2.
une réclame dans un journal (je ne me rappelle pas exactement
mais ne crois pas me tromper). Comme ~~les ciels~~ le ciel de la théologie
catholique qui se compose de plusieurs ciels superposés, notre
personne, dont l'apparence que lui donne notre corps avec 3.
sa tête qui circonscrit à une petite boule* notre pensée, notre personne
morale se compose de plusieurs personnes superposées. Cela est
peut'être plus sensible encore pour les poètes ~~(exceptons B~~ qui
ont un ciel ~~intermédi~~ de plus, un ciel intermédiaire entre
le~~ur~~ ciel de leur génie, et celui de leur intelligence, de leur
bonté, de leur finesse journalières, c'est leur prose. Quand
Musset écrit ses contes, on sent encore à un je ne sais quoi par
moments le frémissement, le soyeux, le prêt à s'envoler
des ailes qui ne se soulève~~n~~/ront pas. C~~e~~'est ce qu'on a du reste
dit beaucoup mieux : « Même quand l'oiseau marche on sent 4.
qu'il a des ailes ». Un poète qui écrit en prose (excepté naturellement quand il y fait de la poésie comme Baudelaire 5.
dans ses petits poèmes et Musset dans son Théâtre), Musset
quand il écrit ses contes, ses essais de critique, ses discours d'
Académie, c'est quelqu'un qui a laissé de côté son génie,
qui a cessé de ~~pre~~ tirer de lui des formes ~~qui~~ qu'il prend

dans un monde surnaturel et exclusivement personnel à lui et
qui pourtant s'en resouvient, nous en fait souvenir. Par moments
à un ~~m~~ développement, nous pensons à des vers célèbres,
invisibles, absents, mais dont la forme, vague, indécise
semble transparaître derrière des propos que pourrait cependant
tenir tout le monde et leur donne une sorte de grâce,
de majesté, d'émouvante allusion. Le poète a déjà fui mais
derrière les nuages on aperçoit son reflet encore. Dans l'
homme, dans l'homme de la vie, des dîners, de l'ambition, il
ne reste plus rien, et c'est celui-là ~~que~~ à qui Ste Beuve
prétend demander l'essence de l'autre dont il n'a rien gardé.
Je comprends que tu n'aimes qu'à demi Baudelaire. ~~I~~ Tu 1.
as trouvé dans ses lettres, comme dans celles de Stendahl, des choses 2. 3.
dans sa poésie
cruelles, sur sa famille. Et cruel il l'est ~~un peu~~, cruel avec
infiniment de sensibilité, d'autant plus étonnant dans sa dureté que
les souffrances qu'il raille, qu'il présente avec cette impassibilité on sent
qu'il les a ressenties jusqu'au fond de ses nerfs. Il est certain que dans
une ~~poésie~~ ~~comme~~ poème sublime comme les Petites Vieilles, il n'y
a pas une de leurs souffrances qui lui échappent. Ce n'est pas seulement
leurs immenses douleurs « ces yeux sont des puits faits d'un million 4.
de larmes » « Toutes auraient pu faire un fleuve avec leurs pleurs »,
il est dans leurs corps, il ~~sou~~ frémit avec leurs nerfs, il frissonne avec
leur faiblesse « flagellés par les bises iniques, 5.

Frémissant au fracas roulant des omnibus,
Se traînent comme font les animaux blessés. »

1.

Sa poésie sur les Aveugles commence ainsi

Regarde les mon âme ils sont vraiment affreux

(vérifier) vaguement ridicules.

Mais la beauté descriptive et caractéristique du tableau ne le fait reculer devant aucun détail cruel.

« Et dansent sans vouloir danser, pauvres sonnettes » . . . 1.

« Celle-là droite encor, fière et sentant la règle » 2.

« ~~Avez-vous observé~~

~~À moins q~~ Avez-vous observé que maints cercueils de 3.

vieilles

Sont presque aussi petits que celui d'un enfant

La Mort savante met dans ces bières pareilles

Un symbole d'un goût bizarre et captivant.

. . . .

À moins que méditant sur la géométrie 4.

Je ne cherche à l'aspect de ces membres discords,

Combien de fois il faut que l'ouvrier varie

La forme de la boîte où l'on met tous ces corps.

Mais surtout :

« Mais moi, moi qui de loin tendrement vous surveille 5.

L'œil inquiet fixé sur vos pas incertains

Tout comme si j'étais votre père, ô merveille,

Je goûte à votre insu des plaisirs clandestins.

Et c'est ce qui fait qu'aimer Baudelaire comme dirait Ste Beuve 6.
dont je m'interdis de prendre à mon compte cette formule comme j'en
aurais été souvent tenté pour ôter de ce projet d'article tout jeu d'esprit,
mais ici ce n'est pas pastiche, c'est une remarque que j'ai faite, où 7.
les noms me viennent à la mémoire ou aux lèvres, et qui s'impose
à moi en ce moment, aimer Baudelaire, j'entends l'aimer même
à la folie en ces poèmes si pitoyables et humains, n'est pas forcé-

ment signe d'une grande sensibilité. Il a donné de ces visions qui au fond
lui avai~~t~~/ent fait mal j'en suis sûr, un tableau si puissant, mais d'où toute
expression de sensibilité est si absente que des esprits purement ironiques
et amoureux de couleur des cœurs vraiment durs peuvent s'en délecter.
Le vers sur ces petites vieilles ~~qu~~ « Débris d'humanité pour l'éternité 1.
mûrs » est un vers sublime et que de grands esprits, de grands cœurs
aiment à citer. Mais que de fois je l'ai entendu citer, et
pleinement goûté, par une femme d'une extrême intelligence,
mais la plus inhumaine, la plus dénuée de bonté et de moralité
que j'aie rencontré, et qui s'amusait, le mêlant à de spirituels et d'atroces outrages, à lancer comme une ~~mena~~ prédiction
de mort prochaine, sur le passage de telles vieilles femmes qu'elle
détestait. Ressentir toutes les douleurs mais ~~ne~~ être assez maître de soi
pour ne pas se déplaire à les regarder, ~~voire à les~~ pouvoir supporter
la douleur qu'une méchanceté provoque artificiellement (même
~~dans les vers délicieux : le violon fré~~ ~~en citant~~ on oublie en le
citant combien est cruel le vers délicieux : le violon frémit 2.
comme un cœur qu'on afflige, oh ! ce frémissement d'un
cœur à qui on fait mal, tout à l'heure ce n'était que le
frémissement des nerfs des vieilles femmes au fracas roulant des
omnibus). Peut-être cette subordination de la sensibilité à l'a
~~expressi~~ vérité, à l'expression, est-elle au fond une marque
du génie, de la force, de l'art supérieur à la pitié individuelle.
Mais il y a plus ~~que~~ étrange que cela dans le cas de Baudelaire.
Dans les plus sublimes expressions qu'il a données de certains
sentiments, il semble qu'il ~~n~~'ait fait une peinture extérieure

de leur forme, sans sympathiser avec lui. Un des plus admirables
vers sur la Charité, un de ses vers immenses et déroulés de
Baudelaire est celui-ci

Pour que tu puisses faire à Jésus quand il passe
Un tapis triomphal avec ta charité. 1.

rien de
Mais y a t-il moins ~~de~~ charitable ~~que~~ (volontairement mais cela ne
fait rien que le sentiment où cela est dit

« Un ange furieux fond du ciel comme un aigle 2.
Du mécréant saisit à plein poing les cheveux
Et dit le secouant : « Tu connaîtras la règle !
(Car je suis ton bon ange, entends-tu ?) ~~j~~/Je le veux !
Sache qu'il faut aimer sans faire la grimace
Le pauvre, le méchant, le tortu, l'hébété,
Pour que tu puisses faire à Jésus quand il passe
Un tapis triomphal avec ta charité. »

Certes il comprend tout ce qu'il y a dans toutes ces vertus, mais il semble
en bannir* l'essence de ses vers. C'est bien tout le dévouement
ce qu'il y a dans ces vers des petites vieilles

Toutes m'enivrent,/! mais parmi ces êtres frêles 3.
Il en est qui faisant de la douleur un miel
Ont dit au dévouement qui leur prêtait ses ailes
« Hippogriffe puissant, mène moi jusqu'au ciel ! »

Il semble qu'il éternise par la force extraordinaire, inouïe
verbe (cent fois
de/u ~~l'expression un sentiment qu'il s'efforce de ne pas é~~
plus fort, malgré tout ce qu'on dit, que celui 4.
d'Hugo) un sentiment qu'il s'efforce de ne pas ressentir au moment
où il le nomme, où il le peint, plutôt qu'il ne l'exprime.

Cahier 7, f° 67 v°

Il trouve pour toutes les douleurs, pour toutes les douceurs, de ces formes inouïes, ravies à son monde spirituel à lui et qui ne se trouveront jamais dans aucun autre, formes d'une planète où lui seul a habité, et qui ne ressemblent à rien de ce que nous connaissons, sur chaque ~~no~~ catégorie de personnes, il pose ~~comme~~ toutes chaudes et suaves, pleines de liqueur et de parfum, une de ces grandes formes, de ces sacs qui pourraient contenir une bouteille, ou un jambon, mais s'il le dit avec des lèvres bruyantes comme le tonnerre, on dirait qu'il s'efforce de ne le dire qu'avec les lèvres, quoique on sente qu'il a tout ressenti, tout compris, qu'il est la plus frémissante sensibilité, la plus profonde intelligence. 1.

L'une par sa patrie au malheur exercée,
L'autre que son époux surchargea de douleurs
L'autre par son enfant Madone transpercée
Toutes auraient pu faire un fleuve avec leurs
pleurs. 2.

Exercée est admirable, surchargé est admirable, transpercé est admirable, × mais a t-il l'air de « compatir », ~~et~~ d'être dans ces cœurs. × Chacun pose sur l'idée une de ces belles formes sombres, éclatantes, nourrissantes

L'une par sa patrie au malheur exercée.

De ces belles formes d'art, inventées par lui dont j'e ~~ai~~ te parlais et qui posent leurs grandes formes chaleureuses et colorées sur les ~~faits cho~~ faits qu'il énumère, un certain nombre en effet sont des formes d'art faisant allusion à la patrie des anciens.

L'une par sa patrie au malheur exercée
Les uns joyeux de fuir une patrie infâme 3.

C'est la bourse du pauvre et sa patrie antique ». 1.
Comme les belles formes sur la famille « d'autres l'horreur de 2.
leurs berceaux » qui ~~deviennent~~ entre vite dans la catégorie des
formes bibliques ~~« Sa femme va criant sur~~ et de toutes ces
images qui font la puissance véhémente d'une pièce comme
bénédiction où ~~se mêlent~~ tout est grandi par cette dignité
d'art : « Sa femme va criant sur les places publiques 4.
Je ferai le métier des idoles antiques etc
« Ah ! que n'ai-je mis bas tout un nœud de vipères 5.
Plutôt que de nourrir cette dérision »

Dans le pain et le vin destinés à sa bouche
Ils mêlent de la cendre avec d'impurs crachats
Avec hypocrisie ils jettent ce qu'il touche
Et s'accusent d'avoir mis leurs pieds dans ses pas.

à côté de vers raciniens si fréquents chez Baudelaire
« Tous ceux qu'il veut aimer l'observent avec crainte » 6.
~~des vers charmants qu'il a toujours gardés~~
Les grands vers ~~reluisants~~ flamboyants « comme des ostensoirs » qui 7.
sont la gloire de ses poèmes
« Elle-même prépare au fond de la géhenne 3. 8.
Les bûchers préparés aux crimes maternels
et tous les autres éléments du génie
de Baudelaire que j'aimerais tant
t'énumérer si j'avais le temps,
~~et si je ne voulais~~ Mais dans cette pièce
ce sont déjà les belles images de la
théologie catholique qui l'emportent 9.
~~Je sais que vous gardez une place~~ au ~~Poète~~
« Les trônes, les Vertus, les Dominations » 10.

1. ~~Que T~~ Que Tivoli jadis ombragea dans sa fleur
2. Et c'est encor Seigneur le meilleur témoignage

3. Ô Mon Dieu donnez-moi la force
et le courage

4. les diverses louves

5. Avec sa jambe de
se/tatue (p 270
à une passante)

6. 7. + images : « Je traîne des serpents qui
mordent mes souliers » ce mot soulier qu'il
8. aime qui tellement de l'écriture « Que tu es
belle dans tes pieds sans soulier ô fille de
prince ». L'infidèle laisse ses souliers
~~r~~/au pied de l'église » et ces serpents
sous les pieds comme sous les pieds de Jésus
« inculcabis aspidem » tu mar
9. cheras sur l'aspic.

10. On eût dit sa prunelle trempée
dans le fiel, son regard aiguisait les frimas
Et sa barbe à longs poils raide comme une épée
Se projetait, pareille à celle de Judas.

11. (Giotto de Padoue) demander à Mâle)

Je sais que la douleur est la noblesse unique 1.
Où ne mordront jamais la terre et les enfers
Et qu'il faut pour tresser ma ~~m~~/couronne mystique
Imposer tous les temps et tous les univers
(image celle-là pas ironique de la douleur comme étaient
celles du dévouement et de la charité que j'ai citées, mais 2.
encore bien impassible, plus belle de forme, d'allusion à
des œuvres d'art du moyen âge catholique, plus pic- 3.
turale qu'émue. » 4.
~~Ces souliers~~.
vers sur
Je ne parle pas de~~s~~ la madone, puisque là c'est précisément le 5.
sens* de prendre toutes ces formes catholiques. Mais partout ces merveilleuses + 6.
Mais peu à peu, en négligeant celles qui sont trop connues (et
qui sont peut'être les plus essentielles) ~~ne commences-tu~~ il me
semble que je pourrais commencer ~~à~~ forme par forme,
à ~~a~~ t'évoquer ce monde de la pensée de Baudelaire, ce 7.
pays de son génie, dont chaque poème n'est qu'un fragment
et qui dès qu'on le lit se rejoint aux autres fragments que
nous en connaissons comme, ~~sur~~ dans un salon, dans un cadre
que nous n'y avions pas encore vu, certaine montagne antique où le 8.
à figure de femme
soir rougeoie et où passe un poète suivi de~~s~~ Muses, ~~o~~ c'est à
deux ou trois
dire un tableau de la vie antique conçue d'une façon naturelle, ces
Muses étant des personnes qui ont existé, qui se promenaient le soir à
deux ou à trois avec un poète etc, tout cela dans un moment, à
une certaine heure, dans l'éphémère qui ~~act~~ donne quelquechose
de réel à la légende immortelle, vous sentez un fragment du pays

1.

⊖ ses beaux reflets de cierge
Sur la nappe frugale et les rideaux de serge
(p. 282)

2. 3.

horizons
les ~~après midis~~ ~~n~~ bleus où sont collées des voiles blanches
« brick tartane ou frégate dont les formes aux loin
frissonnent dans l'azur

4.

« Le ciel était ~~léger~~ la mer était unie
charmant
(p 321)

5.

et la négresse et le chat comme dans un tableau
de Manet,

de Gustave Moreau. Pour cela il te faudrait tous ces ports,
un port rempli de voiles et de mâts
non pas seulement ceux où des vaisseaux nageant dans l'or et
et
dans la moire ouvrent leur vaste bras pour embrasser la gloire d'un
ciel pur où frémit l'éternelle chaleur »,/. Mais ceux qui ne sont
que des portiques « que les soleils marins teignaient de mille feux »,
[e]~~t~~ « le portique ouvert sur des cieux inconnus ». Les coco-
comme des fantômes
[ti]ers d'Afrique aperçus pâles ~~comme un rêve~~
Les cocotiers absents de la superbe Afrique
« Derrière la muraille immense du brouillard »
~~je~~ « Des cocotiers absents les fantômes épars ».
où le soleil met ⊖
~~Ces soirs o~~ ~~Ces~~/Le soirs, dès qu'ils s'allum~~ent~~, et met~~tent~~ sur la nappe
de serge (vérifier) jusqu'à l'heure où il est « ~~rose et bleu~~ fait de
rose et de bleu mystique », le vin, non pas seulement dans toutes les pièces
divines où il est chanté depuis le moment où il mûrit « sur la colline
en flammes » jusqu'au moment où la chaude poitrine du travailleur lui
est une douce tombe ~~»~~ mais partout où lui, et tout~~e~~ élixir,
toute végétale ambroisie (une autre de ses personnelles et délicieuses
préparations) il entre secrètement dans la fabrication de l'image
comme quand il dit de la mort qu'elle « nous monte et nous
~~fait vivre~~ ». Et nous donne le cœur de marcher jusqu'au soir ».
enivre

et avec ces ~~de~~ restes de musiques qui y traînent ~~et qui~~ toujours chez lui
~~et qui~~ et lui ont permis de créer l'exaltation la plus délicieuse peut-être
depuis la Symphonie héroïque de Beethoven
« Ces concerts riches de cuivre
Dont nos soldats parfois inondent nos jardins
Et qui par ces soirs d'or où l'on se sent revivre
Versent quelque héroïsme au cœur des citadins. »
« Le son de la trompette est si délicieux
dans ces soirs de célestes vendanges.

1. 2. 3. 4. 5. 6. 7. 8. 9. 12. 13. 14. 15. 10. 11.

Cahier 7, contre-plat supérieur

Cahier 7, plat supérieur

Notes

Pour les abréviations utilisées, voir *supra* p. VI-IX.
Les manuscrits sont cités dans une transcription linéarisée, parfois simplifiée.

L'annotation du Cahier 7 n'aurait pu être réalisée sans la consultation des *Esquisses* de *RTP* dans la « Bibliothèque de la Pléiade » et celle des transcriptions suivantes :

- Cahier 6 (J. André),
- *Cahier 26* (H. Yuzawa),
- Cahier 27 (R. Bales, C. Mann et A. Bouillaguet),
- Cahier 28 (G. Da Silva),
- Cahier 34 (Y. Kato et B. Brun),
- *Cahier 44* (F. Goujon et E. Wada),
- Cahier 46 (J. André, 2009, t. II),
- *Cahier 53* (N. Mauriac Dyer, K. Yoshikawa et P. Wise),
- *Cahier 54* (F. Goujon, N. Mauriac Dyer et Ch. Nakano),
- Cahier 55 (K. Yoshikawa, 1976, t. II ; S. Kurokawa),
- Cahier 56 (P. Wise),
- Cahier 57 (H. Bonnet et B. Brun, in *MPG*),
- Cahiers 59, 60, 61, 62 (F. Goujon, *in* « Édition critique de textes de Marcel Proust », thèse de doctorat, université de la Sorbonne-Paris IV, 1996, t. II),
- Cahier 64 (H. Yuzawa, *in* « Souvenir du rêve et leçon du regard : étude génétique sur les jeunes filles à la plage d'après les manuscrits de Marcel Proust », thèse de doctorat, université de la Sorbonne-Paris IV, 1989, t. II),
- *Cahier 67* (S. Delesalle-Rowlson, F. Goujon, L. Rauzier),
- Cahier 70 (A. Kittredge, *in* « Proust de la description à l'allégorie », Ph. D., Columbia University, 1997),
- *Cahier 71* (S. Kurokawa, N. Mauriac Dyer et P.-E. Robert),
- Cahier 73 (S. Kurokawa),
- Cahier 75 (F. Goujon, thèse citée).

Nous avons également consulté les Inventaires des Cahiers 1 à 75 (Centre Proust de l'ITEM ; *BIP*, n°s 9, 10, 12, 13, 14, 18, 19, 21) et tiré parti de l'*Index général des cahiers de brouillon de Marcel Proust*, édité par Akio Wada, Graduate School of Letters, Osaka University, 2009.

Folio 1 r°.

1. ~~*Je me souviens qu'après.*~~
La formule « Je me souviens » rappelle le cadre remémoratif du « Contre Sainte-Beuve » récit, dont les traces sont encore visibles, par exemple, dans le Cahier 4 : « Je me souviens d'une année où nous étions au bord de la mer avec ma grand'mère » (f° 62 r°), ou le Cahier 6 : « Je me souviens d'un jour particulièrement triste où Maman emmenait mon frère[,] la voiture devait nous conduire de Combray à Chartres et c'était bien loin » (f° 68 v°). Plus loin dans notre Cahier 7 (f° 10 r° *sq.*), le récit prend encore la forme d'une conversation avec Maman. Voir *infra*, f° 10 r° n. 1 et 8.

2. *Monsieur le Curé.*
Cette courte ébauche constitue la première de trois versions successives du dialogue entre le curé de Combray et la tante du héros. La deuxième version occupe les f°s 1-4, la troisième les f°s 4-9. Dans le Cahier 6, le nom du curé de Combray est précisé : l'abbé Chaperand/Chaperaud (f° 3 r°).

3. *peindre.*
Dans la préface de *La Bible d'Amiens* (1904), Proust évoque les nombreux dessins que Ruskin a faits dans « les églises et en plein air », à Amiens, Abbeville, Beauvais et Rouen, « sans être inquiété par le sacristain », comme le précise Ruskin lui-même (*BA*, p. 66). Proust pourrait aussi penser aux intérieurs de cathédrale peints par Paul Helleu, qu'il mentionne dans une note du même ouvrage (*BA*, p. 32, n. 2), puis dans la préface des *Propos de peintres* de Jacques-Émile Blanche en 1919 (*EA*, p. 573). Il a d'ailleurs fréquenté le peintre, souvent considéré comme un modèle d'Elstir, pendant l'été 1907 à Cabourg. Dans le Cahier 4, une addition finalement barrée (f° 34 r°) signalait également la présence d'un peintre autour de l'étang du côté de Villebon. Un cahier ultérieur, le Cahier 25, qui relate les efforts du héros pour rencontrer l'artiste qui « était connu à Querqueville comme un célèbre peintre », identifie ce dernier au peintre « qui avait peint le vitrail de Charles le Mauvais à Combray » (f° 31 v°) : le peintre anonyme du Cahier 7 devient provisoirement le futur Elstir. Voir Jo Yoshida, « La genèse de l'atelier d'Elstir à la lumière de plusieurs versions inédites », *BIP*, automne 1978, n° 8, p. 15.

4. *la Gracieuse.*
« La Gracieuse » est l'un des noms attribués à la rivière qui traverse Combray, puis à son affluent ; on le trouve également dans les Cahiers 1, 8 et 12, et il est conservé dans des cahiers postérieurs (28, 58 et 70), peut-être par inadvertance dans le processus de copie. Dans le Cahier 1 (f° 20 v°), la Gracieuse était située à Alençon et associée au roman *La Vieille Fille*, dans lequel Balzac décrit l'une des rivières de cette ville, la Brillante. Dans le Cahier 12, toujours en 1909, la Gracieuse est présentée comme un affluent de la rivière traversant Combray, qui prend alors le nom de Vivette : « C'est un peu plus haut que la Vivette a reçu la Gracieuse qui lui a donné assez d'eau pour être navigable » (f° 32 v°). Dans le Cahier 4, la rivière de Combray s'appelle encore le Loir comme à Illiers : elle est l'un des « charmes » du « côté de Villebon » (*DCS*, *Esq. LIII*, I, p. 807). Pour l'évolution du nom de cette rivière, du Loir jusqu'à la Vivonne, voir *Cahier 26*, n. 1 du folio 5 r°. Voir aussi la Pinsonne qui coule à Pinsonville (voir f° 28 r° n. 2).

5. *Pont-vieux.*
À Illiers, le Pont-Vieux est l'un des ponts sur le Loir que l'on peut emprunter pour aller en direction de Tansonville ou de Méréglise, et qui offre en effet de jolies vues dégagées sur la rivière. Au folio 28 r°, un « vieux pont » est également mentionné. Ce « vieux pont de bois » sur le Loir était déjà évoqué dans le Cahier 4 (f° 27 r° ; *DCS, Esq. LIII*, I, p. 807), où il était situé du côté de Villebon, futur Guermantes. Cette appellation est conservée dans la version définitive de *Du côté de chez Swann* (I, p. 57, 118, 122, 164-165).

6. *votre église.*
Au f° 6 r°, l'église, datée du XIe siècle, serait une église romane, rebâtie sur une fondation plus ancienne. Dans le Cahier 6, le nom de Saint-Hilaire apparaît, quoique de manière indirecte, pour la désigner (« dans un autre St Hilaire – St Hilaire de Poitiers », f° 4 r°), sous l'influence de la célèbre église Saint-Hilaire le Grand de Poitiers (sur le docteur de l'Église auquel cette église est consacrée, voir *infra*, f° 2 r° n. 3). Il est repris dans le Cahier 8 d'abord en addition (f° 61 r°) puis, au folio suivant, dans le corps du texte, et apparaît de manière plus systématique dans la mise au net retravaillée des Cahiers 10 (f°s 55 r°, 63 r°) et 63 (f°s 15 r°, 17 r°, 18 r°, *passim*). Le Cahier 7 mentionne d'ailleurs une rue Saint-Hilaire (*infra*, f° 22 r°) ou rue Hilaire (*infra*, f° 23 r°) qui longe l'église de Combray. Voir aussi *JS*, p. 281. Illiers conserve les vestiges d'une ancienne église consacrée à saint Hilaire, mais l'église subsistante s'appelle Saint-Jacques. Sur les églises d'Illiers, voir Abbé J. Marquis, *Illiers*, Chartres, Archives historiques du diocèse de Chartres, 1907, p. 190-224.

7. *Madame Charles.*
« Madame Charles » est l'ancien nom de « Madame Octave » (tante Léonie). Au f° 25 r°, son prénom est Bathilde (voir n. 6). Dans un texte plus précoce, elle porte le nom de « tante Jules », qui pourrait évoquer Jules Amiot, oncle de Proust (*DCS*, I, p. 51, var. *a* [p. 1126] ; Reliquat NAF 16729, f° 8 r°). Dans le Cahier 4, le personnage de la tante est déjà évoqué, mais son nom n'est pas encore précisé. C'est finalement dans les Cahiers 8 (f°s 10 r°, 47-69 r°s) et 26 (f°s 8 r°, 9 r°, 11 r°) qu'apparaît le nom de « tante Léonie ». Cependant, dans le Cahier 8, on trouve à la fois « Madame Octave » (f°s 50 r°, 60 r°), et « Madame Charles » (f°s 61-65 r°s), lorsque Proust recopie le texte de la conversation avec le curé en provenance du Cahier 7 : voir Introduction, p. XXIV et n. 2.

8. *vitraux modernes.*
Allusion aux verrières et aux coupoles en vitrail à la mode entre la fin du XIXe et le début du XXe siècle, notamment dans les grands magasins (voir *infra*, f°s 2 r° et 5 r°). Les grands magasins du Printemps et les Galeries Lafayette étaient proches du 102, boulevard Haussmann où Proust a vécu entre la fin de 1906 et 1919. Dans le Carnet 1, une note consacrée au discours du curé de Combray sur Saint-Hilaire, postérieure à la mi-août 1909, mentionne également : « des vitraux remarquables la plupart modernes ». Voir Carnet 1, f° 42 v° ; *Cn*, p. 103.

Folio 2 r°.

1. ~~*Charl*~~ *Gilbert le Mauvais.*
Le nom de Charles le Mauvais figure encore dans ce cahier aux folios 13 r°, 23 r°, 41 r° et, biffé, au folio 8 r°. Il réapparaît ponctuellement dans les Cahiers 11, 12, 25 et 63. Dans le reste des brouillons, il est remplacé par Gilbert le Mauvais. En effet, Charles II le Mauvais (1332-1387), comte d'Évreux et roi de Navarre à partir de 1349 jusqu'à sa mort, est l'un des modèles principaux de Gilbert le Mauvais. Proust aurait pu s'inspirer des « verrières royales » de la cathédrale Notre-Dame d'Évreux. Ces vitraux, exécutés vers 1390-1400, représentaient les mécènes agenouillés, qui ont longtemps été considérés comme Charles II le Mauvais, sa femme Jeanne de France et leur fils Charles III le Noble. Cependant, en 1942, ils ont été identifiés comme le roi de France Charles VI, le comte de Mortain, Pierre de Navarre et la reine Blanche de Navarre (voir Suzanne Honoré-Duverger, « Le prétendu vitrail de Charles le Mauvais à la cathédrale d'Évreux », *Bulletin monumental*, n° 101, 1942, p. 57-68). Un autre modèle de Gilbert le Mauvais est Geoffroy de Châteaudun, qui fit construire l'ancien château fort d'Illiers en 1019. En conflit avec saint Fulbert, évêque de Chartres, Geoffroy ravagea les terres environnantes, mais voulut ensuite réparer ses actions par de bonnes œuvres comme la fondation du prieuré du Saint-Sépulcre à Châteaudun et le monastère de Saint-Denis de Nogent-le-Rotrou. En 1040, les habitants de Chartres le tuèrent à la sortie d'une messe devant la cathédrale. Sur Geoffroy, vicomte de Châteaudun, voir Abbé J. Marquis, *Illiers*, *op. cit.*, p. 28-36. En octobre 1907, après une visite à Évreux, Proust décrit les vitraux de la cathédrale dans une lettre à Mme Straus : « Puis une cathédrale que vous avez vue sans doute qui est de toutes les époques, avec de beaux vitraux qui trouvaient le moyen d'être lumineux à l'heure presque crépusculaire où je les ai vus, et par un temps gris, sous un ciel fermé. [...] Ils trouvaient le moyen de dérober des joyaux de lumière, une pourpre qui étincelait, des saphirs pleins de feux, c'est inouï. » (*Corr.*, t. VII, p. 287). Dans sa dédicace à Jacques de Lacretelle, en 1918, Proust écrit : « Certains vitraux sont certainement les uns d'Évreux, les autres de la Sainte-Chapelle et de Pont Audemer » (*Corr.*, t. XVII, p. 193). Voir *DCS*, I, p. 104, n. 3 [p. 1150] et Claudine Quémar, « L'église de Combray, son curé et le Narrateur (trois rédactions d'un fragment de la version primitive de *Combray*) », *CMP 6*, *ÉP I*, 1973, p. 336-337 et p. 341.

2. *Guermantes.*
Première occurrence du nom dans le Cahier 7, sous sa forme usuelle ; au f° 7 r°, Proust semble mettre à l'épreuve une autre forme du nom, « Garmantes ». Le Cahier 31 comme le Cahier 36 et le Cahier 4 (à l'exception du f° 29 r° d'après l'*Index* d'Akio Wada) donnent parfois « Garmantes ». Le [23 mai 1909], Proust interroge Georges de Lauris : « Savez-vous si Guermantes qui a dû être un nom de gens, était déjà alors dans la famille Pâris, ou plutôt pour parler un langage plus décent, si le nom de Comte ou Marquis de Guermantes était un titre de parents des Pâris et s'il est entièrement éteint et à prendre pour un littérateur » (*Corr.*, t. IX, p. 102). Proust semble avoir passé outre la réponse de Lauris qui lui dit que le nom se trouve dans la famille Puységur (*ibid.*, p. 107, lettre de [peu après le 23 mai 1909]).

3. *Saint Hilaire.*
Proust pense sans doute au plus célèbre saint qui a porté ce nom, saint Hilaire de Poitiers, docteur de l'Église, célèbre pour ses hymnes. Celui-ci, cependant, a vécu au IVe siècle et s'accorde mal à la présence de Gilbert le Mauvais, qui fait plutôt penser au XIVe siècle (époque de Charles II le Mauvais) ou au XIe siècle (époque de Geoffroy de Châteaudun, voir *supra* n. 1). Au f° 6 r°, les crimes de Gilbert le Mauvais et le pardon de saint Hilaire sont situés de façon explicite au XIe siècle. Les autres personnages historiques mentionnés dans le Cahier 7, comme Charles le Chauve et Rollon, créent de nouveaux anachronismes. Ces noms propres incongrus dans la chronologie sont sans doute des « béquilles » destinées à être remplacées par des noms fictifs. Dans les rédactions suivantes, Proust donne des origines moins illustres à l'église de Combray, plus en accord avec l'aspect modeste de l'édifice. Voir aussi f° 1 r° n. 6.

4. *abbaye de Guermantes.*
L'abbaye de Guermantes est décrite plus amplement aux f°s 10-14 r°s, dans le cadre d'une conversation avec Maman (morceau publié par Bernard de Fallois, voir *CSB (F)*, coll. « Folio », p. 278-282). Cette abbaye en ruine s'inspire principalement de l'abbaye de Jumièges et de celle de Saint-Wandrille (voir n. 3 et 5 au f° 10 r°), mais elle hérite également de la peinture et de la littérature romantique. Dans les feuillets de 1908 publiés en partie par Bernard de Fallois, il est question d'une abbaye écossaise en ruine, représentée plusieurs fois par Turner, le peintre favori de Ruskin : « Le château, dont le nom est dans Shakespeare et dans Walter Scott, de cette *duchess* est du XIIIe siècle en Écosse. Dans ses terres est l'admirable abbaye que Turner a peinte tant de fois, et ce sont ses ancêtres dont les tombeaux sont rangés dans la cathédrale détruite où paissent les bœufs, parmi les arceaux ruinés, et les ronces en fleurs, et qui nous impressionne plus encore de penser que c'est une cathédrale parce que nous sommes obligés d'en imposer l'idée immanente à des choses qui en seraient d'autres sans cela et d'appeler le pavé de la nef cette prairie et

l'entrée du chœur ce bosquet » (*CSB (F)*, coll. « Folio », p. 271-272). Turner a peint plusieurs églises en ruine, aussi bien des abbatiales que des cathédrales : on signalera, en Écosse, l'abbaye de Dryburgh, où est enterré Walter Scott, et la cathédrale d'Elgin. L'abbaye de Guermantes est absente des versions suivantes (Cahiers 8 et 12 ; Cahiers 10 et 63 *etc.*), mais certains éléments de l'église de Combray en gardent le souvenir, comme les pierres tombales et la crypte mérovingienne (*DCS*, I, p. 58 et 61). Sur son effacement à l'automne de 1909 dans le dialogue entre le curé et la tante Léonie, lors de la dernière mise au net du début du Cahier 63, voir *Agenda*, n. 9 du f° 11 v°.

5. *Le neveu de M. Goupil.*
L'artiste, neveu de M. Goupil, « notre excellent notaire » (f° 5 r°), s'appellerait lui-même M. Goupil (f° 3 r°). Dans le Cahier 8, f° 62 r°, M. Goupil figure comme « le neveu de notre excellent notaire » et, dans le Cahier 26, f ° 9 r°, il est mentionné comme « le notaire ». Le nom est conservé dans la *Recherche* pour désigner Mme Goupil et sa fille.

6. *Empereur Napoléon III.*
Proust hésite entre Charles X (1757-1836), roi de France entre 1824 et 1830, le maréchal de Mac Mahon (1808-1893), troisième président de la République française entre 1873 et 1879, et Napoléon III (1808-1873). Au f° 5 r°, il est question d'un vitrail représentant l'entrée de Napoléon III non pas à Combray, mais à Évreux, ce qui est plus vraisemblable. Dans les deux cas, les vitraux des grands magasins de Paris sont mentionnés par le curé comme des modèles de beauté (voir f° 1 n. 8). Un vitrail représentant Napoléon III se trouve dans l'une des chapelles absidiales de la cathédrale d'Amiens que Proust connaissait bien, comme la traduction et les notes de *La Bible d'Amiens* le montrent. Ce vitrail, exécuté en 1854 par Alfred Gérente, représente Napoléon III et l'impératrice Eugénie agenouillés en prière. Voir Amédée Boinet, *La Cathédrale d'Amiens*, Henri Laurens, 1922, p. 120. Dans la version suivante (Cahier 8, f° 62 r°), il s'agira de l'entrée de Louis-Philippe (1773-1850) à Combray (*DCS*, *Esq. XVII*, I, p. 712). Dans la version définitive de *Du côté de chez Swann*, le curé fait allusion à un vitrail moderne qui se trouve dans l'église de Roussainville et qui représente également l'entrée de Louis-Philippe à Combray (*DCS*, I, p. 103).

7. *Meséglise.*
Dans les cahiers, la graphie de Proust oscille entre Méséglise et Meséglise. Le passage de Méréglise, nom réel d'une localité proche d'Illiers, à Méséglise remonte à la publication de « Sur la lecture » dans *La Renaissance latine* (1905), repris dans la préface de *Sésame et les Lys* (1906). Dans le brouillon de cet article, Proust adoptait la graphie « Meséglise » (NAF 16619, f° 3 r°).

8. *crypte.*
La crypte de l'église qui conserve comme relique le cœur du saint éponyme n'est pas encore associée aux crimes mérovingiens. Au f° 7 r°, les « cryptes de l'ancienne église » s'étendent sous la maison d'Eulalie au point que l'agrandissement du café voisin est rendu impossible. Au f° 11 r°, c'est la crypte de l'abbaye de Guermantes qui est associée au meurtre. Dans le Cahier 6, au f° 42 r°, la crypte de l'église de Combray est reliée au passé mérovingien : elle aurait été fondée par Childebert Ier (voir f° 12 r° n. 1).

9. *brisant.*
L'allusion aux vitraux brisés et au vol des vases sacrés revient dans la réécriture du f° 6 r° et se retrouve encore dans le Cahier 8, f° 62 r°. Elle disparaît ensuite. Dans une lettre à Émile Mâle du 10 ou 11 décembre 1907, Proust évoque, dans une autre perspective, « l'audace des voleurs » qui ont appauvri les anciennes églises : « j'avais promis au *Figaro* un article sur "les Églises qui ne sont plus", sur ce qu'étaient les églises avant que les révolutionnaires, la stupidité des protestants, la démence des archéologues, l'ignorance du clergé, l'audace des voleurs et la sollicitude des pouvoirs publics les eussent peu à peu dévalisées » (*Corr.*, t. XVII, p. 545). Dans la description de l'église de Combray, Proust développe les autres amorces critiques, notamment « l'ignorance du clergé » et les dégradations au temps de la Révolution.

Folio 3 r°.

1. *porche noir, sale.*
Une note d'août 1909 sur ce thème figure également dans le Carnet 1 : « ~~Salle~~ <sale> et antique mais d'un caractère imposant regardée comme la plus belle, du reste Théodore en a un catalogue qui donne l'explication des sujets ; le portail qui vaut ~~surtout~~ <dit-on> celui de Chartres est d'une beauté remarquable » (Carnet 1, f° 42 r°-v° ; *Cn*, p. 103). Voir aussi *supra*, f° 1 r° n. 8.

2. *entre Dreux et les Andelys.*
Les Andelys est une localité de l'Eure et Dreux, une ville d'Eure-et-Loir. Ces limites géographiques comprennent donc un territoire qui s'étend du nord au sud sur un peu plus de 80 kilomètres ; au centre se trouve Évreux (Eure). Dans la version suivante (Cahier 8, fº 64 rº), Proust biffe Dreux pour écrire Châteaudun (Eure-et-Loir). Il élargit ainsi le territoire vers le sud : ces nouvelles limites géographiques comprennent Illiers, qui se trouve à une trentaine de kilomètres au nord de Châteaudun.

3. *Vierge qui dit-on couronne.*
Cette iconographie très improbable de la Vierge couronnant un prince combine d'une part l'iconographie très répandue du couronnement de la Vierge et d'autre part la représentation du noble donateur agenouillé en prière. La représentation des rois de Judas pourrait avoir influencé cette image (voir n. 5). Cette iconographie disparaît au fº 7 rº (voir *infra*).

4. *Philibert le beau.*
Philibert le Beau figure dans ce folio comme un noble médiéval, le premier prince de Guermantes. Le nom de Philibert le Beau est mentionné dans *Du côté de chez Swann* dans un tout autre contexte : « comme ces initiales de Philibert le Beau que dans l'église de Brou, à cause du regret qu'elle avait de lui, Marguerite d'Autriche entrelaça partout aux siennes » (*DCS*, I, p. 291). Dans ce cas, il s'agit bien de Philibert II de Savoie (1480-1504), duc de Savoie, prince de Piémont, époux de Marguerite d'Autriche.

5. *l'autre statue a été brisée.*
En effet, pendant la Révolution, de nombreuses statues royales aux façades des églises médiévales ont été brisées. Ces statues représentaient généralement les rois de Judas (les ancêtres du Christ) et non pas les rois de France, comme le peuple le croyait. Au fº 7 rº, la même idée est reprise et les statues sont démultipliées : « Est-ce assez vieux, est-ce assez cassé cette pauvre Vierge qui n'a plus de bras, ~~ces~~ toutes ces niches où il y a à peine les jambes des Comtes de Guermantes qui ont été brisées, dit-on, au temps de la Grande révolution ». Le Cahier 8, fº 64 rº, reprend ce passage : « Est-ce assez vieux, est-ce assez cassé cette pauvre vierge qui n'a plus de bras, toutes ces niches où il ne reste que les jambes des ~~évêques princes~~ <comtes> de Guermantes et des Princes de Brabant ».

6. *pierres tombales des abbés de Guermantes.*
Le curé observe que les pierres tombales des abbés « seraient mieux à leur place » à Guermantes où les corps sont sans doute enterrés. Dans les folios 10 à 14, elles sont situées dans l'abbaye de Guermantes. Voir fº 11 rº n. 7.

Folio 4 rº.

1. *Clodoald.*
Clodoald († 560) est le nom d'un prince mérovingien, fils de Clodomir et petit-fils de Clovis Ier, qui vécut au VIe siècle. Après la mort de Clodomir, Clodoald et ses frères (Thibaut et Gonthier) furent élevés par leur grand-mère Clotilde. Thibaut et Gonthier furent tués par leurs oncles (Clotaire Ier et Childebert). Clodoald échappa à la mort et devint moine. Il est connu également comme saint Cloud. Le nom est utilisé dans ce passage pour désigner le sire de Guermantes. Augustin Thierry ne mentionne pas Clodoald dans les *Récits des temps mérovingiens*, qui traitent principalement des événements du temps du règne de Chilpéric Ier, mais il s'étend sur le meurtre des fils de Clodomir dans la lettre VIII des *Lettres sur l'histoire de France*, en citant même des extraits de la principale source latine, l'*Historia Francorum* de Grégoire de Tours.

2. *Rollon.*
Rollon († entre 928 et 933) est le chef viking à l'origine du duché de Normandie, aujourd'hui connu surtout grâce au *Roman de Rou* de Wace et aux sagas norroises. Augustin Thierry traite de Rollon, qu'il appelle Roll ou Rolf dans sa graphie germanique, dans la lettre XII des *Lettres sur l'histoire de France* et dans le second livre de l'*Histoire de la conquête de l'Angleterre par les Normands* (A. Thierry, *Histoire de la conquête de l'Angleterre par les Normands*, Furne, 1851, 9e éd. revue et corrigée, t. I, p. 138-152). Voir C. Quémar, « L'église de Combray, son curé et le Narrateur », art. cité, p. 337, n. 4.

3. *M. le Curé.*
Début de la troisième version du dialogue entre le curé et la tante, qui sera la plus développée. À l'automne 1909, dans l'Agenda 1906, Proust s'interrogera encore sur certains éléments de cette scène : « Ordre écrit de la main de

Monseigneur et de l'architecte du diocèse / Date de la St Jean / derrière mon autel / mon église » (*Agenda*, f° 11 v°). En 1913, sur placards, il en supprimera la plupart (*Bodmer*, plac. 16, col. 1). Voir *Agenda*, f° 11 v° n. 2.

Folio 5 r°.

1. *poulets.*
Le passé ensanglanté lié aux personnages représentés sur les vitraux et à la violence de la Révolution est associé avec ironie aux aventures de l'arrière-cuisine. Le passage est repris dans le Cahier 8, f° 62 r° et ensuite dans le Cahier 10, f° 57 r°, où les poulets deviennent des canards. Dans le Cahier 8, à partir de l'allusion aux poulets, Proust écrit un morceau sur la cruauté de Françoise aux folios 61 v° à 63 v° : cet extrait est ensuite retravaillé et inséré dans « Combray » où il n'est plus en relation avec les vitraux de l'église. Sur l'évolution de ce passage, voir Akio Wada, *La Création romanesque de Proust. La genèse de « Combray »*, Champion, 2012, chapitre « L'après-midi du dimanche », p. 63-67.

2. *Françoise.*
Un long portrait du personnage figure déjà dans le Cahier 5 (f°s 20-39 r^os). Comme l'a souligné Jean-Yves Tadié, Françoise reprend plusieurs aspects d'un personnage antérieur, celui d'Ernestine dans *JS*, et notamment « ses talents de cuisinière » (J.-Y. Tadié, « Portrait de Françoise », *RHLF*, septembre-décembre 1971, n° 5, p. 754) : son nom apparaît dans le Carnet 1 dès le printemps 1909 (f° 36 v° ; *Cn*, p. 94). Auparavant, elle portait le prénom de Félicie (f° 11 v° ; *Cn*, p. 51, n. 107), qui rappelle celui de la cuisinière des Proust, Félicie Fitau. Voir aussi *infra*, f° 37 r°.

3. *elles sont toutes tachés.*
Sic.

4. *Sainte Claire.*
Il s'agit de sainte Claire d'Assise († 1253), fondatrice de l'ordre des clarisses. Le nom figure encore dans le Cahier 8, f° 62 r° et dans le Cahier 63, f° 1 r°.

5. *M. Goupil.*
Voir f° 2 r° n. 5.

6. *Napoléon III à Évreux.*
Voir f° 2 r° n. 6.

Folio 6 r°.

1. *S^t. Hilaire.*
Voir f° 2 r° n. 3.

2. *Gilbert le Mauvais.*
Voir f° 2 r° n. 1.

3. *Charles le Chauve.*
Charles le Chauve (823-877) est fils de Louis le Pieux et petit-fils de Charlemagne. Par le traité de Verdun de 843, les fils survivants de Louis le Pieux (Charles le Chauve, Lothaire et Louis le Germanique) se partagent le territoire de l'empire carolingien en le divisant en trois royaumes. Charles le Chauve devient roi de la Francie Occidentale (*Francia Occidentalis*). Augustin Thierry traite de ces événements dans la lettre XI des *Lettres sur l'histoire de France*. Par la présence simultanée de Charles le Chauve, de Gilbert le Mauvais et de saint Hilaire, le brouillage chronologique devient évident. À ce sujet, voir n. 3 au f° 2 r°. Dans l'Agenda 1906, Proust note au f° 11 v° : « épithète pour Charles » ; le rival de Gilbert le Mauvais devient ensuite Charles le Bègue (voir *Agenda*, n. 8 au f° 11 v° ; *DCS*, I, p. 104).

Folio 7 r°.

1. *de Dreux aux Andelys.*
Voir f° 3 r° n. 2.

2. *les jambes des Comtes de Garmantes.*
Voir f° 3 r° n. 5.

3. *pierres tombales des abbés de Garmantes.*
Voir f° 3 r° n. 6.

4. *Piperand.*
Avant de désigner un médecin, le nom « Piperand » (ou « Piperaud ») a donc servi à nommer le propriétaire du Café de la place de l'église de Combray (voir f° 18 r° n. 3).

5. *peindre sur sa devanture Café Billard.*
Ce détail se maintient dans le Cahier 8, f° 65 r° : « si vous ~~étiez~~ alliez encore sur la place vous verriez en magnifiques lettres d'or le mot Billard. Mais il ne pourra pas le faire son billard, car un arrêté préfectoral vient de classer la maison » (voir *DCS*, *Esq. XVII*, I, p. 713). Cette idée du Café Billard sera reprise pour l'église de Balbec, qui se trouve « en face d'un Café qui portait, écrit en lettres d'or, le mot : "Billard" » (*JF*, II, p. 19). Cf. Cahier 5, f° 51 v°. Voir également Jo Yoshida, « Métamorphose de l'église de Balbec : un aperçu génétique du "voyage du Nord" », *BIP*, n° 14, 1983, p. 58.

Folio 8 r°.

1. *Rollon.*
Voir f° 4 r° n. 2.

2. *vue.*
À ce sujet, voir le Carnet 1 au f° 42 v° (*Cn*, p. 103) : « 230 marches. Tour de force. Ce que St Hilaire a de plus beau c'est incontestablement son point de vue ». Voir aussi f° 1 r° n. 8 et f° 3 r° n. 1.

3. *la Gracieuse.*
Voir f° 1 r° n. 4.

4. *Théodore.*
Le nom du « garçon épicier » qui fait visiter l'église de Combray figure aussi dans le Carnet 1, f° 42 r° (*Cn*, p. 103) et dans les Cahiers 8, 10, 12, 13, 50, 53 et 55. Il remplace Théodule, le « garçon pharmacien » du Cahier 36 « qui chantait à l'église » (f° 5 r° ; *AD*, *Esq. XVIII*, IV, p. 714).

5. *Guillaume le Conquérant.*
Le compagnonnage du sire de Guermantes et de Guillaume le Conquérant permet d'ancrer le récit au XIe siècle. Guillaume le Conquérant (v. 1027-1087), connu également comme Guillaume le Bâtard, descendant de Rollon, fut d'abord duc de Normandie ; après la bataille d'Hastings en 1066, il devint roi d'Angleterre. Augustin Thierry l'évoque dans la lettre XIV des *Lettres sur l'histoire de France* et, du livre III au livre VIII, dans l'*Histoire de la conquête de l'Angleterre par les Normands*. Le détail de la prononciation du curé (« Guilôme », « sans mouiller l »), qui apparaît au folio suivant, est conservé jusqu'à *Du côté de chez Swann* (I, p. 104). Cette caractéristique aurait pu être suggérée par la variété des graphies latines et françaises du nom dans les textes et dans les inscriptions, par exemple dans la Tapisserie de Bayeux qui relate l'histoire de la conquête de l'Angleterre par Guillaume le Conquérant. Augustin Thierry voyait dans l'orthographe des inscriptions de cette tapisserie des traces de prononciation anglo-saxonne. Voir A. Thierry, *Histoire de la conquête de l'Angleterre par les Normands*, *op. cit.*, t. I, p. 338-340 et René Lepelley, « Contribution à l'étude des inscriptions de la Tapisserie de Bayeux [Bagias et Wilgelm] », *Annales de Normandie*, 14e année, n°3, 1964, p. 313-321.

Folio 9 r°.

1. *les enfants de Clovis II.*
Proust fait allusion à la légende des « énervés de Jumièges ». Ceux-ci seraient les fils de Clovis II († 657) et de la reine Bathilde. En punition de leur rébellion contre leur père, les nerfs de leurs jambes auraient été brûlés ou coupés, ce qui leur valut le nom d'« énervés ». Proust semble se référer à une exécution par noyade ou à une ordalie par l'eau (« ayant été portés dans un sac dans la rivière »), mais, d'après la légende, les fils de Clovis II auraient été abandonnés

sur un radeau à la dérive sur la Seine. Recueillis par saint Philibert, le fondateur de l'abbaye de Jumièges, ils auraient pris la décision d'y rester comme moines.

2. *abbés de Jumièges.*
Voir la n. précédente.

3. *les tombeaux des cinquante-neuf abbés.*
Voir f° 3 r° n. 6.

4. *la Comtesse.*
Avant l'été de 1910, la future duchesse de Guermantes a encore le titre de comtesse : voir les Cahiers 4, 8, 12, 26, 30, 31 et 66, et la n. 3 du f° 2 r° du *Cahier 26*.

5. *remonter à Charlemagne.*
Dans la version définitive, les Guermantes sont « glorieux dès avant Charlemagne » (*DCS*, I, p. 173) : les ancêtres de cette famille viennent s'ancrer avant l'époque carolingienne, dans un passé mérovingien.

6. *Louis le débonnaire.*
Fils de Charlemagne, Louis Ier le Pieux (778-840), dit aussi le Débonnaire, devint roi des Francs et empereur d'Occident. Voir aussi f° 6 r° n. 3.

7. ~~*Claire*~~ ~~*Aur*~~ *Oriane de Guermantes.*
Oriane de Guermantes figure encore dans le Cahier 8 au f° 63 v° (dans une graphie différente, envisagée ici), comme l'ancêtre de Mme de Guermantes : « Auriane de Guermantes ~~comme~~ qui faisait décapiter en un jour soixante vilains dont elle <faisait> jet~~ait~~/er les têtes dans les fossés de Guermantes qu'on ne me trouve pas assez noble pour franchir. » Le prénom d'Oriane est ensuite attribué à Mme de Guermantes. Laure Hillerin a remarqué que le prénom Auriane était porté par Auriane de Montesquiou-Fézensac (1857-1929) et mentionné dans le recueil de poèmes de Montesquiou *Les Hortensias bleus* (1896), réédité en 1906. Voir L. Hillerin, *La Comtesse Greffulhe*, Flammarion, 2014, p. 353, 358 et 526-527. Dans le Cahier 5, le prénom encore attribué à « la comtesse » était Floriane (f° 45 r° ; *CG*, *Esq. I*, II, p. 1025). Dans le Cahier 4, ces actions cruelles étaient directement associées au personnage de Mme de Guermantes : le héros pensait à elle comme à une femme qui « devait faire jeter des vilains comme [lui] dans les douves de son château » (Cahier 4, fos 41-42 ros). Voir aussi *infra*, f° 41 r°. Cette cruauté n'est pas sans rappeler celle des reines mérovingiennes ; A. Thierry relate longuement les crimes de Frédégonde dans les *Récits des temps mérovingiens*, notamment dans le « Premier récit », le « Troisième récit » et le « Quatrième récit ». À ce sujet, voir f° 11 r° n. 2. Voir aussi Françoise Leriche, « Palamède XV, baron de Charlus », in *Proust et les « Moyen Âge »*, S. Duval et M. Lacassagne (dir.), Hermann, 2015, p. 279 *sq*.

8. *franchir.*
Claudine Quémar suppose que les folios 10-14 étaient déjà écrits lorsque Proust a commencé à rédiger les folios 1 à 9 du Cahier 7. Rencontrant le morceau des folios 10-14, Proust aurait poursuivi la rédaction au début du Cahier 6. En effet, la suite du passage consacré à l'église de Combray, qui présente le point de vue du héros opposé à celui du curé, se trouve dans le Cahier 6, fos 3-5 r° (*DCS*, *Esq. XXV*, I, p. 733-734). D'après Anthony Pugh, Proust aurait écrit le présent cahier dans l'ordre des folios ; traitant de Guermantes, il aurait interrompu le morceau de la visite du curé au f° 9 r° pour en commencer un autre au feuillet suivant, le dialogue avec Maman à propos de Guermantes. Le Cahier 6, aux fos 7-9 ros, conserve un autre passage dans lequel le héros parle avec sa mère. Voir C. Quémar, « L'église de Combray, son curé et le Narrateur », art. cité, p. 289-290 et *Growth*, p. 21.

Folio 10 r°.

1. *« Ils.*
Proust change de sujet pour revenir au séjour à Guermantes sous la forme d'une conversation entre le héros et sa mère (« Te souviens-tu… », « Souvent depuis tu m'as demandé », « Je t'assure… »). On trouve également les traces d'une « conversation avec Maman » à la fin du Cahier, lorsqu'il est question de Baudelaire (« un poète que tu n'aimes qu'à demi », voir f° 56 r° n. 3) et dans le Cahier 6 (fos 7-9 ros ; voir *supra*, f° 9 r° n. 8). Les réflexions de ce morceau semblent être en lien avec le Cahier 5, dont une partie évoque le nom de Guermantes : sa sonorité, « la matière toute couleur et légende que je voyais en prononçant son nom » (f° 65 r°), et ce à quoi le héros l'associe, « la couleur des

verres de lanterne magique » et les « statues des sires de Guermantes à l'Église de Combray » (f° 64 r°). Un passage sur Mme de Guermantes paraît tout particulièrement faire écho à ce passage du Cahier 7 : « elle était aussi une personne d'aujourd'hui tandis que son nom me la faisait voir à la fois aujourd'hui et dans le XIIIe siècle » (f°s 65 r°-66 r°). Proust souligne d'ailleurs : « je pourrais mettre en regard ~~des~~/e <la Me de> Guermantes que j'ai connue et que son nom signifie pour moi maintenant, ~~celle que j'imaginais ce que~~ l'imagination que sa connaissance réalisa c'est à dire détruisit » (f° 65 r°). Cette déception du héros devant ses « joues en chair » (Cahier 5, f° 59 r°) est comparée à celle qu'il éprouve devant la basilique Saint-Marc (*ibid.*), également mentionnée juste après dans le Cahier 7 (voir n. 2). Au stade du Cahier 7, le séjour à Guermantes n'est cependant pas encore aussi décevant (voir également f° 11 r°) qu'il le sera ensuite dans le Cahier 12 (voir C. Quémar, « Sur deux versions anciennes des "côtés" de Combray », *CMP 7, ÉP II*, 1975, p. 232 et p. 233). Voir aussi *infra*, f° 40 r° n. 3. L'idée développée dans ce passage sera ensuite reprise dans le Cahier 66 de manière plus claire : « Le pouvoir des noms [...] d'unir ~~indissolublement~~ ensemble deux choses si différentes, ~~toutes les~~ <des> rêveries que ~~nous fais la littérature ou notre imagination~~ nous avons formées ~~à propos d'~~ et ~~une l'obj~~ le lieu matériel qu'ils désignent et auquel nous les rapportons, ce pouvoir ~~s'exer~~ ils l'exercent aussi bien ~~pour les~~ que pour les personnes que pour les villes et les terres, particulièrement les noms nobles qui sont ~~encore des~~ eux aussi des noms de ville et de terre. » (Cahier 66, f° 9 r° ; *CG*, *Esq. VIII*, II, p. 1055).

2. *St Marc de Venise.*
Cette comparaison de Saint-Marc avec un palais d'exposition apparaît déjà dans une note de « Sur la lecture » (1905), repris en guise de préface à la traduction de *Sésame et les Lys* (1906) de Ruskin : « [...] c'est seulement en ayant sur la place même l'impression de ce monument bas, tout en longueur de façade, avec ses mâts fleuris et son décor de fête, son aspect de "palais d'exposition", qu'on sent éclater dans ces traits significatifs mais accessoires et qu'aucune photographie ne retient, sa véritable et complexe individualité » (*SL*, n. 1 à la p. 54 [p. 55]). Dans le Cahier 3, Proust dresse déjà le parallèle entre Combray et Venise ; « l'éclat du soleil de dix heures » sur les ardoises de l'église rappelle celui de « l'ange d'or du campanile de Saint-Marc » (Cahier 3, f° 38 v°).

3. *Jumièges.*
Fondée vers 654 par saint Philibert, l'abbaye de Jumièges a suscité l'intérêt de nombreux historiens et écrivains ; Roger Martin du Gard lui a consacré sa thèse de l'École des chartes, *L'Abbaye de Jumièges. Étude archéologique des ruines* (1909). Cet intérêt pour le lieu tient d'abord aux ruines médiévales de l'église abbatiale Notre-Dame et à l'ensemble des bâtiments de l'abbaye qui embrassent mille ans d'histoire de l'architecture (du IXe au XIXe siècle). Proust mentionne les « tours de cathédrale » qui s'élèvent au-dessus des vestiges de l'église abbatiale. Dans le Cahier 39, il souligne la fusion de la nature et de l'architecture dans les ruines de Jumièges : « [...] on se rend compte ~~pleinement~~ <à Jumièges> de ce qu'il y a dans ce mot une Église, ~~à Jumièges où devant cett ce en marchant sur cette herbe~~ parceque le dallage ayant pris l'aspect de l'herbe des champs et la voûte ~~du ciel~~ n'étant plus que de l'air, nous sommes obligés... » (f° 26 r° ; inachevé, Proust renvoyant ensuite à la « phrase sur Jumièges »). Au-delà de la poésie des ruines, Proust a sans doute été fasciné par la légende des « énervés de Jumièges » qu'il évoque à deux reprises dans le présent cahier (voir f° 9 r° n. 1 et f° 13 r°). Dans une lettre à Émile Mâle de la mi-août 1907, il exprime son projet d'aller à Jumièges, Falaise et Saint-Wandrille (voir *infra* n. 5). D'après Philip Kolb, il n'est pas certain que Proust soit allé jusqu'à Saint-Wandrille ou à Jumièges, même s'il les mentionne dans ses ébauches. Voir Philip Kolb, « Marcel Proust et Émile Mâle (lettres la plupart inédites) », art. cité, p. 72.

4. *dans la cour du concierge d'une petite propriété.*
L'abbaye de Jumièges appartint à la famille Lepel-Cointet de 1853 à 1946. Selon le guide Joanne : « Les ruines de l'abbaye sont entourées des jardins pittoresques de la propriétaire, Mme Éric Lepel-Cointet, qui habite des dépendances de l'ancien monastère, converties en une belle demeure. On peut visiter les ruines en sonnant à la porte de la grande grille d'entrée ; le concierge accompagne les étrangers » (Paul Joanne, *Itinéraire général de la France. Normandie*, Hachette, 1901, p. 56 ; cf. *CG*, *Esq. VI*, II, p. 1046, n. 1 [p. 1878]).

5. *à Saint Wandrille.*
L'abbaye Saint-Wandrille ou abbaye de Fontenelle, fondée vers 649, a été habitée par Maeterlinck à partir de l'été 1907 (voir f° 12 r° n. 3). On conserve aujourd'hui une cinquantaine seulement de manuscrits en provenance de cette abbaye – dont dix-sept n'appartenaient pas à la bibliothèque ancienne, puisqu'ils remontent aux XVIe, XVIIe et XVIIIe siècles (Paris, Bibliothèque nationale ; Le Havre, Bibliothèque municipale ; Rouen, Bibliothèque municipale ; Bibliothèque Vaticane). Pour la liste complète, voir Geneviève Nortier, *Les Bibliothèques médiévales des abbayes bénédictines de Normandie*, Éditions P. Lethielleux, 1971, p. 172-182. Le seul manuscrit qui pourrait correspondre à la description de Proust est le manuscrit 330 de la Bibliothèque municipale du Havre (anciennes cotes n° 61 et A.32) : il s'agit du

Missel de Winchester, manuscrit du XIIe siècle (rédigé sans doute vers 1120), relié au XVIIe ou XVIIIe siècle. Pour une description, voir Ch. Fierville, « Missel de Winchester », *Revue des Sociétés savantes*, septième série, 6 (1882), p. 34-48.

6. *Rameau.*
Proust pourrait faire référence à l'opéra de Rameau *Hippolyte et Aricie*, qui a été repris à l'Opéra Garnier le 13 mai 1908, comme le précise un article de Debussy paru dans *Le Figaro* du 8 mai 1908, « Écoutons le cœur de Rameau ». Dans le Cahier 23, Proust exprime son attrait pour les œuvres de Rameau dans lesquelles on retrouve la « grandeur » de l'Antiquité « sous les grâces ancien régime » (f° 5 r°), et il fait référence à Saint-Wandrille où l'on découvre, derrière des portes du XVIIIe siècle, les tombes des abbés du XIIIe siècle.

7. *que nous avons d'elle.*
Sic.

8. *Te souviens-tu.*
Ce dialogue avec la mère rappelle celui qui figure dans le Cahier 6 (fos 7-9 ros), dans lequel le héros raconte son départ de chez Mme de Villeparisis. Le séjour à Guermantes y apparaît également comme un séjour heureux, comme le souligne une remarque de la mère du héros : « tu étais bien à Guermantes » (Cahier 6, f° 8 r°). Le présent morceau du Cahier 7 (fos 10-14 ros) et celui du Cahier 6 (fos 7-9 ros) pourraient être plus anciens que les autres textes conservés dans ces mêmes cahiers. Voir *supra* n. 1, et f° 9 r° n. 8.

Folio 11 r°.

1. *le temps y a pris la forme de l'espace.*
Une source possible de la formule pourrait se trouver dans la remarque de Gurnemanz dans l'acte I du *Parsifal* de Wagner : « *Du siehst, mein Sohn / zum Raum wird hier die Zeit* » (« Tu vois, mon fils, ici le temps devient espace » ; voir Cécile Leblanc, *Proust écrivain de la musique*, Turnhout, Brepols, 2017, p. 211). Cette idée préfigure la quatrième dimension de l'église de Combray, « un édifice occupant si l'on peut dire un espace à quatre dimensions – la quatrième étant celle du Temps – déployant à travers les siècles son vaisseau qui de travée en travée de chapelle en chapelle semblait vaincre et franchir, non pas seulement quelques mètres, mais des époques successives d'où il sortait victorieux » (NAF 16733, f° 153 r° ; cf. *DCS*, I, p. 60). Proust rappellera en 1915, à propos d'Albertine, « cette <quatrième> dimension des choses que mon imagination avait perçue dans l'église de Combray » (Cahier 55, f° 38 v°). Voir aussi *infra*, f° 12 r° n. 2 et 3.

2. ~~*Frédégonde*~~.
Frédégonde (v. 545-597) fut l'épouse du roi mérovingien Chilpéric Ier. Célèbre pour ses vengeances ainsi que pour sa cruauté, elle est au cœur des *Récits des temps mérovingiens* d'Augustin Thierry (voir surtout les « Premier », « Troisième » et « Quatrième » récits). Protagoniste de la « faide royale », elle est sans doute responsable des assassinats de Galswinthe (épouse de Chilpéric et belle-sœur de Sigebert), de Mérovée (Merowig, fils de Chilpéric et d'Audovère) et de Prétextat (Praetextatus, évêque de Rouen). Elle inspira l'opéra *Frédégonde* (1895), commencé par Ernest Guiraud et achevé par Paul Dukas et Camille Saint-Saëns. Un fragment de *Jean Santeuil* traite de la première représentation de cet opéra, mais il est question des manèges de M. et Mme Marmet plutôt que de l'intrigue de la pièce (*JS*, p. 679-684) – ces deux personnages pourraient être vus comme une transposition moderne du couple formé par Chilpéric Ier et sa femme Frédégonde.

3. *XIe siècle.*
Proust a longtemps hésité entre le Xe et le XIe siècle. Sur la dactylographie, « dixième siècle » est finalement barré et remplacé par le « onzième siècle » (NAF 16733, f° 153 r° ; *DCS*, I, p. 60, var. *a* [p. 1130]).

4. *lourdes épaules rondes.*
Cette métaphore des « lourdes épaules rondes » qui personnifie les éléments architecturaux fait référence plus précisément aux arcs en plein cintre de l'architecture romane, en opposition aux arcs brisés, plus légers et élégants, qui se répandent dans l'art gothique. Dans la version définitive, il est question des « lourds cintres bouchés et aveuglés de grossiers moellons » (*DCS*, I, p. 61). La métaphore des « épaules » se retrouve à propos du clocher dans un ajout marginal sur la dactylographie : « ses versants tombant comme des épaules fières et résignées » (Reliquat NAF 16752, f° 183 r° ; *DCS*, I, p. 62, var. *a* [p. 1133]).

5. *meurtres anciens que ce prince commit sur les enfants de Clotaire.*
Il s'agit d'une confusion de Proust : le prince désigné comme le meurtrier des enfants de Clotaire est, lui-même, l'un des fils de Clotaire Ier (voir la n. suivante). Proust pense au meurtre de deux enfants de Clodomir (Thibaut et Gonthier) par leurs oncles Clotaire Ier et Childebert Ier. Quelques folios auparavant, il est question de Clodoald, le seul fils de Clodomir qui a échappé à l'assassinat (voir f° 4 r° et la n. 1). Le folio suivant fait allusion à Childebert Ier (voir f° 12 r°). Les nombreux crimes attribués à Chilpéric Ier, fils de Clotaire Ier, et à sa femme Frédégonde auraient pu participer à cette confusion, notamment le meurtre de Galswinthe, épouse de Chilpéric avant Frédégonde et belle-sœur de Sigebert. C'est d'un mélange fantaisiste de ces événements historiques que surgira « le tombeau de la petite-fille de Sigebert » (*DCS*, I, p. 61).

6. *temps de Chilpéric.*
Chilpéric Ier (v. 497-584), roi mérovingien, fils de Clotaire Ier, est célèbre pour les crimes qu'il a perpétrés avec son épouse Frédégonde, décrits tout au long des *Récits des temps mérovingiens* d'Augustin Thierry (voir *supra* n. 2). La coupe chronologique de cet ouvrage (à peu près de 561 à 586) correspond approximativement au « temps de Chilpéric », roi de Neustrie de 561 jusqu'à sa mort en 584. Le « Premier récit » s'ouvre sur la mort de Clotaire Ier (Chlother) et sur le partage du royaume entre ses quatre fils, dont Chilpéric Ier (Hilperik).

7. *tombes.*
Dès 1908, Proust indiquait parmi ses travaux en cours « une étude sur les pierres tombales » (lettre à Louis d'Albufera, *Corr.*, t. VIII, p. 113). Parmi les feuillets de 1908 publiés en partie par B. de Fallois, on trouve une phrase analogue à propos d'un château situé près de Ploërmel : « on marche parmi les genêts et les roses sur les tombes des abbés » (*CSB (F)*, coll. « Folio », p. 270). Ces tombes pourraient s'inspirer des « merveilleuses tombes d'abbé[s] du XIIIe siècle de St Wandrille », mentionnées par Proust dans le Cahier 23 (f° 5 r°). Cependant, les modèles sont sans doute nombreux : « pour l'église de Combray, ma mémoire m'a prêté comme "modèles" (a fait poser) beaucoup d'églises. Je ne saurais plus vous dire lesquelles. Je ne me rappelle même plus si le pavage vient de Saint-Pierre-sur-Dives ou de Lisieux » (lettre-dédicace à Jacques de Lacretelle, 20 avril 1918 ; *Corr.*, t. XVII, p. 193). Dès le Cahier 2, Proust établissait d'ailleurs un lien entre la réflexion sur les noms et celle sur les pierres tombales dans un morceau interrompu : « Je veux des individus, des noms. Après ceux qui dorment sous l'église, ceux qui » (fos 19 r°-18 v° ; *DCS*, *Esq. XXIII*, I, p. 728-729).

Folio 12 r°.

1. *Childebert.*
Childebert Ier (v. 497-558), fils de Clovis Ier, fut roi des Francs à partir de 511. Avec son frère Clotaire Ier, il est le meurtrier de ses neveux, les fils de Clodomir. Augustin Thierry s'étend sur les événements relatifs à Childebert Ier aussi bien dans la lettre VIII des *Lettres sur l'histoire de France* que dans les *Récits des temps mérovingiens.* Il fait également allusion à Childebert II (570-596), roi des Francs d'Austrasie à partir de 575, fils de Sigebert Ier et de Brunehaut. La version définitive maintient le nom de Childebert (*CG*, II, p. 314).

2. *lanterne magique.*
Le motif de la lanterne magique, déjà présent dans *Jean Santeuil* (NAF 16615, f° 122 r° *sq.* ; *JS*, p. 316 *sq.*), est beaucoup plus développé dans le Cahier 6 (voir notamment fos 2 r°, 5 v°, 6 r°, 7 r° ; *DCS*, *Esq. VI*, I, p. 662-663). Il est associé à la présence de la forêt et à la couleur verte, même si la lande jaune (f° 6 r°) de *Du côté de chez Swann* (*DCS*, I, p. 9), en lien avec la sonorité du nom « Brabant », y fait déjà son apparition. Cependant, dans *Jean Santeuil* comme dans le Cahier 6, c'est une autre référence littéraire qui est mentionnée : Barbe-Bleue (voir C. Quémar, « L'église de Combray, son curé et le Narrateur », art. cité, p. 288 n. 1). Dès l'origine, le motif est lié à la réflexion sur le temps et possède une dimension « tragique » que révèle, dans le Cahier 6, la déploration sur laquelle se conclut le passage : « ces bras [de Maman] je ne les aurais plus » (f° 7 r°). Pour l'évolution ultérieure du motif, voir Luzius Keller, *La Fabrique de Combray*, Genève, Éditions Zoé, 2006, p. 139 *sq.*

3. *comme dans Shakespeare ou dans Maeterlinck.*
Les références à Shakespeare sont relativement rares dans les brouillons comme dans l'œuvre publiée (voir l'entrée « Shakespeare » d'Emily Eells, *Dict.*, p. 937). Dans un passage biffé du Cahier 26, Proust évoque néanmoins la « forêt de Birnam » de *Macbeth* (*Cahier 26*, f° 11 v° et la n. 1). Quant à Maeterlinck, Proust le mentionne souvent dans ses premiers articles. Un pastiche de l'auteur de *L'Intelligence des fleurs* (1907), ouvrage qui sera une des sources de la métaphore botanique pour décrire l'homosexualité (voir *infra* f° 53 v°), figure d'ailleurs dans le Cahier 3 (fos 50 v°-43 r°),

sans doute rédigé entre l'été 1908 et le printemps 1909 (voir Francine Goujon, « L'ordre des fragments dans le *Contre Sainte-Beuve* », *BIP*, n° 19, 1988, p. 40-41). Un autre pastische est conservé dans une lettre à Reynaldo Hahn datée de mars 1911 (*PM*, p. 206-207). La double référence est liée au motif de la forêt, très prégnant dans le théâtre des deux dramaturges, mais probablement aussi à la représentation de *Macbeth* donnée à Saint-Wandrille le 28 août 1909. Maeterlinck, installé dans l'abbaye depuis 1907, avait traduit et proposé une adaptation très libre de la pièce que sa compagne, l'actrice Georgette Leblanc, avait mise en scène. Si rien n'atteste que Proust ait assisté à la représentation, on sait qu'il est à Cabourg depuis le 14 août et que certaines de ses connaissances, notamment Francis de Croisset et Gaston Calmette, faisaient partie de la cinquantaine d'invités (voir l'article de Georges Bourdon dans *Le Figaro* du 30 août 1909, « Maeterlinck reçoit Shakespeare »). Quoi qu'il en soit, Proust retient ici deux aspects marquants de cette mise en scène : son atmosphère dramatique et le lien fort entre le spectacle théâtral et l'espace dans lequel il a lieu (les ruines de l'abbaye et la forêt). On peut penser qu'il s'appuie pour la description de l'abbaye sur l'article d'Abel Bonnard, « Une réalisation de Shakespeare », paru le 1er juillet 1909 dans *Le Figaro* : outre la mention du réfectoire, des « arceaux engagés dans le mur » (devenus « trois ou quatre arches rondes [...] qui disparaissent engagés dans la pierre de la muraille », f° 11 r°) et la « confusion de tous les styles et de tous les siècles », on trouve une réflexion commune sur le Temps et une même référence au « drame » (f° 13 r°). Par ailleurs, dans le Cahier 40 (f° 4 v° ; *CG*, *Esq. XXIII*, II, p. 1203), Proust fait explicitement allusion à cette représentation et à celle du *Pelléas et Mélisande* de Maeterlinck, également mis en scène par Georgette Leblanc le 28 août 1910. Sur ce point, voir Dharntipaya Kaotipaya, « Édition critique du Cahier 40 de Marcel Proust (NAF 16680) », Université Sorbonne nouvelle Paris III, thèse de doctorat de 3e cycle, 1986, p. 14-17.

Folio 13 r°.

1. *énervés de Jumièges.*
Voir f° 9 r° n. 1.

2. *je ne te dis pas de ce temps là mais dans ce temps là.*
Les œuvres du passé ne remontent pas à un temps révolu : elles y vivent encore. Proust exprime l'idée selon laquelle l'architecture médiévale serait le reflet de la pensée qui l'a engendrée. C'est pourquoi elle reste toujours ancrée à son passé ; elle traverse les siècles sans pourtant entrer en contact avec le présent. La conclusion de « Sur la lecture » (1905) évoque déjà cette « impression d'avoir devant [s]oi, inséré dans l'heure présente, actuel, un peu du passé » : les colonnes de la Piazzetta à Venise « continuent à attarder au milieu de nous leurs jours du XIIe siècle qu'elles intercalent dans notre aujourd'hui », « car elles ne sont pas dans le présent, ces hautes et fines enclaves du passé, mais dans un autre temps où il est interdit au présent de pénétrer » (*SL*, p. 57). Proust termine avec des considérations sur le « Passé familièrement surgi au milieu du présent, avec cette couleur un peu irréelle des choses qu'une sorte d'illusion nous fait voir à quelques pas, et qui sont en réalité situées à bien des siècles » (*SL*, p. 58).

3. *tours de Guermantes.*
Proust reprend l'idée qu'il avait exprimée dans un passage des feuillets de 1908 publiés en partie par B. de Fallois, évoquant un « sublime château gothique près de Ploërmel » (sans doute le château de Josselin, « qu'on dit admirable », écrit-il à Lucien Daudet à la fin d'août 1908 ; voir *Corr.*, t. XXI, p. 639). Dans ce texte, il évoquait son cloître, ses allées « où on marche parmi les genêts et les roses sur les tombes d'abbés, qui vivaient là sous ces galeries, avec la vue de ce vallon dès le VIIIe siècle quand Charlemagne n'existait pas encore, quand ne s'élevaient pas les tours de la cathédrale de Chartres ni d'abbaye sur la colline de Vézelay » (*CSB (F)*, coll. « Folio », p. 270). Ce passage sera repris dans la marge du Cahier 39, dans un développement très travaillé consacré au nom de Guermantes. Comparé « à une tour fleuronnée qui doit traverser les âges », il « s'élevait déjà ~~fièrement~~ sur la France, alors que Guillaume n'était pas encore parti à la conquête de l'Angleterre » et « que vivait Macbeth » (Cahier 39, f° 7 r° ; *CG*, II, p. 316, var. *b* [p. 1532-1533]).

4. *Mathilde.*
Mathilde de Flandre (v. 1031-1083), fille de Baudouin V de Flandre, fut, par son mariage avec Guillaume le Conquérant, duchesse de Normandie puis reine consort d'Angleterre. Elle figure avec son époux dans l'*Histoire de la conquête de l'Angleterre par les Normands.* Une fausse tradition lui attribuait l'exécution de la tapisserie de Bayeux, d'où le nom de Tapisserie de la reine Mathilde. À ce sujet, voir Augustin Thierry, *Histoire de la conquête de l'Angleterre par les Normands*, *op. cit.*, t. I, p. 338-340. C'est sans doute à cette tradition que pense Proust quand, dans le Cahier 6, il évoque la reine Mathilde parmi les « créatures de rêve », comme saint Bernard et Suger qui « ont laissé là en disparaissant quelques objets qui peuvent nous donner la même impression de poésie qu'à des paysans la vallée où ils croient que les rochers

ont été déposés par les fées » (Cahier 6, f° 1 v°). Dans une lettre du 8 août 1907 à Émile Mâle, Proust évoque son intérêt pour « les pierres mortes depuis le XIIe siècle […] et qui en sont restées à la Reine Mathilde » (*Corr.*, t. VII, p. 250) ; voir aussi Ph. Kolb, « Marcel Proust et Émile Mâle (lettres la plupart inédites) », art. cité, p. 81.

5. *elles sont pensée.*
Proust reprend une idée exprimée par Émile Mâle à plusieurs reprises, selon laquelle l'architecture médiévale est comme de la pensée qui a pris forme. Mâle écrit par exemple : « Au Moyen Âge, toute forme est le vêtement d'une pensée. On dirait que cette pensée travaille au dedans de la matière et la façonne. La forme ne peut se séparer de l'idée qui la crée et qui l'anime » (É. Mâle, *L'Art religieux du XIIIe siècle en France. Étude sur l'iconographie du Moyen Âge et sur ses sources d'inspiration*, Colin, 1902, p. 3, préface ajoutée à la deuxième édition).

6. *Guillaume partit à la conquête de l'Angleterre.*
Voir f° 8 r° n. 5 et f° 13 r° n. 3.

Folio 14 r°.

1. *les maisons de La Rochefoucauld, de Noailles, d'Uzès, de Fezensac.*
Proust mentionne ici les noms de quelques-unes des plus anciennes familles de la noblesse française (XIe-XIIIe siècle). Ils sont tous cités dans l'article sur le salon de la comtesse Greffulhe qu'il avait rédigé en 1903 pour *Le Figaro* (transcrit par Laure Hillerin dans son ouvrage *La comtesse Greffulhe*, *op. cit.*, p. 459 *sq.*). Proust y insiste sur les liens entre ces différentes maisons. Dans le pastiche de Saint-Simon paru dans *Le Figaro* le 18 janvier 1904, on trouve également les noms de Montesquiou, Luynes (voir n. 3), Noailles et La Rochefoucauld (*PM*, p. 710). Le comte Robert de Montesquiou, également cité au f° 15 r°, appartient à la maison Fezensac. Voir f° 15 r° n. 6 et 7.

2. *tour de Beurre.*
La tour dite de Beurre est une des tours de la cathédrale de Rouen. Dans *Du côté de chez Swann*, c'est la sonorité du nom d'une autre cathédrale normande, celle de Coutances, qui évoque la tour de Beurre avec « sa diphtongue finale, grasse et jaunissante » (*DCS*, I, p. 381-382).

3. *Luynes.*
Château situé en Touraine. Le nom figure dans le Carnet 1 à côté de celui de Montfort (f° 31 v° ; *Cn*, p. 85). Dans sa correspondance, Proust mentionne Honoré, dixième duc de Luynes et de Chevreuse, également duc de Montfort. Il l'évoque en particulier comme « second » parrain potentiel au moment où il cherche à être admis au Cercle de l'Union (lettre à Louis d'Albufera, 13 janvier 1905, *Lettres*, p. 305-306). Tout ce passage sur la généalogie de la famille Luynes sera repris et précisé dans le Cahier 13 (f° 8 v°), dans une note intitulée « À ajouter ailleurs à propos des noms nobles » (*CG*, *Esq. VII*, II, p. 1049-1050). Proust y développe les liens de parenté entre tous les noms ici mentionnés : le duc de Luynes, le duc de Chevreuse, le prince de Joinville, Mlle de Luynes-Brantes, car « les noms sont vivants, voyagent avec les châteaux » (Cahier 13, f° 8 v°). Voir aussi *CG*, *Esq. VI*, II, p. 1048, n. 1 et n. 3 [p. 1878-1879].

4. *Brantes.*
Le nom du château du Fresne qui appartient à la marquise de Brantes est mentionné dans le Carnet 1 (f° 37 r° ; *Cn*, p. 95, n. 292). Dans le Cahier 13, une addition marginale évoque encore ce nom : « Un nom comme Brantes est tout enflé parceque dedans à l'intérieur de ses syllabes nous faisons tenir le mariage de Mlle de Luynes Brantes avec M. de Cessac celui qui fut compromis dans l'affaire des poisons » (f° 9 v° ; *CG*, *Esq. VII*, II, p. 1050).

5. *un château au midi.*
Tout ce passage s'intègre à la rédaction principale, à la hauteur du signe de renvoi en forme de croix qui figure un peu plus haut dans l'interligne : il devait remplacer les lignes suivantes, que Proust a omis de biffer. Il est repris et explicité dans une note du Cahier 13 : l'énumération des titres doit « en réalité être reprojetée dans le temps et dans l'espace, […] toutes choses concentrées fictivement dans une ligne de titres comme des mariages, des alliances de terres, des substitutions etc venant aboutir sur un blason à inscrire sur un champ d'azur au dessus d'une tour d'argent un château d'or » (marges des f°s 8-9 v°s, transcription simplifiée ; *CG*, *Esq. VII*, II, p. 1050). Un passage très travaillé du Cahier 39 tente également d'inscrire ce blason dans la réflexion sur les noms (f° 6 v° ; *CG*, II, p. 316, var. *b* [p. 1533-1534]). Le passage sera finalement repris dans *Le Côté de Guermantes* (*CG*, II, p. 313-314).

Folio 15 r°.

1. *petit noyau.*
L'unité textuelle sur les Verdurin commence par quelques notes où Proust cherche à préciser l'idiolecte du petit groupe. Deux des expressions notées ici – « fourré », « petit noyau » – seront immédiatement reprises dans la narration (respectivement aux f°s 15 r° et 16 r°). On retrouve le « petit noyau » dans le Cahier 6, rédigé à la même période (f°s 20, 26-29 r[os]), et dans un passage du Carnet 1 consacré à l'amitié qui date vraisemblablement d'août 1909 : « Pas si ridicule le petit noyau des Verdurin » (f° 39 r°-v° ; *Cn*, p. 99).

2. *les Verdurin.*
Leur nom apparaît également dans une note du Cahier 31 : « Ne pas oublier les Verdurin (Ménard, Lemaire, Thomson, Derbanne, appart[t]) » (f° 14 r°). Cependant, dans le même cahier, le salon Verdurin sera posé comme un concurrent du salon de Madeleine Lemaire (f° 19 r°). Dans ce Cahier 31 qui précède de peu la rédaction du Cahier 7, les Verdurin sont d'abord appelés X (f° 4 r°), puis une fois Y (f° 8 r°), avant de prendre leur nom définitif au f° 14 v°. Une unité consacrée au « clan » (f°s 14 v°-23 r°) est introduite par ces mots : « Connaissez-vous les Verdurin ? » ; elle se poursuit par la comparaison des Verdurin avec Venise et son lacis de ruelles (destinée, jusqu'aux placards de 1913, à ouvrir « Un amour de Swann » : *DCS*, I, p. 186, var. *a* [p. 1193]), qui se clôt sur cette remarque : « Ainsi des Verdurin quoique rien ne soit moins poétique. Jamais personne n'a parlé des Verdurin » (Cahier 31, f° 15 r°). Comme le confirme la correspondance, il s'agit d'emblée d'une satire de ce milieu à la fois bourgeois et artiste, dont un des nombreux modèles – énumérés dans la note du Cahier 31 déjà citée (f° 14 r°) – serait le salon de Madeleine Lemaire. Dans une lettre du 17 ou 18 juillet 1909, Proust envoie à Reynaldo Hahn ce distique sarcastique : « Je crains que mon roman sur le vielch Sainte-Veuve/ Ne soit pas, entre nous, très goûté chez la Beuve », c'est-à-dire Madeleine Lemaire (*Corr.*, t. IX, p. 146).

3. *« clan. »*
Ce mot emprunté à l'anglais (1746) désigne un « groupe social issu d'un même ancêtre en Écosse » et tire son origine du gaélique *clann* qui signifie « famille ». Le mot français a aussi repris à l'anglais le sens de « coterie, petit groupe uni par une communauté de goûts, d'idées » (1808). Voir Alain Rey, *Dictionnaire historique de la langue française*, Le Robert, t. I, p. 270, *s. v.* « Clan ».

4. *Forcheville.*
Au début du Cahier 31 qui met en place le scénario d'« Un amour de Swann », le comte de Forcheville (f° 4 r°) est déjà vu comme le rival de Swann et il est favorisé par les « X ». Ensuite, dans le Cahier 36 qui raconte la mort de Swann, Mme Swann se remarie avec le comte de Forcheville et sa fille, adoptée par ce dernier, devient Mlle de Forcheville. Comme le souligne A. Pugh (*Growth*, p. 7), une marquise de Cardaillec « née Forcheville » apparaît cependant dès le Cahier 1 (f° 20 v°). Mariée au comte de Forcheville, elle possède à Alençon « un vieil hôtel » « au charme balzacien » et elle est la fille de Swann (f° 18 v°). Dans le Cahier 4, Mme de Forcheville fait aussi une apparition furtive puisque le narrateur annonce seulement qu'il « sera question plus tard » d'elle, mais Proust barre finalement le nom pour le remplacer par celui de Mme de Guerchy (f° 42 r° ; *DCS*, *Esq. LIII*, I, p. 813).

5. *belles relations.*
Proust développe ici un aspect du clan Verdurin évoqué en quelques phrases dans le Cahier 31 : « Ces amis ont eux-mêmes d'autres relations, les Verdurin ne leur en parlent jamais, car ils ne s'intéressent pas aux autres et "ne demandent qu'à ne pas les connaître". [...] Mais si on les laisse aller ailleurs on exige d'eux, tacitement, qu'ils adoptent tout le credo des Verdurin [...] » (Cahier 31, f° 18 r°). Dans la suite du Cahier 7, Mme Verdurin sera comparée à « ces grands inquisiteurs qui ne pouvait [*sic*] extirper l'hérésie au fond des cœurs » (*infra*, f° 18 r°). Dans le Cahier 6, il était aussi précisé que Swann, même s'il ne prise que ses relations aristocratiques, connaît très bien le président de la République, Jules Grévy, avec qui il déjeune régulièrement (f°s 21-22 r[os]).

6. *les Montesquiou.*
La famille de Robert de Montesquiou, comte de Montesquiou-Fezensac (1855-1921), est apparentée à la famille La Rochefoucauld, dont le nom est également cité sur cette page (voir *supra*, f° 14 r° n. 1). C'est en 1893, chez Madeleine Lemaire, que Proust avait rencontré le poète et critique d'art qui avait inspiré des Esseintes dans *À rebours* (1884) et dont il utilisera certains traits pour son futur baron de Charlus. De 1893 à 1899, ils entretiennent une correspondance suivie et se voient régulièrement, Proust cherchant à cultiver sa relation avec un aîné qui est bien introduit dans les milieux littéraires et mondains. Mais, à partir de 1903, la relation semble s'inverser et c'est le Comte qui s'efforce d'at-

tirer Proust à ses soirées (voir *Lettres*, « Notices biographiques de correspondants » établies par V. Greene, p. 1250). Au f° 17 r° du présent cahier, M. Verdurin, contrairement à Swann, affirme que « tout le monde » trouve Montesquiou « assommant et dénué d'esprit ».

7. *les La Rochefoucauld.*
La famille La Rochefoucauld est une famille noble depuis le XIe siècle. Gabriel, comte de La Rochefoucauld et fils d'Aimery, cousin de Robert de Montesquiou, descend en ligne directe de l'auteur des *Maximes* (*Lettres*, « Notices biographiques de correspondants », p. 1250). Dans *DCS*, Proust s'éloignera de son cercle de relations, évoquant deux autres familles nobles, les La Trémoïlle et les Laumes (I, p. 254). Voir aussi *supra*, f° 14 r° n. 1.

8. *personne.*
Sic. L'expression devrait figurer au pluriel, tandis qu'« étaient pénibles » et « étaient accueillis » devraient être au singulier.

9. ~~*l'aveu d'une faute.*~~
Ce passage est un développement du « credo » du Cahier 31 (f° 18 r°). Le lexique religieux y est très présent : voir les termes « hérésies », « inquisiteurs », « orthodoxie » (f° 18 r°) et « initiés » (f° 19 r°). C'est autour de Mme Verdurin, dont le visage a une majesté « presque papale » (f° 16 r°), que se déploie cet ensemble de rites qui s'impose comme une règle à tous les membres du « clan ».

Folio 16 r°.

1. *Leur visage.*
La gémellité du couple Verdurin est ici manifeste puisque l'expression figure au singulier comme si les Verdurin ne formaient qu'un seul et même personnage.

2. *ennuyeux.*
Les « ennuyeux », « ceux dont on se gare comme de la peste », sont évoqués dès le Cahier 31 (f° 18 r°).

3. *« amis ».*
Dans le Cahier 31, Proust évoque les « "fameux" amis », en détachant l'épithète (f° 17 r°). Dans le Carnet 1, c'est au sein d'une réflexion sur l'amitié que le nom des Verdurin est mentionné pour la première fois, en août 1909 (f° 39 r°-v° ; *Cn*, p. 99).

4. *« camaros ».*
Le substantif « camaro » qui signifie « camarade » est entré dans la langue en 1846. Il est employé dans des dialogues par des écrivains comme Pierre-Alexis Ponson du Terrail, Émile Zola, Henri Barbusse. Il est sorti d'usage au XXe siècle. Voir Alain Rey, *Dictionnaire historique...*, *op. cit.*, t. I, p. 595, *s. v.* « Camarade ».

Folio 17 r°.

1. *papier timbré.*
Le papier timbré est un papier émis par l'État pour la rédaction d'actes judiciaires ou civils soumis au droit de timbre. Recevoir du « papier timbré », c'est donc recevoir une lettre officielle qui peut revêtir un caractère contraignant, le rappel d'un créancier, par exemple.

2. *mère de la pianiste.*
Voir *a contrario* la « mère du pianiste » (f° 18 r°). Le pianiste semble toujours avoir été envisagé comme un homme dans les brouillons, depuis « le petit pianiste » du Cahier 51 (f° 9 r° ; *MPG*, p. 56). Dans le Cahier 31, Proust évoquait cependant un autre personnage de mère, la « mère de la couturière » (f° 22 r°), ce qui pourrait expliquer le lapsus. Dans ce même cahier, apparaît également un pianiste suédois « dont Mme Verdurin préfère le "jeu" à celui de Risler » (f° 18 r°) ; sa mère est l'un des rares personnages féminins du « petit noyau », car « il n'y a pas de femmes chez les Verdurin, sauf d'humbles et naïves jeunes femmes, la femme du jeune médecin, la mère du pianiste ou la fille de la couturière » (f° 19 r°). La mère du pianiste est aussi, dans le Cahier 36, la tante de la femme de chambre de la baronne de Picpus (future baronne Putbus). Proust y développe son portrait : « Mme Maudouillard » est une veuve à la fois prétentieuse et vulgaire, au langage ponctué par « un cliquetis de gorge » ; elle se montre très critique envers

Mme Verdurin qu'elle trouve « bonne femme, mais "pas les manières distinguées", "le genre de la commerçante" » (fos 2-10 ros ; *AD*, *Esq. XVIII*, IV, p. 714-716 ; *DCS*, *Esq. LXXIII*, I, p. 898). Le personnage était encore appelé à cette époque à jouer un rôle de liaison important, car il entretient aussi des rapports avec le monde de Combray : la nièce de Mme Maudouillard connaît Théodule (futur Théodore) et projette d'envoyer des cartes postales au héros depuis Brou, localité située près d'Illiers (Cahier 36, f° 9 r°). Dans le Cahier 6, le personnage n'est plus la mère du pianiste, mais sa tante (fos 26, 27 et 29 ros ; *SG*, *Esq. X*, III, p. 1007 *sq.*), comme dans les cahiers ultérieurs et dans la version définitive (*DCS*, I, p. 186, 187, 197, *passim*). Un développement lui est consacré dans le Cahier 16 (fos 5-6 ros). On trouve aussi dans le Cahier 15 un « pianiste breton » (f° 4 r°), appelé « Berget » dans le Cahier 16 (f° 8 r°).

3. *Bois Boudran.*
Allusion aux réceptions des Greffulhe dans leur château de Bois-Boudran près de Fontenailles en Seine-et-Marne. Sur Bois-Boudran, voir L. Hillerin, *La comtesse Greffulhe*, *op. cit.* p. 252 *sq.* Le Comte et la Comtesse y organisaient régulièrement des chasses, comme le soulignait dans l'article de Proust « Journées de lecture » du 20 mars 1907 un passage supprimé par la rédaction du *Figaro*, qui évoquait les « battues de Bois-Boudran » et les « laisser-courre de Vallière » (*EA*, p. 532, n. 2 [p. 925]). Proust lui-même s'y rendit le 15 janvier 1905 pour « assister à des expériences de téléphonie sans fil », comme il le mentionne dans une lettre à Louis d'Albufera. Voir L. Hillerin, *La comtesse Greffulhe*, *op. cit.*, p. 375-376 et *Lettres*, p. 306-307. Voir aussi le fragment d'une lettre de 1907 à Lucien Daudet qui évoque peut-être une autre visite, dans Michel Bonduelle, *Mon cher petit*, Gallimard, 1991, p. 160.

4. *Mouchy.*
Château de Mouchy-le-Châtel, dans l'Oise, à proximité de la résidence impériale de Compiègne ; il fut embelli et agrandi dans la seconde moitié du XIXe siècle, sur la volonté de la famille de Noailles, proche de Napoléon III. Le [28 ou 29 juin 1909], Proust remercie avec émotion son ami Robert Dreyfus d'avoir mentionné dans un de ses ouvrages une « revue jouée par [Charles] Haas », modèle de Swann, « à Mouchy », en 1863 (*Corr.*, t. IX, p. 119 et n. 19).

5. *Montesquiou.*
Voir f° 15 r° n. 6.

Folio 18 r°.

1. *ces grands inquisiteurs qui ne pouvait.*
Sic. La construction de la phrase dans son ensemble n'a pas été relue par Proust.

2. *l'Impératrice.*
Eugénie de Montijo (1826-1920) avait épousé Napoléon III en 1853. Elle était réputée pour sa beauté et sa coquetterie.

3. ~~*Monsieur Piperand*~~.
Faut-il relier ce début de phrase barré au morceau qui le suit dans le Cahier et qui est consacré au futur Docteur Cottard ? En effet, si le nom « Piperand » apparaît dans le présent cahier pour désigner le propriétaire du café situé sur la place de l'Église (*supra*, f° 7 r°), plus tard, dans le Cahier 12, un Docteur Piperaud ou Piperand conseille aux parents du héros de lui faire « prendre des douches » (f° 24 r° ; *DCS*, *Esq. LIV*, I, p. 820) et, dans *Du côté de chez Swann*, un Docteur Piperaud (I, p. 54) apparaît encore. On peut supposer que c'est plutôt du cafetier qu'il s'agit ici : si le patronyme « Cottard » pour désigner le médecin qui gravite autour du salon des Verdurin n'apparaît pas encore directement dans le Cahier 7, il désigne déjà la femme du Docteur et ses enfants au f° 19 r°-v°, et on le trouve à de nombreuses reprises dans le Cahier 6 qui lui est contemporain (f° 16 r° *sq.*). C'est d'ailleurs sans doute la proximité, sur cette page du Cahier 7, du nom Piperand avec le portrait du Docteur qui a entraîné la confusion. En effet, dans le Cahier 8 où s'effectue le glissement, le nom « Piperand » désigne encore le propriétaire du café (f° 65 r° ; *DCS*, *Esq. XVII*, I, p. 713) ; le médecin de Combray qui soigne la tante Octave (tante Léonie) est appelé dans un premier temps « Docteur Quinquelan » (f° 51 r° ; *DCS*, *Esq. XVII*, I, p. 706). Ce n'est que par une correction marginale sur ce même folio qu'il prend le nom de Piperand/Piperaud.

4. *une espèce de rire.*
Une continuation du passage sur le docteur Cottard figure dans le Cahier 6, f° 16 r° : « Suite du Docteur Cottard. ~~Le Doct~~ Fait suite à ce que le Docteur Cottard au repos avait l'air de ~~cher~~ sourire préventivement » (*DCS*, *Esq. LXXII*, I, p. 892). Voir aussi l'addition des fos 18 v°-19 v°.

5. *les phénomènes de ses malades.*
Le terme phénomène, du grec *phainomenon*, « ce qui apparaît », peut désigner dans le domaine de la pathologie le « signe ou ensemble de signes observable(s) d'un trouble, d'une maladie » (TLF, *s. v.* phénomène). Il est alors souvent employé au pluriel.

Folio 18 v°.

1. *vous un tendre.*
Sic : « vous [êtes] un tendre ».

2. *quel expression.*
Sic.

3. *malheur pour la France.*
Dans le Cahier 16, l'expression devient : « Un bonheur pour la France » (Cahier 16, f° 8 r° ; *DCS*, I, p. 201). On note également que l'anecdote n'est plus racontée sur le mode itératif mais au sein de la soirée où Swann « fit ses débuts » (*DCS*, I, p. 197).

Folio 19 r°.

1. *le peintre.*
Un autre peintre anonyme qui « prend des vues » de l'église apparaît également au début du Cahier (*supra*, f° 1 r° *sq.*). Dans le Cahier 25, ces deux peintres se révèlent être la même personne : celui qui peint dans l'église n'est autre que le futur Elstir (f° 31 v°), ce qui n'est finalement plus le cas dans la version définitive. Voir *supra*, f° 1 r° n. 3. C'est seulement avec le Cahier 28 – qui date de 1910 – que le peintre acquiert le nom d'Elstir : voir f° 28 v° n. 12.

2. *Besnard.*
L'édition de la « Bibliothèque de la Pléiade » lit « Bonnard* », pour le peintre Pierre Bonnard (*DCS*, *Esq. LXXI*, I, p. 890). Cependant, il s'agit plus vraisemblablement d'Albert Besnard (1849-1934), peintre et décorateur, qui a réalisé de nombreux portraits comme ceux de la princesse Mathilde, de l'actrice Réjane ou encore, en 1894, celui de Lucien Daudet (*Tadié*, p. 296). Proust cite son nom dans un article – finalement non publié – sur Montesquiou, le peintre ayant en 1899 illustré son recueil *Les Perles rouges* de quatre eaux-fortes (*EA*, p. 411 et p. 897, n. 3). Besnard est également mentionné dans le *Cahier 54* (f° 50 v° et n. 2) et dans les Carnets (Carnet 1, f° 5 v° ; Carnet 2, f° 57 v° ; *Cn*, p. 39, 235).

3. *portrait.*
Ce portrait du docteur n'est, à l'étape du Cahier 15, qu'un projet du peintre à qui Mme Verdurin recommande « dans le langage artiste qu'elle avait adopté » : « vous allez me faire le portrait de son sourire » (Cahier 15, f° 8 r°). Dans le Cahier 16 comme dans la version définitive, c'est déjà un tableau qui se trouve dans l'atelier du peintre (Cahier 16, f° 4 r°).

4. *des filles.*
Un personnage de libertin apparaît dès les premiers brouillons, comme le souligne Françoise Leriche ; dans le Cahier 4, c'est à Swann que sont attribuées de nombreuses amourettes. Voir F. Leriche, « *Louisa*/Sonia, Wanda, Anna, Madeleine, Carmen, Odette, Suzanne... », *BIP*, 1988, n° 19, p. 72-73. C'est seulement dans la Première dactylographie qu'un ajout manuscrit atténue cette notation sur la fréquentation par Swann des lieux de plaisir : « bien que lui-même y allât pourtant fort peu, n'ayant jamais vécu dans le monde de la noce. » (NAF 16731, f° 21 r°).

5. *Wanda.*
Ancien nom d'Odette. Dans les cahiers, le personnage féminin sur lequel se cristallisent les passions d'un héros apparaît sous les noms de Louisa puis Sonia (Cahier 31), Wanda (Cahier 7), Anna (Cahiers 25 et 12), Madeleine (Cahier 12), Carmen (Cahier 69). Le prénom Odette apparaît finalement dans le Cahier 69 (F. Leriche, art. cité, 1988, p. 73 *sq.*). Françoise Leriche note également la consonance slave du prénom Wanda et indique son origine probable, le nom de plume de l'épouse de l'écrivain Leopold von Sacher Masoch. Wanda von Sacher Masoch publia son livre

autobiographique *Confession de ma vie* en 1906 à Berlin ; un compte rendu figurait dans le numéro de juillet 1906 du *Mercure de France*, qui fit paraître la traduction française l'année suivante (en édition pré-originale de janvier à avril, puis intégralement en volume dans sa collection ; voir F. Leriche, art. cité, 1988, p. 76 et 83).

Folio 20 r°.

1. *« chacun libre ».*
Dans le Cahier 31, il était précisé à propos du pianiste suédois qu'« il joue s'il en a envie » et « ne joue pas s'il n'en a pas envie » (f° 18 r°). Voir aussi l'article de Proust consacré au salon de Madeleine Lemaire, « La cour aux lilas et l'atelier des roses » (*Le Figaro*, 11 mai 1903), qui insiste déjà sur le caractère presque improvisé de ces « petites réunions » où les artistes interviennent : « sans aucun préparatif, sans aucune prétention à la "soirée", chacun des invités "travaillant de son métier" et donnant de son talent, la petite fête intime avait compté des attractions que les "galas" les plus brillants ne peuvent réunir » (*EA*, p. 458). On remarque que l'expression « travailler de son métier », reprise de Madeleine Lemaire sans doute, est attribuée ici à Mme Verdurin avec une intention satirique.

2. *~~Rembrandt~~.*
Le nom de Rembrandt, ici biffé sans être remplacé, apparaît encore – à titre de comparaison cette fois – dans *DCS* (I, p. 250). Proust avait vraisemblablement commencé à écrire le nom d'un autre peintre dans l'espace interlinéaire, peut-être celui de Hals qui est mentionné dans l'édition définitive (*DCS*, I, p. 250, n. 2 [p. 1214]). Le choix du thème floral pour le tableau explique sans doute la biffure (cf. n. 3). Vers 1900, Proust avait écrit un court essai consacré à Rembrandt (*EA*, p. 659-664) dans lequel il décrivait le style du peintre et évoquait « sa matière dorée » (NAF 16636, f° 75 r° ; *EA*, p. 660) ; mais, bien différente des matières évoquées par le peintre des Verdurin, cette « lumière » » était « en quelque sorte le jour même de sa pensée » (f° 75 r° ; *EA*, p. 660). Voir K. Yoshikawa, *Proust et l'art pictural*, Champion, 2010, chapitre « Rembrandt et sa lumière de pensée », p. 95-116 et, en particulier, p. 102-105.

3. *fleurs.*
Cet ajout interlinéaire est développé dans un passage très raturé du Cahier 16. Dans ce cahier, le tableau a été peint par un « ~~artiste~~ <ami de madame Verdurin> », « mort récemment », « dont une exposition ~~prés~~ faisait connaître en ce moment même toutes les dernières œuvres [...] et était presque pour tout le monde une révélation. » (Cahier 16, f° 3 r°). Il représente un « bouquet de ~~violettes~~ <pensées> dans un vase » (*ibid.*) ; ce sera « une aquarelle de fruits » dans un ajout à la dactylographie (NAF 16733, f° 26 r°). Dans le texte définitif, le genre pictural n'est plus précisé, et la référence à Rembrandt (et à Hals) rétablie sous forme de comparaison (*DCS*, I, p. 250).

4. *avec du caca.*
Le propos est en partie conservé dans la version définitive (*DCS*, I, p. 250). L'édition de la « Bibliothèque de la Pléiade » renvoie au peintre et décorateur José Maria Sert dont on aurait dit : « Sert peint avec de l'or et de la *merde* » (*ibid.*, n. 1 [p. 1214]). Elle rapproche aussi le passage avec le style des Goncourt (*DCS*, p. 251, n. 1 [p. 1215]) : Proust pourrait ici ironiser sur leur propension à la scatologie. Le peintre apparaît également dans le Cahier 6 qui complète la description du « petit noyau » des Verdurin du présent Cahier 7. On apprend qu'il « lâchait » parfois parce qu'il « dormait mal » et était « constipé », ce à quoi M. Verdurin remédie en lui indiquant « immédiatement une potion qui est à la fois laxative et dormitive » (Cahier 6, f° 18 r°). Ce premier portrait du futur M. Biche insiste donc sur son attrait pour la matière, qu'elle soit corporelle ou picturale.

5. *c'est si loyal.*
L'usage récurrent du présentatif « c'est » pourrait être une nouvelle illustration des notes visant à préciser l'idiolecte du « petit noyau », à l'orée de la section consacrée aux Verdurin (voir f° 15 r° : « c'est comme en peinture* » et n. 1). Les tics de langage du peintre des Verdurin s'apparentent à ceux du peintre Vuillard, que Proust avait soulignés dès 1907 dans une lettre à Reynaldo Hahn : « Il dit avec intensité "un type comme Giotto n'est-ce pas, ou encore un type comme Titien n'est-ce pas, savaient aussi bien que Monet, n'est-ce pas, un type comme Raphaël etc". Il dit bien type une fois par vingt secondes mais c'est un être rare. » (Lettre du [1er ou du 2 septembre 1907], *Corr.*, t. VII, p. 267). Voir Jo Yoshida, « La genèse de l'atelier d'Elstir à la lumière de plusieurs versions inédites », art. cité, p. 27. En ce qui concerne le langage du futur Elstir, Proust continuera à le singulariser, comme dans le Cahier 34 : « le type qui a sculpté cette façade là croyez bien qu'il était aussi fort [...] que les gens que vous admirez le plus maintenant. » (f° 15 r°, ajout marginal), et jusque sur la dactylographie corrigée : usage du présentatif « c'est » et du pronom « ça »,

ou encore exagérations. Voir par exemple : « C'est fou, c'est divin, c'est autrement chouette que tout ce que vous verrez en Italie », ou encore : « tout ça c'est une question de génie », ou : « tout ça c'est des blagues », pour la description de l'église de Balbec (NAF 16752, f° 320).

6. *Wanda.*
Voir f° 19 r° n. 5.

7. *des mariages.*
Dans le Cahier 16, le peintre aime à favoriser les « liaisons », raison pour laquelle il se réjouit que Swann soit introduit « ~~dans le salon~~ chez Madame Verdurin » (f° 1 r°). C'est à cette étape qu'est ajoutée la référence à l'homosexualité ; à propos de ces mariages, il confie au docteur Cottard : « ~~tout ce qu'on veut~~, ~~même entre femmes~~ <j'en ai déjà> réussi beaucoup, même entre femmes ! » (*ibid.*).

Folio 21 r°.

1. *Je rougis.*
Dans le Cahier 12, cahier de montage, Proust fait le lien entre la conversation avec le curé (*supra*, f°s 1-9 r°s) et la présente évocation de l'église de Combray (f°s 21-24 r°s) par cette phrase : « j'avoue que j'étais bien loin d'être aussi sévère que notre curé pour l'église de Combray » (f° 1 r°, transcription simplifiée) ; il reprend ensuite la comparaison de l'église de village avec les cathédrales gothiques du Nord de la France : « L'abside de Combray, oserais-je vraiment en parler ? Elle était si grossière auprès de tant d'absides que j'ai vues depuis » (f° 4 r° ; *DCS*, *Esq. XXVIII*, I, p. 740). C'est à partir de cette version du Cahier 12 que se forme de manière explicite ce que Claudine Quémar appelle le « diptyque sur le motif de l'église de Combray », opposant le point de vue prosaïque du curé (qui vient du Cahier 7, f°s 1-9 r°s) au point de vue empreint « de poésie » et d'émotion du narrateur (qui vient du Cahier 6, f°s 3-5 r°s). Voir C. Quémar, « L'église de Combray, son curé et le Narrateur », art. cité, p. 280 n. 4.

2. *l'abside se trouvait surélevée.*
L'abside de Saint-Hilaire présente une configuration bien particulière. Elle repose sur un mur de pierre plein, extrêmement grossier et sans ouverture : il s'agit d'une abside « carrée », non pas à hémicycle ou à pans coupés. Elle donne sur une place moins élevée que la façade principale : cela suppose une pente descendante de l'ouest vers l'est, du moins si l'église est orientée comme le veut la tradition, c'est-à-dire si le chœur est tourné vers l'Orient. Plusieurs absides auraient pu ici servir de modèle, mais, à Chartres, une église réunit toutes ces caractéristiques : la Collégiale Saint-André, église romane des XIe-XIIe siècles. La façade occidentale donne sur une place surélevée, l'église se trouvant sur le versant oriental de la colline dominée par la cathédrale. La façade septentrionale (celle du transept, voir f° 22 r° n. 3) est bien plus développée que la façade occidentale. L'abside est frappante par son grand mur, très haut, très large et bien irrégulier, après l'écroulement de l'arche qui avait été lancée au-dessus de l'Eure. Dans la partie gauche, on peut remarquer une verrière qui n'a pas son pendant symétrique sur la partie droite, tandis qu'en haut se trouvent trois fenêtres hautes.

3. *plein et.*
Ces mots devraient être barrés. Dans la version suivante, Proust compare ce mur à celui d'une prison (Cahier 12, f° 4 r° ; *DCS*, *Esq. XXVIII*, I, p. 740).

4. *Depuis j'ai vu.*
Une première tentative pour décrire l'attrait spécial des lieux aimés plus pour eux-mêmes que pour leur beauté intrinsèque apparaît dans le Cahier 4 à propos du côté de Garmantes : « Vous me mèneriez voir de plus beaux nymphéas, dans une rivière presque pareille, que vous ne [me] feriez pas plus de plaisir qu'en faisant rencontrer [à] un amoureux une femme plus belle que celle qu'il aime » (f° 35 r°, transcription simplifiée), car « [l]a place c'est pour les choses la marque la plus forte de leur individualité » (Cahier 4, f° 36 r° ; *DCS*, *Esq. LIII*, I, p. 810). Ce thème est repris dans le Cahier 12, où s'ajoute le côté de Méséglise : « On me donnerait des pays immenses où il n'y aurait ni coquelicots, ni bleuets, ni pommiers, ni aubépines <je n'en voudrais pas,> je ne me sentirais pas dans la nature » (f° 38 r° *sq.* ; *DCS*, *Esq. LIV*, I, p. 828). Le Cahier 12 établit donc un lien entre ce morceau du Cahier 7 (f°s 21 r°-24 r°) et le morceau suivant consacré au côté de Méséglise (f°s 25 r°-29 r°). Voir C. Quémar, « Sur deux versions anciennes des "côtés" de Combray », art. cité, p. 205.

5. *les plus belles absides du monde, celle de Beauvais, celle de Chartres, celle d'Amiens, ~~et~~ de Reims.*
Avec ses hauts arcs-boutants et ses sept chapelles rayonnantes, l'abside de la cathédrale de Beauvais – que Proust semble avoir visitée à la fin de 1899 (J.-M. Quaranta, « Beauvais », *Dict.*, p. 126) – est un exploit architectural du gothique flamboyant ; Viollet-le-Duc écrit : « Nous citons le chœur de Beauvais parce qu'il est la dernière limite à laquelle la construction des grandes églises du XIIIe siècle ait pu arriver. C'est la théorie du système mise en pratique avec ses conséquences même exagérées. [...] C'est le Parthénon de l'architecture française ; il ne lui a manqué que d'être achevé, et d'être placé au centre d'une population conservatrice et sachant, comme les Grecs de l'antiquité, apprécier, respecter et vanter les grands efforts de l'intelligence humaine » (Eugène-Emmanuel Viollet-le-Duc, *Dictionnaire raisonné de l'architecture française du XIe au XVIe siècle*, 10 vol., B. Bance [A. Morel], 1858-1868, t. I, p. 71 *s. v.* Arc-boutant. Voir aussi Victor Leblond, *La Cathédrale de Beauvais*, Henri Laurens, 1926 ; Philippe Bonnet-Laborderie, *Cathédrale Saint-Pierre : histoire et architecture*, Beauvais, GEMOB, 1978). Dans l'Agenda 1906, Proust note au f° 12 r° : « Absides célèbres » ; il reviendra sur les « glorieuses absides » dans le Cahier 12 (f° 4 r°), avant la mise au net du Cahier 63 (« Elle était si grossière, si dénuée de beauté artistique et même ~~d'express~~ d'élan religieux, auprès de tant d'absides glorieuses que j'ai vues depuis », f° 13 r°). Voir *Agenda*, f° 12 r° n. 3. Proust connaissait très bien la cathédrale d'Amiens, d'abord par le livre de Ruskin *The Bible of Amiens* (1885), ensuite par ses excursions, vraisemblablement en automne-hiver 1899 et en septembre 1901 (voir Jo Yoshida, « Métamorphose de l'église de Balbec : un aperçu génétique du "voyage au nord" », *BIP*, 1983, n° 14, p. 56). Il fait une visite à la cathédrale de Chartres en septembre 1902 (Diane Leonard, « Chartres », *Dict.*, p. 207). Quant à celle de Reims, il l'évoquera longuement après son bombardement en 1914. Dans une des lettres à sa voisine publiées par Jean-Yves Tadié, il évoque ses nombreux « pèlerinages » « aux pierres de Reims » et compare une nouvelle fois les cathédrales de Reims, Amiens et Chartres : « celle de Reims dont le sourire semblait annonciateur de celui de Vinci, dans ses draperies qui rappelaient à confondre l'esprit la plus belle époque de la Grèce était unique. Ni Amiens plus austèrement biblique, ni Chartres plus saintement immatérielle n'était tout de même cela. » Puis il poursuit en les comparant à l'église de leur paroisse qu'il désigne comme « notre vilain Saint Augustin » (lettre de [Noël 1914], in Marcel Proust, *Lettres à sa voisine*, Gallimard, 2013, p. 55-56). Dans un poème envoyé à Marie Nordlinger en 1904, Chartres et Amiens sont évoquées de concert (*Corr.*, t. IV, p. 61).

6. *je me suis demandé avec de grands écrivains.*
Dans le Cahier 12, l'association des cathédrales avec des « penseurs, des écrivains » est reprise dans un autre contexte : Mlle Swann et le désir du voyage (f° 101 r° ; *DCS*, *Esq. LVIII*, I, p. 844). Dans *Du côté de chez Swann*, c'est Bergotte qui fait découvrir à Mlle Swann l'architecture médiévale ; il est associé aux cathédrales dès sa première mention (*DCS*, I, p. 89-98 ; cf. Akio Wada, *La Création romanesque de Proust, op. cit.,* chapitre « Bergotte et la lecture », p. 69-89). Proust – qui a pu comparer les grandes cathédrales françaises lorsqu'il a traduit *The Bible of Amiens* de John Ruskin qu'il a abondamment enrichi de notes grâce à *L'Art religieux du XIIIe siècle en France* d'Émile Mâle et au *Dictionnaire raisonné de l'architecture française* de Viollet-le-Duc – a pu s'inspirer aussi de *La Cathédrale* de Huysmans (Stock, 1898). Dans son roman, Huysmans compare à de nombreuses reprises les grandes cathédrales de France et, en particulier, celles de Chartres, Amiens et Beauvais : il évoque notamment leurs absides (p. 166) et, à travers un dialogue entre Durtal et l'abbé Gévresin, discute de « l'âme [...] des églises » (p. 84-86). On y trouve également une mention des « vitres blanches » et des « clartés crues » de la cathédrale d'Amiens (p. 85), auxquelles pourraient faire écho ici même les « fenêtres blanches d'Amiens », ou encore une réflexion sur le « cadre » dans lequel les églises s'élevaient et « que l'on a détruit » : elles étaient « entourées de maisons dont l'allure s'accordait avec la leur [...] alors qu'elles n'ont jamais été bâties isolées pour se dresser sur des places » (p. 84). Voir *infra* les f°s 22-23 r°s.

7. *les fenêtres blanches d'Amiens.*
L'intérieur de la cathédrale d'Amiens est en effet très lumineux puisque les lacunes qu'a opérées le temps dans les verrières ont été réparées pour la plupart en verre blanc. L'observation sur l'« imbrication des fenêtres de Beauvais » se réfère en particulier aux baies minces et longues de l'abside : ces ouvertures en tiers-points sont divisées en lancettes et couronnées par des quatre-feuilles et par des roses à huit lobes fleuronnés. L'attention de Proust pour les baies vitrées et pour la lumière dans l'architecture gothique peut rappeler la « plaquette » que Mâle lui avait envoyée en décembre 1907, et qui reprend sa leçon d'ouverture au cours d'histoire de l'art chrétien du Moyen Âge donnée à la Sorbonne le 8 décembre 1906. En effet, dans sa lettre de remerciement, Proust commente précisément ce passage : « l'histoire de l'architecture du Moyen Âge, c'est l'histoire de la lutte entre la lumière et l'ombre » (Émile Mâle, « L'art chrétien du Moyen Âge », *Revue politique et littéraire* [*Revue bleue*], 2 février 1907, série 5, t. VII, n° 1, p. 139). Il cite également l'expression employée par Mâle, « cette joie de bâtir avec de la clarté », à propos de la Sainte-Chapelle de Paris et de Saint-Urbain de Troyes (lettre de Proust à Émile Mâle du [10 ou 11 décembre 1907], *Corr.*, t. XVII, p. 545). Voir aussi la n. précédente.

Folio 22 r°.

1. *fenêtres de Beauvais où ruissela le sang des martyrs.*
La cathédrale de Beauvais conserve encore un vitrail du XIIIe siècle représentant le martyre de saint Vincent (dans une chapelle du déambulatoire) ; les autres vitraux sont pour la plupart du XXe siècle. Proust s'est sans doute aussi inspiré des vitraux de la cathédrale de Chartres, les plus complets et les mieux conservés de l'art gothique, et des dessins reproduits dans *L'Art religieux du XIIIe siècle en France* d'Émile Mâle, notamment dans le chapitre consacré aux saints et aux martyrs (chapitre IV, « Les saints et la *Légende dorée* »). Cette référence à des vitraux représentant les supplices des martyrs se retrouve encore dans le Cahier 12 (f° 4 r°, addition marginale).

2. *l'abside de Beauvais.*
Voir *supra*, f° 21 r° n. 5.

3. *transept.*
L'utilisation du mot transept n'est pas correcte dans ce contexte. Ce terme indique la nef transversale coupant la nef maîtresse, et non l'une des façades de cette nef.

4. *l'Église.*
Dans le Cahier 12 (f° 10 r° *sq.* ; *DCS*, *Esq. XXVIII*, I, p. 739 *sq.*), Proust complétera la description de l'église en y adjoignant les passages sur les vitraux, la tapisserie, les objets religieux et le clocher qui proviennent du Cahier 6 (f°s 1 v°, 2 v°, 2 r°, 3 r°, 4 r°, 5 r°) ainsi que le passage sur les pierres tombales (Cahier 12, f°s 1 r°-2 r°) qui vient du Cahier 2 (f°s 19 r°-18 v°). Voir C. Quémar, « L'église de Combray, son curé et le Narrateur », art. cité, p. 291-292.

5. *Me Loiseau.*
Dans le Cahier 12, Mme Loiseau remplace une « Me Calland » (Cahier 12, f° 3 r°).

Folio 23 r°.

1. *la pierre [...] était sacré.*
Sic.

2. *clocher.*
Plusieurs développements sur les clochers figurent également dans le Cahier 6 : celui de Combray (f° 5 r° ; *DCS*, *Esq. XXV*, I, p. 733), ceux de Chartres (f°s 71 v°-68 v° ; *DCS*, *Esq. XXVII*, I, p. 736-737).

3. ~~*à Falaise*~~.
Le passage est repris dans le Cahier 12, au f° 9 r°, où Falaise et Saint-Gervais ne sont plus mentionnés (*DCS*, *Esq. XXVIII*, I, p. 743, et *ibid.*, p. 65 pour le texte définitif). Falaise, ville de naissance de Guillaume le Conquérant dans le Calvados, possédait en effet plusieurs hôtels du XVIIIe siècle jusqu'avant la Seconde Guerre mondiale (*ibid.,* p. 65, n. 1 [p. 1134]). Proust s'était rendu dans cette ville, chez la marquise d'Eyragues, cousine de Montesquiou, lors d'un séjour à Cabourg en 1907 (*Tadié*, p. 594). Falaise est mentionnée dans les feuillets de 1908 en partie publiés par B. de Fallois (*CSB (F)*, coll. « Folio », p. 269).

4. *St Gervaise.*
Sic. Il s'agit bien de l'église Saint-Gervais-Saint-Protais à Falaise, dans le Calvados. Cette église commencée au XIe siècle pourrait être l'une des sources d'inspiration de Proust pour l'église de Combray, comme le souligne une note du Cahier 57 : « À propos à la fois de tous les modèles que j'ai eus (église de Caen, de Falaise etc.) [...] » (Cahier 57, f° 5 v° ; *MPG*, p. 300). Le guide Joanne évoque à propos de cette dernière « les crochets et les fleurs qui encadrent le pourtour des fenêtres » et « le grand portail [...] obstrué et à demi caché par des masures » (Paul Joanne, *Itinéraire de la France : Normandie*, *op. cit.*, p. 283-284).

5. *l'a regarde.*
Sic. À la ligne suivante la biffure de « qui » (« ~~qui~~ descend ») semble aussi un lapsus.

Folio 24 r°.

1. *coquillage.*
Dans les pages du manuscrit de 1908, c'était le toit de l'hôtel de Falaise qui était encastré entre deux flèches d'église « comme sur une plage normande un galet entre deux coquillages ajourés, entre les tourelles rosâtres et nervurées de deux bernard-l'hermite » (*CSB (F)*, coll. « Folio », p. 269). La métaphore du coquillage se maintient jusqu'à la version définitive : la flèche gothique d'une église normande proche de Balbec rappelle « la flèche purpurine et crénelée de quelque coquillage fuselé en tourelle et glacé d'émail » (*DCS*, I, p. 65).

2. *B^{d} Haussmann.*
À l'époque de la rédaction de ce cahier, Proust habitait déjà au 102, boulevard Haussmann, où il vécut entre les derniers jours de 1906 et 1919 ; l'église Saint-Augustin, qui date de la deuxième moitié du XIXe siècle, est en effet très proche. Dès la version du Cahier 12, il supprime les références trop personnelles, en particulier l'adresse et l'allusion à « la maison d'un homme aimable et savant » : « Même à Paris dans un des quartiers les plus laids de la ville, je sais une fenêtre d'où on voit après un premier, un second et un troisième plan formé d'un amoncellement de toits, on voit s'élever [...] une coupole qui n'est autre que le dôme de St Augustin [...] » (Cahier 12, f° 10 r° ; *DCS*, *Esq. XXVIII*, I, p. 743). Cf. *DCS*, I, p. 65.

3. *vues de Rome de Piranesi.*
Giovanni Battista Piranesi (1720-1778) est un célèbre graveur et architecte italien, connu surtout pour ses gravures représentant Rome et les ruines antiques. Le nom de Piranesi disparaît dans la rédaction suivante (Cahier 12, f° 10 r° ; *DCS*, *Esq. XXVIII*, I, p. 743) pour réapparaître dès la mise au net du Cahier 63 (f° 20 r°) et jusqu'au texte définitif (*DCS*, I, p. 65).

4. *visage du bon Dieu.*
Dans le Cahier 12 comme dans les versions ultérieures, la comparaison ne se fait plus avec « le visage du bon Dieu », mais le « doigt de Dieu » (f° 10 r° ; *DCS*, *Esq. XXVIII*, I, p. 743).

Folio 25 r°.

1. ~~*Souvent.*~~
Comme dans le Cahier 4, les promenades sont encore décrites de manière itérative au début de ce passage consacré au côté de Méséglise (voir C. Quémar, « Sur deux versions anciennes des "côtés" de Combray », art. cité, p. 230). Cependant, dès le milieu de la page, Proust commence à introduire un événement singulier, « l'année » où le héros et sa famille reviennent « à Combray à la fin de l'automne pour la succession de [l]a tante ~~Claire~~ Bathilde. »

2. *côté de Meséglise.*
Sur l'orthographe de ce toponyme (Meséglise/Méséglise), voir *supra*, f° 2 r° n. 7. La structure en deux côtés est déjà en place à l'étape du Cahier 4 comme l'a souligné Claudine Quémar, même si le côté de Guermantes s'appelle encore Villebon (C. Quémar, « Sur deux versions anciennes des "côtés" de Combray », art. cité, p. 224 et *DCS*, *Esq. LIII*, I, p. 805). Mais il n'est pas encore question dans ce cahier du bourg de Pinsonville et de sa dimension sensuelle (sur les « interdits sexuels » et Méséglise, voir C. Quémar, art. cité, p. 234). Tout ce passage fera ensuite l'objet d'une réécriture dans le Cahier 26 (*Cahier 26*, f°s 8-12 r° et f° 8 r° n. 2).

3. *Pinsonville.*
« Pinsonville » est le nom originel du « Roussainville » de la version définitive (voir *Cahier 26*, f° 12 r° n. 1). Le nom apparaît sur les placards corrigés de *DCS* (*Bodmer*, plac. 2, 1er avril 1913, col. 7 ; cf. NAF 16753, plac. 23, f° 7 r°, *DCS*, I, p. 143, var. *b*, n. 1 [p. 1167]). Dans le Cahier 6, Proust évoque déjà ces deux noms (Pinconville et Roussinville) et hésite entre plusieurs orthographes : Pinsonville/ Pinçonville/ Pinconville (f° 36 r°), mais l'objet du passage est plutôt la construction d'une opposition entre la région de Combray et celle de Trouville : « Certes ces noms, Pinconville, Roussinville, ressembleront peut'être pour vous à ces noms de Tourgeville, <Benerville que je vous disais> de Blonville de Blinville qui sont près de Trouville. Mais pour moi quel abîme ! » Au paysage maritime de la région de Trouville, qui représente « le nouveau », s'oppose en effet le paysage rural de Combray où ces noms « lus sur les poteaux » sont « quelquechose de secret, de propriétaire, de local, de protégé » (Cahier 6, f° 36 r°). Dans la monographie sur Illiers du chanoine Marquis, une métairie appelée la Pinsonnière est évoquée en note (Marquis, *op. cit.*, p. 309) ainsi qu'un château de Roussainville, situé près d'Illiers (p. 324). Dans le Cahier 36, le nom de ce village

qui apparaît rétrospectivement comme un lieu de plaisir potentiel – c'est le village de la femme de chambre de la baronne de Picpus décrite comme « ivre de désir » (fº 6 rº ; *AD*, *Esq. XVIII*, IV, p. 714) – est d'abord Illiers (sous la biffure), puis Brou (fº 4 rº ; *AD*, *Esq. XVIII*, IV, p. 712). Toujours associée à la pluie, la petite ville est décrite ensuite, dans le Cahier 12, comme un espace interdit, « une petite cité isolée et maudite » « comme une ville de la bible », « protégée par le bandeau de son arc-en-ciel » : c'est une « prison d'or » (fº 23 vº). Dans le présent cahier, le désir sensuel imagine une « dryade » (fº 28 rº) ou une « fée » (fº 29 rº) décrite comme une Viviane « à forme de couleuvre » (fº 29 rº) et le « bourg déshérité de Pinsonville » (fº 28 rº) est déjà comparé à une « prison » (fº 29 rº). Dans le court paragraphe du Cahier 6 qui mentionne le nom de Pinsonville (fº 36 rº) et qui précède sans doute de peu la rédaction du présent passage, le village était déjà associé au « renfermé ». Et, dans les deux cahiers, il est accompagné sur les versos d'un portrait d'homosexuel : un jeune garçon de Querqueville (Cahier 6, fº 35 vº) et ici Guercy, le futur Charlus (*infra*, fº 25 vº *sq.*).

4. *Mon père.*
Dans les versions suivantes, ce ne sera plus le père mais l'oncle du héros qui proposera d'aller jusqu'à Pinsonville (Cahier 12, fº 24 rº ; *DCS*, *Esq. XLIV*, I, p. 821).

5. *bleuets.*
Les bleuets, qui seront finalement orthographiés « bluets » (*DCS*, I, p. 137), et les coquelicots font déjà partie de la flore du côté de Méséglise dans « Sur la lecture » (*SL*, p. 21). Ils apparaissent dès *Les Plaisirs et les Jours* dans « La confession d'une jeune fille » (*PJ*, p. 89) ; dans *Jean Santeuil*, les coquelicots symbolisent les promenades d'été (*JS*, p. 301), mais accompagnent aussi les promenades sous la pluie des alentours de Réveillon (*JS*, p. 461). Sur l'évolution du motif, voir Mireille Naturel, *Proust et Flaubert. Un secret d'écriture*, Rodopi, 2007, p. 185 *sq.* Dans le Cahier 4 (fº 40 rº ; *DCS*, *Esq. LIII*, I, p. 812), comme plus tard dans le Cahier 12, Proust insiste longuement, d'une part sur le lien entre ces fleurs et le lieu, d'autre part entre ces fleurs et le passage du temps : « Ces fleurs-là [...] s'imposent à moi de toute la puissance d'un passé que je ne suis pas libre de changer » (fº 38 rº ; *DCS*, *Esq. LIV*, I, p. 828). Dans le Cahier 14, il précise : « j'identifiais à des vers de Musset les champs de Combray » (fº 58 vº ; *DCS*, *Esq. XLVII*, I, p. 791). Il pense probablement au poème « Nuit d'octobre » (1837) et en particulier à ces vers cités dans le *Cahier 26* dans le même contexte (fº 3 rº et n. 4) : « Les morts dorment en paix dans le sein de la terre/ Ces reliques du cœur ont aussi leur poussière » (v. 207-209). Dans le Cahier 68, le jeune héros pense encore pouvoir trouver, en « creus[ant] » « dans le sein de la terre, sous le seigle et le trèfle », « ce précieux rubis "des reliques du cœur" » (Cahier 68, fº 26 rº m.) ; mais cette conception naïve et romantique est déjà mise à distance par la présence de Bloch.

6. *ma tante ~~Claire~~ Bathilde.*
Au début du Cahier, pendant sa conversation avec le curé, la tante est appelée Madame Charles (*supra*, fº 1 rº et n. 7). Quant au prénom Bathilde, il est attribué à partir du Cahier 9 à la grand-mère du héros. Bathilde était le nom de l'épouse du roi mérovingien Clovis II, mère des « énervés de Jumièges ». Voir *supra*, fº 9 rº n. 1.

7. *« La Conquête de l'Angleterre par les Normands ».*
Allusion à l'*Histoire de la conquête de l'Angleterre par les Normands* (1825), ouvrage d'Augustin Thierry (1795-1856) déjà évoqué dans *JS* (p. 329) et dans le Cahier 6 (fº 4 rº). Dans le présent cahier, voir aussi fº 26 rº et les notes des fºs 4 rº, 6 rº, 8 rº, 11 rº, 12 rº et 13 rº. L'épisode a une origine autobiographique : le séjour que Proust fait à Illiers avec ses parents après la mort de sa tante, Mme Jules Amiot, à l'automne de 1886 (période que l'auteur lui-même a définie comme « l'année d'Augustin Thierry » dans une lettre à sa mère du 5 septembre 1888 ; *Corr.*, t. I, p. 110). Voir aussi *Cahier 26*, fº 9 rº et n. 3.

8. *toupie qu'on a tourné.*
Sic. La métaphore du corps comme toupie sera conservée jusque dans la version finale (*DCS*, I, p. 152).

Folio 25 vº.

1. *Suite de 3 pages après.*
Proust rédige ici la suite du fº 28 vº med., qui se terminait sur la note de régie approximative : « (voir 2 pages avant) ».

2. *falaise.*
Dans le Cahier 28, Proust évoque les falaises de la Pointe du Raz (fº 81 vº ; *JF*, *Esq. LV*, II, p. 965) mais surtout décrit longuement un tableau d'Elstir représentant une falaise située « à un endroit ~~admirable qui s'~~/qu'on appelle <dans

le pays> les Kréniers » (f° 61 v° ; voir *infra*, f° 28 v° n. 7 et 11). Il fait sans doute allusion à ce passage : « Et de même <devant> la falaise ~~rose~~ <qui comme une belle ruine dentelée> qui ~~s~~² semblait ~~dissoute, émiettée en poussière rose au soleil~~ tombée en poussière rose, ~~détruite~~ dissoute, émiettée par le soleil, à ses pieds, ~~à s~~ tapi~~s~~ à son ombre son reflet bleu et profond disait à sa manière la luminosité extraordinaire du jour. » (Cahier 28, f° 61 v° ; *JF*, *Esq. LX*, II, p. 982).

3. *l'effet d'Elstir.*
Sur la présence ici du nom du peintre, voir *infra*, f° 28 v° n. 12. Dans un cahier ultérieur, le Cahier 34, Proust mentionne les critiques que vaudront au peintre ses « effets » : « On lui reprochait dans ces toiles là ~~de~~ <où il> se rapproch~~er~~/ait <un peu> des impressionnistes, de ne faire ~~des~~ que des "effets" et de se contenter d'un art matériel, sans se rendre compte au contraire qu'aucun art n'~~est~~ <était> aussi purement spirituel » (f° 12 r° ; *JF*, *Esq. LXI*, II, p. 986). De fait, le terme « effet », également employé au f° 31 v° (« cet effet que j'ai vu chez Elstir »), renvoie immanquablement à l'art de Monet, qui s'est toujours montré attentif à restituer l'instantanéité d'une impression ; plus d'une douzaine de ses œuvres comportent ce terme dans leur titre. Le héros insiste bien ici sur l'importance de l'heure : « c'était des effets d'après midi non de soir que je voulais ». Sur les « belles ombres profondes » qu'il recherche, voir au f° 28 v° et la n. 15 ; voir aussi *ibid.*, n. 7.

4. *rochers du diable.*
C'est bien le nom d'un site naturel du Finistère, non loin de Quimperlé. Toutefois, cet amas de rochers n'est pas situé au bord de la mer mais, après des gorges, dans le lit de la rivière Ellé. Proust a sans doute vu ce site touristique lors de son voyage en Bretagne avec Reynaldo Hahn au cours des mois de septembre et d'octobre 1895.

5. *tous cela.*
Sic.

6. *qui.*
Cet ajout interlinéaire n'était pas indispensable puisque Proust, en réécrivant sa phrase, avait bien pris soin de laisser un « qui » non biffé, sur la même ligne que ses antécédents « calculs, préparatifs ».

7. *nous font sentir.*
La construction de la phrase n'est pas directement intelligible. Le verbe se réfère à « calculs, préparatifs », seuls mots non barrés dans les lignes médianes.

8. *ont peut'être sur nous.*
Le verbe « avoir » se réfère aux mêmes « calculs, préparatifs » qui régissaient le précédent « font » (voir la n. précédente). Mais la partie rédigée de « certes » à « plus tôt » – huit lignes – aurait dû être biffée. On peut faire l'hypothèse que Proust, profitant de la visibilité certaine de « calculs, préparatifs », recommence sa phrase en les prenant pour pivot : l'espace signifiant qu'il a laissé entre « tôt » et « ont », le sujet laissé en suspens et la reprise presque complète des termes précédemment employés (« sensation directe », « actif », « émotionnel », « abstrait », « promenade », « bouscule le déjeuner », etc.) laissent penser à un nouveau jet d'écriture.

Folio 26 r°.

1. *qui veut s'échapper.*
On pourrait lire aussi « sent s'échapper », mais on aurait alors attendu : « qu'on sent s'échapper ».

2. *dans la lumière d'une phrase.*
Le lien entre les coups de parapluie et l'écriture est explicité dans le Cahier 26 : le héros s'y écrie en effet « Zut, que c'est beau ! en riant de bonheur » (*Cahier 26*, f° 10 v°). Le narrateur tente ensuite de proposer une théorie esthétique à partir de cette expérience et souligne que ses propres écrits ont principalement consisté à « revenir sur ces minutes heureuses », à « essayer de voir ce qu'il y a sous les mots que chacun dit » (*Cahier 26*, f° 11 r°).

3. *Tandis que.*
Dans le Cahier 26, l'opposition entre « vie civilisée » et vie à la campagne se poursuit et se développe en un véritable enseignement (f° 11 r°) ; les bienfaits des promenades solitaires éclipsent la vie mondaine (f° 13 r°). Conformément à son rôle, le passage sur les « conforts » apportés par la vie moderne est finalement situé après le retour du héros

à Paris comme l'indique une note du Cahier 26 (*ibid.*). Un passage analogue se trouvait déjà dans *Jean Santeuil* (NAF 16615, f° 148 v° ; *JS*, p. 343). Voir *infra* n. 6.

4. *« par tous les temps ».*
Le lien entre la lecture d'Augustin Thierry et les promenades sous la pluie est repris et explicité dans le Cahier 26, où le narrateur précise que la « longueur des chapitres du livre » – cette fois « variable » comme le souligne une addition marginale – entretient avec le temps « des affinités si mystérieuses » (f° 10 r°). Voir aussi *Cahier 26*, f° 11 r° n. 3. Dans le Cahier 4, au contraire, « aux premières gouttes de pluie » (f° 24 v°), le héros rentrait à la maison pour lire. Dans l'article « Sur la lecture » de juin 1905, c'était *Le Capitaine Fracasse* de Gautier qui était pris comme exemple et associé à « un mois de mars très froid » et à un « vent salubre » (*SL*, p. 30-32).

5. *Harold.*
Harold (ou Harald) II d'Angleterre (v. 1022-1066), fils de Godwin de Wessex, fut le dernier roi anglo-saxon d'Angleterre, avant la conquête de Guillaume le Bâtard. Il figure dans les livres II et III de l'*Histoire de la conquête de l'Angleterre par les Normands* d'Augustin Thierry. Voir aussi f° 25 r° n. 7.

6. *sans aucun des conforts.*
Ce passage a pour origine un fragment de *Jean Santeuil*. Proust y décrit « l'allégresse » de Jean qui chante tout en marchant (NAF 16615, f° 148 r° ; *JS*, p. 343). Dans ce passage qui se déroule à Éteuilles, il met l'accent sur « les progrès du bien être et du confort » qui suppriment « une marche par un temps incertain ~~par~~ pour aller demander un renseignement par un coup de téléphone ou à tout le moins par un trajet dans un fiacre très bien attelé » (f° 148 v° ; *ibid.*).

7. *je les ai fait.*
Sic.

Folio 26 v°.

1. *agrandissent.*
Le verbe se réfère toujours à « calculs, préparatifs » qui se trouve au milieu du f° 25 v°.

2. *une rose de l'espèce appelée mousseuse.*
Voir aussi f°s 30 r°, 30 v°, 31 r°. Proust gardera jusqu'au texte final cet élément de la tenue de Guercy (voir *JF*, II, p. 111). Dans *JS*, ce trait est prêté à Robert de Montesquiou : « Souvent, ayant vu à la boutonnière de M. de Montesquiou une fleur, ~~il~~ et l'ayant remarquée, ~~cet~~ ce ~~juste~~ connaisseur consommé des beautés artistiques de la nature, ~~lui~~ <d'un mot> l'enflamma d'un ~~mot~~ d'amour pour la rose mousseuse, le calice de la gentiane [...], l'admirable couleur des cinéraires » (NAF 16615, f° 139 v° ; *JS*, p. 332). En 1907, Proust rappelle à Montesquiou la « ravissante boutonnière » qu'il portait « dans un temps déjà très lointain », et qu'il lui avait appris être « une rose mousseuse » (*Corr.*, t. VII, p. 172, lettre du [3 juin 1907] ; voir aussi *Cahier 71*, f° 39 r° n. 3). On notera d'ailleurs que la « rose mousseuse » apparaît comme une marque du « côté de Guermantes ». Le héros s'émerveille « des roses mousseuses en guirlandes dénouées » lors de ses promenades le long de la Vivonne (*DCS*, I, p. 167 ; cf. Cahier 4, f° 33 r° et Cahier 12, f° 29 r°) ; il admire, chez Mme de Villeparisis, les fleurs qu'elle est en train de peindre : « il y avait dans des verres, dans des soucoupes, dans des tasses, des roses mousseuses, des zinnias, des cheveux de Vénus » (*CG*, II, p. 487).

3. *escroq.*
Sic. Il s'agit d'une orthographe archaïque qui sort d'usage à partir du XVIIe siècle. Proust utilise également la graphie « escrocq » dans la réécriture du passage qui figure dans le Cahier 35 (voir f° 23 r°).

Folio 27 r°.

1. *« vieux pont ».*
Sur le Pont-Vieux, voir *supra*, f° 1 r° n. 5. Ce pont est décrit dans le Cahier 4 comme « un vieux pont de bois (guère qu'une planche avec une corde au-dessus d'un seul côté comme parapet) » (f° 27 r° ; *DCS*, *Esq. LIII*, I, p. 807). On note que Proust ne reprend pas ici la description de la rivière « d'apparence cloisonnée et japonaise » du Cahier 4 (f° 33 r° *sq.* ; *DCS*, *Esq. LIII*, I, p. 809) et se contente de souligner son aspect changeant : tantôt « sombre », tantôt lumineux.

2. *lilas.*
Dans le Cahier 4, il est déjà question des lilas sur la route de Méséglise (f° 26 r° ; *DCS*, *Esq. LIII*, I, p. 806), puis devant le parc de M. Swann (f° 30 r° ; *DCS*, *Esq. LIII*, I, p. 808), mais cette fois au printemps : Proust compare leurs « plumes violettes » à des « dames » et souligne leur « bonne odeur » (voir aussi *JS*, p. 278). Dans le Cahier 26, les lilas deviennent des seringas, sur lesquels se portent les « joyeux coups » du héros (f° 10 r°).

3. *parc Swann.*
Comme le souligne Claudine Quémar, dans le Cahier 4, le « parc Swann » n'est pas encore clairement situé du côté de Méséglise, puisque le héros l'aperçoit lorsqu'il se promène le long du Loir (C. Quémar, « Sur deux versions anciennes des "côtés" de Combray », art. cité, p. 256). Dans le Cahier 7, si le parc est encore associé à la rivière, c'est néanmoins dans la promenade du côté de Méséglise qu'il apparaît. Le transfert et l'opposition finale entre le côté de chez Swann associé à la terre et le côté de Guermantes associé à l'eau seront accomplis dans le Cahier 12 (C. Quémar, *ibid.*, p. 257).

4. *souriait.*
Sic. On attendait un participe présent. La phrase sera réécrite dans le Cahier 26 : « les marches des seuils comme les tuiles des toits répondaient par un sourire au sourire du ciel » (f° 11 r°).

5. *grand'mère.*
Dans le Cahier 4, la grand-mère soutient déjà l'idée que les promenades, même sous la pluie, sont nécessaires aux enfants (f° 24 v° ; *DCS*, *Esq. LIII*, I, p. 806). Dans le Cahier 26, ce n'est plus sa grand-mère mais ses parents, et en particulier sa mère, qui proposent au héros de rester à Pinsonville (f°s 11-12 r^os^, et *Cahier 26*, f° 11 r° n. 4). Le texte final aura tendance à amoindrir le rôle de la grand-mère et à atténuer son hygiénisme.

6. *me prendre en pension.*
Cette idée, qui sera reprise dans le Cahier 26 (f° 12 r°), est déjà présente dans le Cahier 36 (f°s 5-6 r^os^ ; *AD*, *Esq. XVIII*, IV, p. 714), où le village s'appelle encore Brou. Le héros regrette finalement de ne pas y avoir séjourné, car il aurait pu y rencontrer celle qui est devenue la femme de chambre de la baronne de Picpus, et qu'il imagine se prostituant « dans les granges aux paysans ».

7. *ah !*
Le fragment sur l'exaltation des désirs du héros, qui commence par le signe de renvoi en forme de croix, pourrait être plus tardif. Il a été repris dans le Cahier 26 (f° 9 v°) où l'on retrouve la même ambivalence des coups de parapluie qui marquent une certaine forme d'impuissance à la fois créatrice et sexuelle. Dans le Cahier 4, c'était déjà du côté de Méséglise que le héros avait appris « que c'est assez pour faire naître l'amour qu'une femme fixe son regard sur nous » (Cahier 4, f° 43 r° ; *DCS*, *Esq. LIII*, I, p. 813).

8. *pommiers.*
Comme les bleuets et les coquelicots, les pommiers appartiennent dès le Cahier 4 à la flore du côté de Méséglise (f° 40 r° ; *DCS*, *Esq. LIII*, I, p. 812). Voir aussi *JS*, p. 278.

9. *surgir une femme.*
Ce n'est que plus tard qu'il sera plus précisément question d'une paysanne. Dans le Cahier 11 de 1911, le mot « femme » est en effet barré et remplacé par « paysanne » (f° 26 v°). C'est le « clocher de Pinsonville » que le héros implore afin qu'il lui envoie « quelque enfant de ce village », ce même clocher dont la vue lui rappelle ses « heures de réclusion sous le toit de [la] maison de Combray » (f° 29 r° ; *DCS*, *Esq. LXVI*, I, p. 874), c'est-à-dire dans ce qui deviendra le cabinet sentant l'iris (voir la note en marge de la page « BAG », Cahier 11, f° 31 v°). Dans le Cahier 26, il est encore question d'une femme (f° 10 v°) ou d'une jeune fille (f° 11 v°).

10. *vent.*
Associé au désir, le vent du côté de Méséglise est un motif qui apparaît encore dans *DCS* comme « le génie de Combray » (I, p. 143). Déjà présent dans le Cahier 4 (f° 38 r° ; *DCS*, *Esq. LIII*, I, p. 811), il fait partie des éléments qui caractériseront le côté de chez Swann (voir C. Quémar, « Sur deux versions anciennes des "côtés" de Combray », art. cité, p. 258-259).

Folio 27 v°.

1. *vrai pied de femme.*
Cf. f° 30 v° : « il me sembla qu'il avait pour un homme aussi grand et aussi fort des pieds invraisemblablement petits ». Les nombreuses allusions à la féminité du personnage préparent la révélation de son homosexualité. Voir *infra*, f°s 49-55 r^os et f° 50 r° n. 6 et 7 ; f° 50 v° n. 4.

2. *l'aspect tourmenté de fleurs d'orchidées.*
La comparaison des doigts avec les pétales d'une orchidée, absente des rectos et apparue au f° 31 v°, est à nouveau développée ici. Dans *L'Intelligence des fleurs* (Bibliothèque Charpentier, 1907), Maeterlinck évoque à de nombreuses reprises les orchidées qu'il décrit comme « tourmentées et bizarres » (p. 58), deux adjectifs que Proust emploie également à propos des doigts de Guercy (« bizarre » au f° 31 v°, « tourmenté » au f° 27 v°). Il faut noter également que c'est à une « incomplète orchydée » (*sic*) qu'est comparé l'homosexuel dans le Cahier 49 (f° 62 r°). En revanche, lors de la rencontre de Guercy et Borniche dans le Cahier 51, il n'était pas encore question d'orchidée mais de sophora (f°s 5-6 r^os ; *MPG*, p. 50-51 ; *SG*, *Esq.* II, III, p. 936). Sur la métaphore botanique, voir L. Teyssandier, *De Guercy à Charlus, Transformations d'un personnage de* À la recherche du temps perdu, Champion, 2013, p. 283 *sq.* Proust reprendra finalement cette image dans *Sodome et Gomorrhe I* pour décrire la rencontre de Charlus et Jupien : « Au même instant où M. de Charlus avait passé la porte en sifflant comme un gros bourdon, un autre, un vrai celui-là, entrait dans la cour. Qui sait si ce n'était pas celui attendu depuis si longtemps par l'orchidée, et qui venait lui apporter le pollen si rare sans lequel elle resterait vierge ? » (*SG*, III, p. 8).

3. *moustache très noire.*
La description que Proust fait de Guercy semble très proche de celle que Lucien Corpechot fait de Robert de Montesquiou dans *Souvenirs d'un journaliste* : cette dernière, que Chantal Bischoff cite dans son ouvrage consacré à Geneviève Straus, mentionne notamment « les moustaches teintes » et les « yeux fulgurants » de l'écrivain (*Trilogie d'une égérie*, Balland, 1992, p. 250-251). L'adjectif « teintes » figure dès la première version du passage (*infra*, f° 31 r°, f° 34 r°). Dans le Cahier 51, Guercy apparaît également comme un « gros homme grisonnant avec une rose à la boutonnière et des moustaches noires » (f° 10 r° ; *SG*, *Esq.* II, III, p. 939), puis vieilli, quelques folios plus loin (f° 18 r° ; *TR*, *Esq.* XXIII, IV, p. 794).

Folio 28 r°.

1. *courait en chasse devant moi sur les sillons.*
L'expression « en chasse », déjà désuète à l'époque, signifie « en hâte », « à vive allure », « rapidement comme dans une poursuite ». Elle sera supprimée dans *Du côté de chez Swann*, mais un autre archaïsme apparaîtra avec le mot « sayon », qui transcrit probablement une prononciation paysanne, comme le souligne la note de l'édition de la « Bibliothèque de la Pléiade » (*DCS*, I, p. 143, n. 2 [p. 1168]).

2. *la Pinsonne.*
Le nom du village de Pinsonville est donc lié à celui de la rivière. Proust s'inspire sans doute du nom de la Thironne (lui-même lié à un autre village, Thiron-Gardais) ; cette rivière coule à Méréglise et se jette dans le Loir au sud d'Illiers. Une autre rivière dont on voit le cours du haut de l'église de Combray est mentionnée dans le présent cahier, la Gracieuse (f°s 1 r° et 8 r° ; voir f° 1 r° n. 4). C'est de ces deux rivières, la Pinsonne et la Gracieuse, que naîtra la Vivonne dans les Cahiers 25 et 63 et dans une addition du Cahier 12 (f° 18 r°). Voir C. Quémar, « Sur deux versions anciennes des "côtés" de Combray », art. cité, p. 179, et *Cahier 26*, f° 5 r° n. 1.

3. *dryade.*
Les éditeurs de la « Pléiade » reconnaissent dans cette description de la jeune fille « plus belle que toutes celles que plus tard [le héros] a connu[es] » la femme de chambre de Mme Picpus (future baronne Putbus), personnage très présent dans les brouillons dès le Cahier 36, mais qui disparaît presque dans le texte publié (*DCS*, « Notice », I, p. 1063). Voir *supra*, f° 27 r° n. 6 et 9. De nymphe des forêts, elle devient au folio suivant une « Viviane à forme de couleuvre ». Voir *infra*, f° 29 r° n. 1 et 3.

4. *toute un hiver.*
Sic.

5. *toutes celles que plus tard j'ai connu.*
Sic.

Folio 28 v°.

1. *le manège de l'inconnu.*
Dans le Carnet 1 (f° 49 v° ; *Cn*, p. 121), une note précise : « Gurcy toujours l'air d'un souverain incognito ou d'un conspirateur qui craint d'être découvert ».

2. *Je ne jugeai pas à propos.*
La suite se trouve au f° 29 v° inf. : « de lui faire part des inquiétudes… »

3. ~~*Le lendemain.*~~
C'est ici que commence la dernière étape de la rédaction de la rencontre du héros avec Guercy dans le présent cahier (voir f° 29 r° n. 8). Elle est, cette fois, inscrite dans un contexte : il s'agit du lendemain de la visite à l'atelier d'Elstir ; le héros a rendez-vous avec sa grand-mère pour qu'elle se fasse photographier par Montargis ; le lieu est aussi précisé : « avenue du casino », de même que l'heure, « onze heures ». Et, comme le souligne Jo Yoshida, c'est cette fois avec les yeux d'Elstir que le héros-narrateur regarde le paysage (« La genèse de l'atelier d'Elstir à la lumière de plusieurs versions inédites », *BIP*, automne 1978, n° 8, p. 17). Proust remplit d'abord la partie médiane du présent folio 28 v°, puis les folios 25 v° à 27 v°, enfin la partie supérieure du f° 28 v°, qui s'achève sur la partie inférieure du f° 29 v° (voir aussi le Diagramme des unités textuelles). On trouve la mention « Le lendemain »/« le lendemain matin » au début des deux rédactions de la présente page ; voir aussi l'amorce biffée en haut du f° 34 v° : « ~~Aussi je fus bien étonné le lendemain~~ ».

4. *faire cette photographie.*
Le thème de la photographie de la grand-mère était évoqué dans le Cahier 28 : « Dis-moi me dit-elle avec un peu d'embarras, ton ami Montargis ~~m'a demandé à me photo~~ qui a été tout ce qu'il y a de plus gentil pour moi pendant que tu n'étais pas là m'a demandé à me photographier <si> tu n'y vois pas d'inconvénient etc (voir l'endroit où c'est fait. Je fus étonné etc. Le lendemain matin (Vitré*) » (f° 52 v° ; *JF*, II, *Esq.* XLII, p. 921). Il pourrait s'agir – « voir l'endroit où c'est fait » – d'un renvoi au présent passage du Cahier 7 ou à un passage du Cahier 65 (voir *ibid.*, n. 1 [p. 1851], L. Teyssandier, *op. cit.*, p. 35, et la n. suivante).

5. *voir là où c'est, sur la coquetterie.*
Il s'agit vraisemblablement d'un renvoi au Cahier 65 (celui que Proust appelle dans le Cahier 14 le « Cahier vert Querqueville »), que l'on date généralement de 1909-1910 (*Growth*, p. 219, n. 27) : on y trouve en effet un développement sur ce que le héros croit être un signe de « coquetterie » de sa grand-mère à l'occasion de la photographie, et qu'il ne comprendra qu'après sa mort (f°s 44 r°-45 r^{os}, 44 v°). Ce passage du Cahier 65 (f° 44 v°) fait d'ailleurs clairement écho au Cahier 28 (f° 52 v°), puisque l'on y retrouve la même notation énigmatique, mais cette fois biffée : « Le lendemain matin (Vitré*) », ce que ne mentionnent ni Jo Yoshida (« La genèse de l'atelier d'Elstir à la lumière de plusieurs versions inédites », art. cité, p. 17), ni L. Teyssandier, *op. cit.*, p. 35.

6. *j'étais un peu agacé de cette coquetterie.*
Cette séance de photographie rapidement évoquée sera reprise et développée dans le texte final à la faveur d'une scène où le héros adresse à sa grand-mère des paroles blessantes et ironiques (*JF*, II, p. 144-145).

7. *des voiles comme des papillons.*
Le « tableau d'Estir » qui inspire le héros est également évoqué dans l'unité des f°s 28 v° inf.-29 v° sup., qui a été rédigée avant : voir *infra*, n. 11. Il s'agit d'une esquisse de la falaise dite des « Kréniers » (Cahier 28, f° 61 v° ; *JF*, *Esq. LX*, II, p. 982). Elle est reprise dans le Cahier 34 : « Mais <dans> une aquarelle de lui ~~représentait~~ au bord de la mer ~~pâle, vaporisée~~ pâlie, vaporisée par le soleil, <et> où ~~des voiles~~ les ailes blanches de quelques bateaux semblaient engourdies de chaleur comme des papillons pâmés […] j'avais vu ~~les~~ en contraste ~~le~~ les ~~o~~/Ombres d'un bleu intense, d'un vert glissant et verni <,> qui s'étaient mises à l'abri et au frais ~~de d au d contre les rochers~~, au pied de la falaise ~~rose et fine~~ gigantesque rose friable et dentelée ~~un~~ les ~~arcea~~ arc-boutants d'une cathédrale, et j'avais espéré avec impatience ~~le reto~~ la prochaine journée brûlante où je pourrais aller guetter dans l'eau, entre les rochers, ces ~~dieux~~ déesses cachées […]. » (f° 10 r° ; cf. *JF*, *Esq. LXI*, II, p. 986). L'image du papillon sera conservée dans le texte final, avec une allusion à l'œuvre de Whistler (*JF*, II, p. 163). Voir aussi *supra*, f° 25 v° n. 3.

8. *(voir 2 pages avant).*
En réalité, Proust renvoie ici au f° 25 v° sup. (« Suite de 3 pages après »), où « si ma grand'mère ne tardait pas trop… » prolonge la phrase ici commencée, le bas du folio et le haut du suivant étant déjà remplis.

9. *Enfin s'il fait beau comme tu voudras pour la photographie. Le lendemain.*
Ici commence, en parallèle du Cahier 28 (1910), la deuxième rédaction de la rencontre du héros avec Guercy, que Proust articule désormais avec l'événement récent de la visite à l'atelier d'Elstir et l'événement annoncé de la photographie de la grand-mère par Montargis. Voir f° 29 r° n. 8.

10. *suberbe.*
Sic.

11. *cette apparence volatilisée.*
Cette apparence de « la mer d'Elstir » correspond à l'esquisse ayant pour sujet la falaise des « Kréniers » (cf. *supra*, n. 7). Proust en a décrit plus longuement l'effet dans le Cahier 28 : « La mer semblait <avoir été> bue par l~~a~~/e ~~chaleur~~ <soleil altéré> et ~~el semblait volatilisée on ne voyait~~ <n'avoir laissé qu'une sorte> qu'une sorte de vapeur bleuâtre ~~où elle~~ <qui> ne se distinguait pas du ciel. ~~Et des~~/~~Des bateaux papillons~~ Çà et là l'aile blanche d'un bateau pâmé sur elle semblait volatilisée aussi. » (f° 61 v° ; *JF*, *Esq. LX*, II, p. 982). Il s'agit de la reprise d'un fragment consacré à Monet, publié dans *Jean Santeuil* mais conservé dans le dossier « Proust 45 » (NAF 16636) : « voyez comme au loin les bateaux papillonnent dans une mer volatilisée, mais ayant aussi, le plus petit sa petite ombre noire <(F[alaises] d'Étretat)>. » (f° 90 v° ; *JS*, p. 892-893). Dans la version ultérieure du Cahier 34 où la falaise est comparée à une cathédrale (voir *infra*, n. 14), Proust utilise aussi l'adjectif « vaporisée » pour décrire la « mer pâlie » ainsi que la métaphore des papillons (f° 10 r° ; *JF*, *Esq. LXI*, II, p. 986). On trouve dans un cartonnier une addition sur les marines des Creuniers où « les rochers » (et non la mer) sont « volatilisés » (NAF 27350[2], f° 62 r° ; voir Yasué Kato, « Le progrès technique du XXIe siècle et la génétique textuelle : l'état actuel des recherches sur les épisodes d'Elstir », in Mireille Naturel (dir.), *Proust pluriel*, Presses de la Sorbonne nouvelle, 2014, p. 69 *sq.*).

12. *la mer d'Elstir.*
Du point de vue de la chronologie de la rédaction, c'est la première mention du nom du peintre dans le Cahier 7 (sur la genèse de cette unité textuelle complexe, voir f° 29 r° n. 8). Dans le passage consacré aux Verdurin (f°s 15-20 r°s), Elstir est encore appelé « le peintre » (voir *supra*, f° 19 r° n. 1 et f° 1 r° n. 3). Les trois versos du Cahier 7 qui le mentionnent (f°s 25 v°, 28 v°, 31 v°) sont donc postérieurs à la première apparition de son nom, en 1910, dans le Cahier 28. Encore anonyme au début de ce cahier dans le passage intitulé « Le peintre » (Cahier 28, f°s 2-13 r°s ; *JF*, *Esq. LVI*, II, p. 968 *sq.*) – dans le Cahier 32, il était le « peintre X » (f° 67 r°) – l'artiste s'appelle d'abord Elster, puis, par surcharge, Elstorn, lui-même biffé, et enfin Elstir (Cahier 28, f° 88 v° ; cf. « Notice », *JF*, II, p. 1323, n. 4). Notons que si le peintre de *Jean Santeuil* s'appelle Bergotte (*JS*, p. 785 *sq.*), l'écrivain aimé du héros s'appelle brièvement Elstir dans le Cahier 14 (f° 22 r°). Le nom donné par les Verdurin à leur peintre favori, « "monsieur" Biche », est un ajout de 1913 sur les placards de *Du côté de chez Swann* (*Bodmer*, « Un amour de Swann », plac. 31, col. 7).

13. *Montargis.*
Le personnage de Montargis, petit-neveu de Mme de Villeparisis, apparaît dans le Cahier 31. Dans ce cahier, le héros et lui deviennent finalement amis dans un récit suivi (f°s 24-36). Montargis prendra le nom de « Saint-Loup » au printemps de 1913, d'après une note du Carnet 2, f° 23 r° (voir *Agenda*, f° 5 v° n. 5). On trouve aussi le nom sur les placards Grasset corrigés (NAF 16753, plac. 89, f° 86 v° *sq.*).

14. *comme des cathédrales.*
Dans le Cahier 34, la description sera encore développée et Proust évoquera « la falaise ~~rose et fria~~ gigantesque rose friable et dentelée comme ~~un arcea~~ <les> arcs boutants d'une cathédrale » (f° 10 r° ; *JF*, *Esq. LXI*, II, p. 986). Elstir utilise la même image pour décrire l'esquisse des Creuniers qu'il contemple en compagnie du héros et d'Albertine : « [J]e vous parlais l'autre jour de l'église de Balbec comme d'une grande falaise, une grande levée des pierres du pays, mais inversement, me dit-il en me montrant une aquarelle, regardez ces falaises (c'est une esquisse prise tout près d'ici, aux Creuniers), regardez comme ces rochers puissamment et délicatement découpés font penser à une cathédrale » (*JF*, II, p. 254). Sans doute Proust a-t-il à l'esprit la série de trente tableaux de Monet représentant la cathédrale de Rouen qui avaient été exposés chez Durand-Ruel en 1895 ; dans sa préface à la *Bible d'Amiens*, il avait déjà évoqué les « toiles sublimes » de Monet « où se découvre la vie de cette chose que les hommes ont faite, mais que la nature a reprise en l'immergeant en elle, une cathédrale » (*PM*, p. 89). Rappelons qu'après le symbolisme (avec Moreau pour

modèle), le japonisme (avec vraisemblablement Manet pour modèle), l'impressionnisme avec les paysages de mer dont le modèle serait Monet est la troisième « manière » d'Elstir (cf. Cahier 28, f°s 3-8 r^{os} ; *JF*, *Esq. LVI*, II, p. 968-971). Dans le même Cahier 28, il est précisé que Monet (comme Whistler) a travaillé à Querqueville (fº 79 vº ; *JF*, *Esq. LV*, II, p. 965).

15. *au bord des belles ombres* // *sombres.*
Cf. Cahier 34, fº 10 rº : « j'avais vu ~~les~~ en contraste ~~le~~ les o/Ombres d'un bleu intense, d'un vert glissant et verni » (*JF*, *Esq. LXI*, II, p. 986). La suite du passage se trouve dans la partie supérieure du fº 29 vº.

Folio 29 rº.

1. *fée.*
Cette association entre la jeune femme désirée et une fée disparaîtra complètement dans ce contexte de « Combray » où l'objet du désir sera une jeune paysanne. Dans le Cahier 39, Proust reprend cette idée d'une « Dame » ou d'une « Fée » attachée au nom mais, cette fois, c'est à propos de « chaque château, chaque hôtel ou palais fameux » : « [p]arfois, <cachée> au fond de son nom, la fée ~~dépérit change~~ se transforme au gré de notre imagination » (Cahier 39, fº 2 rº).

2. *traînard.*
Cette notation sur la prononciation rurale apparaît également dans le Cahier 6 à propos des « parents de Combray » (fº 36 rº) et au sujet de « Pinconville ». Elle se maintient jusqu'aux placards du premier volume : « le parler de tous était traînard, mélancolique et doux » (*Bodmer*, plac. 9, 4 avril 1913, col. 4 ; cf. *DCS*, I, p. 48, var. *a* [p. 1125]).

3. *Viviane.*
Viviane ou Niniane, mieux connue sous le nom de Dame du Lac, est une fée de la littérature arthurienne ; elle élève Lancelot après la mort de son père. Dans les brouillons, c'est Mme de Guermantes qui est régulièrement associée à la Dame du Lac, en particulier dans le Cahier 39 (fº 7 rº) ou dans le Cahier 12 (fº 53 rº; *CG*, II, p. 314, n. 5 [p. 1529-1530]), de même que la bretonne Mlle de Quimperlé (Cahier 12, fº 53 rº). C'est en effet sous ce nom que la mère de Mlle de Quimperlé, désignée comme la « Comtesse de Guermantes de Bretagne », appelle sa fille dans les rêveries du héros (voir Georgette Tupinier, « Autour de cinq ébauches de Mlle de Stermaria », *CMP 6*, *ÉP I*, 1973, p. 274). Mais Proust confond ici la fée Viviane et la fée Mélusine. En effet, d'après la légende, c'est Mélusine qui est une femme serpent. Dans son ouvrage *La Femme* (1860), Michelet fait ainsi de la femme une Mélusine, à la fois fée et serpent : « Elle a ce qu'ont tous les êtres à leurs mues, le besoin de se cacher, mais aussi de s'appuyer. C'est la Mélusine du conte ; la belle fée, qui était souvent par en bas une jolie couleuvre timide, se cachait pour muer » (*La Femme*, Hachette, 1860, p. 387). Dans l'imaginaire du roman, Gilberte est associée à Mélusine (Marie Miguet-Ollagnier, *La Mythologie de Marcel Proust*, Les Belles Lettres, 1982, p. 93-100) ; voir par exemple *JF*, I, p. 555 ou Cahier 27, fº 89 vº. Mais c'est surtout le nom de Guermantes qui est associé à Viviane/Mélusine. Le Cahier 12 lie ainsi le château de Guermantes à « cette forêt de Brocéliande semée de lacs bleus où Viviane trouve Merlin au pied d'un arbre » (fº 53 rº ; transcription simplifiée). *Le Côté de Guermantes* fait le lien d'une part entre Mélusine et les Lusignan, d'autre part entre les Lusignan et les Guermantes (*CG*, II, p. 311 et p. 862). D'après la légende, les Lusignan descendent de la fée ; Proust place les Guermantes au terme de cette généalogie (voir Cahier 32, fº 57 rº ; Cahier 39, fº 2 rº). C'est peut-être Émile Mâle qui a suggéré l'allusion à Viviane, lorsqu'il compare les attraits de la Bretagne et de la Normandie dans une lettre à Proust : « Il n'y a pas en Normandie de forêt de Brocéliande, jamais les chevaliers n'y furent aimés par les fées des lacs. Mais vous y trouverez les plus belles églises du XVe siècle [...] ». Lettre du 18 août 1906, *Corr.*, t. VI, p. 191-192.

4. *lesquelle.*
Sic.

5. *L'antichambre Straus.*
Cette notation biographique est l'une des rares du cahier. Il s'agit d'une allusion probable au salon de Mme Straus, que Proust fréquenta régulièrement à partir de 1889. Geneviève Halévy (1849-1926), veuve en 1875 du compositeur Georges Bizet, emménagea après son remariage avec l'avocat Émile Straus au 134, boulevard Haussmann où son salon était fréquenté notamment par Edmond de Goncourt, Maupassant, Charles Haas et Jacques-Émile Blanche. Geneviève Straus était aussi la mère de Jacques Bizet et la cousine germaine de Daniel Halévy, deux amis de Proust (*Lettres*, « Notices biographiques de correspondants » établies par Virginie Greene, p. 1288-1289). Il est possible aussi que la notation précédente, « Le couloir B^{d} Haussm[ann] », renvoie à l'appartement autrefois occupé par son grand-oncle Louis Weil, où Proust a emménagé à la fin de 1906.

6. *Abel.*
L'usage du prénom suggère une référence à Abel Desjardins (1870-1951), condisciple de Proust au lycée Condorcet en classe de Rhétorique. Il fut surtout proche de son frère Robert, même si « Proust resta en relation avec lui tout au long de sa vie » (Pyra Wise, « Lettres et dédicaces inédites de Proust et de quelques correspondants », *BIP*, 2010, n° 40, p. 15 et 19-20 ; *Lettres*, « Notices biographiques des correspondants » établies par V. Greene, p. 1214). Le trait de plume qui suit « Abel. » ponctue la fin de l'unité textuelle et des notes qui la suivent, à moins qu'on ne préfère y voir un trait de biffure : « Je n'aurai pas la voiture ~~ces jours ci parce que~~ ».

7. *Je n'aurai pas la voiture ces jours-ci parce que.*
La graphie de l'addition interlinéaire se rétrécit en raison du trait de plume marquant la fin de l'unité textuelle précédente, à moins de l'interpréter comme une biffure : « Je n'aurai pas la voiture ~~ces jours ci parce que~~ » (voir la n. précédente). Sur la partie envers du Cahier 28 (1910), dans une première version de cet épisode, le héros, de retour de chez Elstir, croise son ami qui vient, en voiture, chercher son oncle à la gare (f° 52 v° ; *JF*, *Esq XLIII*, II, p. 920). Dans une seconde version en ajout sur un recto, Montargis emmène le héros, qui se rend chez Elstir, à la gare : « il n'y aurait rien d'extraordinaire que mon oncle fût dans le train » (Cahier 28, f° 78 r°). Une phrase biffée pourrait renvoyer à ce passage : « ~~Montargis avait dit que son oncle devait~~ » (f° 53 v°). Voir L. Teyssandier, *op. cit.*, p. 33-34.

8. *Montargis m'avait dit.*
Début de l'unité textuelle relative à la première rencontre du héros avec Guercy, le futur baron de Charlus, dont la genèse relativement complexe comprend deux étapes bien différenciées. Proust a d'abord rédigé les pages rectos (f°s 29 r° inf.-39 r° sup.), puis fait une première réécriture partielle sur les versos (f°s 31 v° inf.-34 v°). Il a ensuite développé une nouvelle version de la rencontre, se déroulant désormais après la visite du héros à l'atelier du peintre : la mention du nom « Elstir » qui y figure à plusieurs reprises montre qu'elle est contemporaine de la rédaction du Cahier 28, au cours de l'année 1910 (voir f° 28 v° n. 12). Cette nouvelle version s'est déployée sur les f°s 25-29 v°s en plusieurs étapes : d'abord, Proust installe (f°s 28 v° inf.-29 v° sup.) son nouveau schéma narratif (où se combinent, selon L. Teyssandier, « la photographie de la grand-mère, le désir d'aller retrouver dans un paysage naturel les effets d'un tableau d'Elstir et l'apparition de M. de Gurcy ») ; ensuite, il rédige une retouche du portrait de Guercy (f°s 30 v° inf.-31 v° sup) ; enfin, il développe le montage succinct des folios 28 v° inf.-29 v° sup., remplissant la partie médiane du folio 28 v°, puis les f°s 25-27 v°s, enfin la partie supérieure du f° 28 v° qui s'achève sur la partie inférieure du f° 29 v° (voir L. Teyssandier, *op. cit.*, p. 34 *sq.* ; on se reportera aussi au Diagramme des unités textuelles, *infra*, p. 232-233). L'épisode de la rencontre entre le héros et Guercy a donc, dans le Cahier 7, donné lieu à deux campagnes d'écriture distinctes. Comme le souligne Laurence Teyssandier, « les additions de 1910 du Cahier 7 donnent ainsi à voir un état de la genèse où sont entrelacés deux fils narratifs qui seront entièrement dissociés dans la version définitive : l'épisode du peintre et l'entrée en scène de M. de Gurcy » (*op. cit.*, p. 37).

9. *mon oncle Guercy.*
Le patronyme du personnage est encore flottant. Dans le Cahier 1, rédigé quelques mois plus tôt la même année 1909, le frère balzacien du comte de Guermantes est un marquis encore anonyme (f°s 30, 29 et 24 v°s ; L. Teyssandier, *op. cit.*, p. 13-14). Dans le Carnet 1, Proust mentionne « Guercy » (f° 43 r° ; *Cn*, p. 104) puis « Gurcy » (f°s 47 r°, 49 r° ; *Cn*, p. 115, 121). Le nom « Guercy » est utilisé dans le Cahier 7, mais on y trouve aussi « Gurcy » (f°s 39 r°, 49 r° et 50 r°), et, sans qu'il soit repris ailleurs, le patronyme « Guercœur » (f°s 29 v°, 32 v°, 33 v°, 34 v°). Dans le Cahier 28, Proust attribue un prénom au personnage : « M. de Gurcy s'appelait Manfred. C'était un de ces rudes prénoms ~~dont~~ – Manfred, Roffredo, – de la maison de Sicile » (Cahier 28, f° 26 r°). Sur l'évolution du prénom de Guercy, voir aussi la n. 3 du f° 48 r°. « Guercy » aura tendance à s'imposer au fil des réécritures comme le patronyme dominant du futur Charlus ; le nom de « Guerchy » se retrouve, quant à lui, dans les Cahiers 4, 6 et 51. Dans la réécriture de la rencontre du héros avec Guercy que L. Teyssandier date approximativement de la fin de 1911-début de 1912, le personnage se nomme « baron Palamède de Fleurus » et la station balnéaire Cricquebec (Cahier 35, f°s 22-28 r°s ; Jo Yoshida, « La genèse de l'atelier d'Elstir à la lumière de plusieurs versions inédites », art. cité, p. 18-20). Il ne deviendra Charlus qu'au cours de l'année 1913, dans une addition marginale à un placard du premier volume (« un ~~monsieur de Fleurus~~ certain monsieur de Charlus », *Bodmer*, plac. 7, 4 avril 1913, col. 1). À Guercy sont attribués dans le présent cahier certains traits du M. de Lomperolles de *Jean Santeuil* (voir Nathalie Mauriac Dyer, « Note sur M. de Lomperolles dans *Jean Santeuil*, ou un aspect négligé de la genèse de Charlus », *MP 4*, 2004, textes réunis par B. Brun et J. Hassine, p. 9-21) : voir *infra* les folios 33 r°, 34 r°, 42 r°, 50 r° et 51 v°, et leurs notes.

10. *il a eu toutes les femmes.*
Cette image de Guercy/Gurcy en coureur de femmes figure également dans le Cahier 28 : « Peut'être a t-il rencontré une donzelle en route. Ah ! c'est un coureur que mon oncle. Il [*ill.*] qu'il en a eu dans son jeune temps. » (Cahier 28, f° 53 r° ; *JF*, *Esq. XLIII*, II, p. 920). Elle se maintient dans les différentes réécritures jusqu'au texte définitif : « Il ame-

nait tous les jours des femmes dans une garçonnière qu'il avait en commun avec deux de ses amis, beaux comme lui, ce qui faisait qu'on les appelait "les trois Grâces" » (*JF*, II, p. 109). Dans le Cahier 6, Hubert de Guerchy, même s'il apparaît comme vivant « dans son château plus ~~vertu~~ solitaire qu'une châtelaine du moyen âge », « objet de dégoûts pour [les hommes] dont il s'éprenait », est toutefois décrit comme ayant des maîtresses (fos 30-31 ros ; *SG*, *Esq. I*, III, p. 929).

Folio 29 vº.

1. *il commençait à faire chaud.*
On retrouvera cet élément dans les réécritures suivantes : fº 30 vº, fº 28 vº med.

2. *des affiches annonçaient quelque ennuyeux spectacle du soir.*
Cf. fº 30 rº n. 8.

3. *~~j'aper~~/ je vis*
Le passage s'interrompt ici mais renvoie au portrait de Guercy situé sur le recto en face (fº 30 rº) : « je vis un homme assez grand ... ». Ce portrait sera récrit aux fos 26-28 vos et suivants.

4. *de lui faire part.*
Il s'agit de la suite de la partie supérieure du fº 28 vº, après : « Je ne jugeai pas à propos ».

5. *Guercœur.*
Voir *supra*, fº 29 rº n. 9.

Folio 30 rº.

1. *comme en ont seulement les femmes.*
Proust prépare la révélation qui sera esquissée quelques pages plus loin, lorsque le héros verra Guercy « assoupi » (*infra*, fº 50 rº). Dans la version finale, les indices de l'homosexualité de Guercy, quoique fort lisibles, seront beaucoup plus subtils et allusifs ; la grand-mère du héros, toutefois, « s'étonnait qu'un homme pût comprendre [les *Lettres* de Mme de Sévigné] si bien. Elle trouvait à M. de Charlus des délicatesses, une sensibilité féminine » (*JF*, II, p. 121).

2. *cimetière.*
Le Cahier 28 précise : « Pendant plus d'un an, on a cru qu'il ne lui survivrait pas » (Cahier 28, fº 79 rº). Tout ce passage est repris dans *JF*, II, p. 110.

3. *gens du peuple.*
Ce trait est repris et développé dans le portrait de Guercy par Montargis du Cahier 28 (fº 79 rº) : « Tu le rencontreras sur une route avec un gamin quelconque ~~à~~ qui lui aura paru malheureux, à qui il donnera de l'argent, des conseils, <à> ~~qu'~~/qui il tâchera de faire avoir une place, du reste généralement pour être refait et se faire voler. » On retrouve ce portrait par Saint-Loup dans le texte final : « tu n'imagines pas le nombre d'hommes du peuple, lui si hautain avec les gens du monde, qu'il prend en affection, qu'il protège, quitte à être payé d'ingratitude. Ce sera un domestique qui l'aura servi dans un hôtel et qu'il placera à Paris, ou un paysan à qui il fera apprendre un métier. » (*JF*, II, p. 109).

4. *en attendant ma grand-mère.*
Un séjour du héros au bord de la mer avec sa grand-mère avait déjà été rédigé dans le Cahier 4. Ils y rencontraient Swann et « une vieille marquise de Villeparisis avec qui [la grand-mère] avait été au Sacré-Cœur » (Cahier 4, fº 63 rº ; *JF*, *Esq. XXXVI*, II, p. 911).

5. *un homme assez grand et assez gros.*
Cette caractérisation évoque le portrait d'Oscar Wilde qui ouvre le feuilleton qu'Henri de Régnier consacre à sa pièce *L'Éventail de Lady Windermere* dans le *Journal des Débats* du 17 mai 1909 : « Oscar Wilde était alors un gros et grand garçon [...] ». Voir aussi fº 48 rº n. 4. Conçus en parallèle et en contraste, les deux portraits successifs de Guercy, moral par Montargis puis physique par le héros, préparent la vision de l'homme endormi (*infra*, fos 49 rº-50 rº), qui permettra de dépasser les « contradictions » et de rétablir l'« harmonie » en proposant, « *par une révolution magique* », une nouvelle interprétation du personnage (fº 50 rº).

6. *rose à la boutonnière.*
Voir *infra*, f° 42 r° n. 2 et *supra*, f° 26 v° n. 2.

7. *vivement.*
C'est probablement Bernard de Fallois qui a entouré le mot « vivement » sur le manuscrit (voir fac-similé). On retrouve le même adverbe (et un portrait identique) dans la scène de séduction entre Guercy et Borniche du Cahier 51 : « je le vis ~~faire~~ s'arrêter vivement, <regarder du côté de la boutique> continuer son chemin, revenir de l'air de quelqu'un qui a oublié quelque chose et rester un moment dans la cour, en tirant sa montre, en regardant d'un air ~~très~~ agité, négligent, impertinent, ridicule, dans tous les sens et en ~~chantonnant~~ <fredonnant> un air. » (Cahier 51, f° 7 r° ; *MPG*, p. 51-52 ; *SG*, *Esq. II*, III, p. 936-937). Voir L. Teyssandier, *op. cit.*, p. 18-19.

8. *les affiches du concert.*
Dans le Cahier 49, le héros se souvient de la scène et de « l'affiche indiquant des sélections de Wagner » (f° 36 v° ; *SG*, *Esq. IV*, III, p. 947). Voir L. Teyssandier, *op. cit.*, p. 55. Dans le Cahier 51, quand Guercy vieilli rencontre le narrateur, il lui rappelle l'affiche « qu'il y avait devant [eux] » lors de leur première rencontre, mais c'était alors une « réclame de Liebig » (Cahier 51, f°s 20-21 r°s ; *MPG*, p. 65). Le sujet de l'affiche ne sera finalement pas mentionné dans le texte définitif (*JF*, II, p. 110-111). Voir aussi Franc Schuerewegen, « La mémoire de Charlus », in Le Temps retrouvé *Eighty Years After/ 80 ans après*, Adam Watt (dir.), Berne, Peter Lang, 2009, p. 53-64.

9. *était.*
Sic.

10. *en chantonnant <je ne sais quoi>.*
Dans le Cahier 51, lors de la première rédaction de la rencontre de Guercy et Borniche (qui deviendra Jupien), Guercy chante le même refrain que « sur la plage » : « C'est l'étoile d'amour », chanson de 1899 de C. Fallot et P. Delmet (Cahier 51, f° 7 r° ; *MPG*, p. 52 ; *SG*, *Esq. II*, III, p. 936-937).

Folio 30 v°.

1. + *assez pour.*
Addition au signe « + » qui se trouve à l'extrémité de l'interligne dans la partie médiane du f° 31 r°, après « et l'absorba ». Il s'agit d'une réécriture du passage biffé qui lui fait face.

2. *quelque voleur assassin, ou quelque espion.*
Les mots de « voleur » et « assassin » réapparaissent au f° 54 r° pour souligner l'incompréhension dont sont victimes les homosexuels. Quant au terme « espion », il apparaît également dans le Cahier 6 pour désigner les homosexuels dans le passage sur la « race maudite » (f° 40 r°). Il pourrait renvoyer à l'affaire Dreyfus, comme l'a proposé Yuji Murakami en soulignant l'« analogie entre l'espionnage militaire et l'espionnage amoureux » chez Proust (« Gomorrhe 1913-1915 », *Genesis*, 2013, n° 36, p. 83).

3. *Il était ~~à la fois~~.*
Sur ce folio et le suivant (f° 31 v° sup.), Proust retouche le portrait de Guercy qui se trouve en face (f° 31 r°) et précède l'arrivée de la grand-mère du héros.

4. *Il ramassa sa badine.*
La canne était déjà un des accessoires de Guercy sur les rectos (voir f° 30 r°), mais sa description est développée sur les versos.

Folio 31 r°.

1. *comédie.*
Ce terme fait écho à l'attitude très théâtrale de Guercy dans ses gestes et ses déplacements. Le thème sera repris quelques feuillets plus loin (voir *infra*, f° 35 r° n. 2).

2. *gesticulation incohérente d'un dément.*
Sur le lien entre homosexualité et folie, voir Introduction, p. XXXII, et f° 51 r° n. 5, f° 36 r° n. 1.

3. *et l'absorba* +.
La fin de l'ajout interlinéaire figure sur le verso en face, après la croix.

4. *je pus à mon tour le regarder un peu.*
On peut poursuivre cet ajout interlinéaire avec la nouvelle version du portrait de Guercy qui figure sur le verso en face (« Il était très bel homme et distingué… ») et le haut du suivant.

5. *moustache probablement teinte.*
Voir *supra*, f° 27 v° n. 3.

Folio 31 v°.

1. *pétales d'orchidées.*
Voir *supra*, f° 27 v° n. 2.

2. *mouvements bizarres et fiévreux d'un neurasthénique.*
Le terme « neurasthénie » apparaît à la fin du XIXe siècle dans le vocabulaire de la psychiatrie pour désigner des troubles anxieux induisant un épuisement nerveux ; le professeur Adrien Proust, père de Marcel Proust, avait co-signé une *Hygiène du neurasthénique* (Masson, 1897). Proust, sur les conseils de sa mère, songea un temps à suivre une cure destinée aux neurasthéniques (voir Edward Bizub, *Proust et le moi divisé*, Genève, Droz, 2006, p. 152-159), et emploie le terme pour de nombreux personnages de la *Recherche*, de la tante Léonie à Morel. Il semble toutefois qu'à ses yeux la neurasthénie soit le symptôme d'une manière de dédoublement de la personnalité, comme c'est peut-être, par exemple, le cas de Swann lors de ses crises de jalousie. La neurasthénie produit des symptômes contradictoires et apparaît ailleurs que dans le présent cahier dans le contexte de l'homosexualité : « En réalité […] il n'y avait entre le sévère Charlus tout de noir habillé, aux cheveux en brosse, que j'avais connu, et les jeunes gens fardés, chargés de bijoux, que cette différence purement apparente qu'il y a entre une personne agitée qui parle vite, remue tout le temps, et un névropathe qui parle lentement, conserve un flegme perpétuel, mais est atteint de la même neurasthénie aux yeux du clinicien qui sait que celui-ci comme l'autre est dévoré des mêmes angoisses et frappé des mêmes tares. » (*P*, III, p. 718).

3. *cet effet que j'ai vu chez Elstir.*
Sur Elstir, voir *supra*, f° 28 v° n. 12, et sur le terme « effet », f° 25 v° n. 3.

4. + *Me de Villeparisis nous arrêta.*
La longue réécriture qui commence ici (f° 31 v° inf. à f° 34 v°) s'insère dans la partie supérieure du f° 32 r°, à la croix située après « nous saluâmes » (voir le Diagramme des unités textuelles, *infra* p. 233). Elle a pour fonction principale de développer un des aspects du portrait de Guercy, le fait qu'il soit « le plus entiché de ~~sa~~ noblesse qu'il y ait » (Cahier 28, f° 81 r° ; voir aussi *supra* f° 30 r°), et de souligner son appartenance à la famille Guermantes. Sur Mme de Villeparisis, voir *supra*, f° 25 v° n. 2.

5. *le ~~marquis~~ vicomte.*
Proust hésite beaucoup sur le titre nobiliaire de son personnage, à l'image de Charlus lui-même : « mon oncle Palamède aurait dû prendre le titre de prince des Laumes, qui était celui de son frère avant qu'il devînt duc de Guermantes, car dans cette famille-là ils changent de nom comme de chemise. Mais mon oncle a sur tout cela des idées particulières. Et comme il trouve qu'on abuse un peu des duchés italiens, grandesses espagnoles, etc., et bien qu'il eût le choix entre quatre ou cinq titres de prince, il a gardé celui de baron de Charlus […]. » (*JF*, II, p. 114). Dans le présent cahier, le futur Charlus sera ainsi tour à tour marquis, vicomte, comte, prince et baron. Voir *infra*, f° 49 r° n. 3. Sur ses titres, voir aussi F. Leriche, « Palamède XV, baron de Charlus », art. cité, p. 286 *sq.*

Folio 32 r°.

1. + *son salon.*
Cet ajout s'insère trois lignes en-dessous, dans l'addition interlinéaire, après le signe « + ».

2. *Nous saluâmes* +.
Le signe « + » renvoie à la réécriture partielle, plus développée, qui s'étend du f° 31 v° inf. au f° 34 v°.

3. *à fleur de tête.*
L'expression est reprise dans le Cahier 43 (f° 31 r° ; *SG*, *Esq. IV*, III, p. 963) à propos du prince de Guermantes.

4. *voyaient les personnes sans jamais les regarder.*
Voir aussi f° 47 r° n. 6. Ce trait était souligné dans le portrait de Montesquiou qui figure dans le pastiche de Saint Simon publié par Proust dans *Le Figaro* du 18 janvier 1904 : « sa position naturelle [...] était toute de fierté, de hauteur, d'intransigeance, à ne plier devant et à ne céder sur rien, jusqu'à marcher droit devant soi sans s'occuper du passage, bousculant sans paraître le voir, ou s'il voulait fâcher, montrant qu'il le voyait » (*PM*, p. 711). Selon une lettre à Montesquiou de 1921, cependant, c'est « un B[ar]on Doazan » qui a « servi pour M. de Charlus, à sa première apparition dans l'*Ombre des jeunes filles en fleurs*, quand il me regarde en affectant de ne pas me voir » (*Corr.*, t. XX, p. 281, lettre datée de [peu après le 17 mai 1921]). Voir aussi la lettre du [18 ou 19 avril 1921] à Montesquiou (*ibid.*, p. 194).

5. *anneau.*
Voir aussi la réécriture en face (f° 31 v°). On retrouvera la manière spéciale de saluer du personnage et l'évocation de l'anneau d'archevêque au quatrième doigt lors de la rencontre avec Guercy pendant la réception chez la princesse de Guermantes (voir *infra*, f° 47 r° n. 3 et f° 49 r°). Dans la réécriture du Cahier 35 comme dans la version des *Jeunes filles*, Fleurus/Charlus sera rendu encore plus viril, et Proust précisera : « Il n'admettait même pas qu'un homme portât ~~une~~ <de> bagues. Et je remarquai en effet que même <autour de> cet annulaire qu'il me tendait pour me dire bonjour ~~n'~~ il n'y en avait aucune » (f° 33 r°).

Folio 32 v°.

1. *Guenièvre de Brabant.*
Voir *infra*, f° 40 r° n. 6. Dans l'Agenda 1906, une note plus tardive soulignée en rouge témoigne des hésitations de Proust sur l'« ancienne forme de Geneviève » (*Agenda*, f° 16 r° et n. 4). Le prénom de Guenièvre, porté par la femme du roi Arthur dans la légende arthurienne, est d'origine celtique ; le prénom de Geneviève (porté par la sainte patronne de Paris qui a vécu entre le Ve et le VIe siècle), en latin *Genovefa*, dérive du francique et n'a sans doute aucun lien étymologique avec le premier.

2. *Delacroix.*
Lors de la réécriture du passage en 1911-1912, il s'agit d'un « beau portrait de [la tante de Montargis] par Carolus Duran et de magnifiques dessins de Delacroix » (Cahier 35, f° 26 r°). Dans l'édition finale, Proust évoque un portrait de Mme de Villeparisis peint par Eugène Carrière (*JF*, II, p. 114).

3. ~~*un admirable Hor.*~~
Ou faut-il lire « ~~Har~~ » ? Il pourrait s'agir alors du peintre américain Alexander Harrison. Proust l'avait rencontré en 1895 lors de son séjour à Beg Meil avec Reynaldo Hahn. Il mentionnait dans *Jean Santeuil* le « ravissant effet de soleil par Harrisson *[sic]* » (NAF 16615, f° 369 r° ; *JS*, p. 374). Deux notes précoces (1908) du Carnet 1 lui sont consacrées (f°s 6 r° et 11 r° ; *Cn*, p. 41 et 50).

4. *des tapisseries de toutes beautés.*
Sic. Ces tapisseries ne seront plus mentionnées dans *JF*. Dans le Cahier 7, elles restent associées au nom de Guermantes (voir *infra*, f° 41 r°). On sait que « deux tapisseries de haute lice » ayant appartenu aux Guermantes se trouvent dans l'église de Combray (*DCS*, I, p. 60). Le curé évoque celle qui représente le couronnement d'Esther dans le Cahier 6 (f° 3 r°), et à nouveau, dans le Cahier 8, « la seule chose que ~~nous~~ nous [aient] donnée les châtelains de Guermantes, cette tapisserie que j'ai suspendue dans ma sacristie [...]. » (f°s 63-64 v°s). Par ailleurs, dans *CG*, le héros dit avoir « entendu parler des célèbres tapisseries de Guermantes. [...] [E]lles étaient de Boucher, achetées au XIXe siècle par un Guermantes amateur, et étaient placées, à côté de tableaux de chasse médiocres qu'il avait peints lui-même [...]. » (II, p. 314-315).

5. *M. de Villebon.*
Nom originellement prévu pour faire pendant au côté de Méséglise. Au début du Carnet 1, Proust indique parmi les « Pages écrites » « Le côté de Villebon et le côté de Meséglise » (f° 7 v° ; cf. *Cn*, p. 43). Il utilise encore ce nom dans le Cahier 4 (f°s 25-27 r°s) pour désigner ce qui deviendra le côté de Guermantes. Cette réplique de Montargis confirme que, dans le Cahier 7, le nom de Guermantes supplante bien celui de Villebon : le comte de Villebon devient le duc de Guermantes.

6. *la Sablonnière.*
Ce toponyme ne sera pas repris dans la suite de la genèse.

Folio 33 rº.

1. *marchands ~~ambulants~~ <en plein vent>.*
On retrouve cette comparaison au fº 33 vº, et elle est reprise au fº 46 rº dans le contexte de la soirée Guermantes. Elle sera ensuite développée dans le Cahier 43 (fos 32 rº-32 vº et 47 rº).

2. *la « Rousse ».*
Cf. *infra*, fos 46, 48 ros. Ce terme argotique, ici entre guillemets, était apparu dans la première moitié du XIXe siècle pour désigner la police. Ici même au fº 33 vº et dans *JF* (II, p. 118), c'est le terme neutre qui est repris. Mais on retrouve l'expression lors de la première visite du héros dans le salon de Mme de Villeparisis, lorsqu'au cours d'un échange entre Odette et M. de Charlus, le héros voit ses « yeux errants [...] pareils à ceux d'un marchand en plein vent qui craint l'arrivée de la *Rousse* » (*CG*, II, p. 566). Voir aussi sa reprise lors de la soirée chez la princesse de Guermantes dans le Cahier 43, fos 33 rº, 32 vº, 47 rº.

3. *entiché de noblesse.*
Voir *supra*, fº 31 vº n. 5. L'expression est conservée jusque dans la version définitive sous la forme « entiché de sa noblesse » (*JF*, II, p. 108).

4. *bonjour glacial.*
Le « ton glacial » de Guercy à l'égard du héros est aussi mentionné lors de la soirée chez la princesse de Guermantes (*infra*, fº 49 rº). Ce trait renvoie au personnage de M. de Lomperolles dans *Jean Santeuil* (NAF 16616, fº 460 rº ; *JS*, p. 676). Voir N. Mauriac Dyer, « Note sur M. de Lomperolles dans *Jean Santeuil* ... », art. cité, p. 18.

5. *un abîme de contradictions.*
Proust prépare ici la révélation de l'homosexualité de Guercy, qui lui fera écho : « tout ce qui m'avait chez lui choqué[,] troublé, semblé contradictoire, se résolvait en harmonie » (voir *infra*, fº 50 rº).

6. *mâle, viril.*
Ce trait est également noté au fº 35 rº. Proust le reprend ensuite dans sa description de Guercy endormi (voir *infra*, fº 50 rº n. 3).

Folio 33 vº.

1. *Prince des Dunes.*
Dans le Cahier 51, le comte de Guercy est « Prince de Laon » (fº 16 rº ; *MPG*, p. 60 ; *SG II*, *Esq. II*, III, p. 941). Dans le passage de *JF* correspondant à cette page du Cahier 7, Charlus est présenté comme prince des Laumes (II, p. 114). Le titre de prince des Dunes est mentionné dans le Cahier 74 (fº 16 rº) et lors du dîner Verdurin dans *SG II* (III, p. 333). Voir *supra*, fº 31 vº n. 5.

2. *Baron de Saint Mégin.*
Ce patronyme ne sera pas repris, mais on peut le rapprocher de celui du comte de Saint-Mégrin, mignon de Henri III auquel M. de Charlus est comparé dans *Le Temps rerouvé* (IV, p. 379).

3. *l'estimable Félibien.*
Ce personnage médiocre, le fils de Guercy, d'abord mentionné dans le Cahier 36 comme le « petit Guercy » (fº 26 rº ; *AD*, *Esq. XIII*, IV, p. 685), porte aussi le « joli titre de Prince d'Agrigente » dans le Cahier 51 (fº 16 vº ; *MPG*, p. 62-63). On le trouve encore dans le roman en 1912. Voir L. Teyssandier, *op. cit.*, p. 21-23.

4. *plaire au femmes.*
Sic.

5. *M. de Guercœur qui cette fois fut présenté à ma grand mère.*
Pourtant, deux pages plus haut (f° 31 v°), au début de cette réécriture sur les versos, Mme de Villeparisis avait déjà présenté « [s]on neveu M. de Gurcy » à la grand-mère du héros.

6. *trajet de Me de Sévigné.*
Dans un cahier légèrement ultérieur, le Cahier 32, ce voyage à Querqueville « entre Normandie et Bretagne » est évoqué plus longuement. Il s'agit du « voyage que Me de Sévigné avait fait <~~raconte dans~~> avec la Duchesse de Chaulnes en 16[ ] et où elle avait été de Paris à <"l'Orient" et> Quimperlé en "passant" par Amiens ~~que je désirais tant voir, D Bayeux en traversant la Normandie, puis la basse Normandie par~~ <Le Pont Audemer> Caen ~~et~~ Bayeux, ~~jusqu'en~~ <et> la Bretagne ». Voir fos 6-7 ros ; *JF*, *Esq. XXVIII*, II, p. 887 et n. 1 [p. 1842].

7. *ma cousine la Duchesse de +.*
La suite figure après la croix identique dans la marge inférieure du folio.

8. *le laissant <causer> avec ma grand mère de.*
La rédaction est interrompue.

Folio 34 r°.

1. *exercices.*
Ce trait est repris dans le Cahier 35, f° 20 r° : « Ainsi Montargis me contait-il des anecdotes sur son oncle tandis qu'il m'accompagnait ~~à la gare~~ ~~au train que je devais prendre pour aller~~ <à la gare> ~~où je partais~~ d'où je partais pour aller ~~déjeuner~~ voir Elstir et où il espérait un peu trouver son oncle, ~~bien que celui~~ bien qu'il fût possible que celui-ci très amateur ~~de sport et sur~~ d'exercices physiques et surtout de marche ~~vint à pied~~ fût venu en partie à pied, par grandes étapes du château où il était en villégiature. »

2. *efféminés.*
Sur ce terme, voir *infra*, f° 35 r°, f° 50 v° et n. 3, f° 52 v° et n. 4, f° 54 v°, où Proust écrit : « efféminés ».

3. *« C'est une vraie femme ».*
On retrouve ici une expression d'un des ancêtres génétiques de Guercy/Charlus, le M. de Lomperolles de *Jean Santeuil*, comme l'a relevé Nathalie Mauriac Dyer : « ce qu'il pardonnait le moins aux jeunes gens d'aujourd'hui c'était d'être comme il le disait à tout moment, avec mépris[,] "de vraies femmes". De Santeuil il avait dit à la duchesse [:] il est peut'être moins bête que les autres mais qu'est-ce qui a fait un homme comme cela, qui ne peut pas dormir, qui pleure à propos de rien. Ce n'est pas un homme, ça, une vraie femme. » (NAF 16616, f° 460 r°-v° ; *JS*, p. 677 ; voir aussi NAF 16616, f° 645 v° ; *JS*, p. 719). N. Mauriac Dyer, « Note sur M. de Lomperolles dans *Jean Santeuil* … », art. cité, p. 12. L'expression est sans doute destinée à créer un parallèle avec la révélation de l'homosexualité de Guercy rédigée plus loin. Elle se marque en effet par ces mots : « on dirait que c'est une femme », « c'en était une » (voir *supra*, f° 30 r° n. 1 et *infra*, f° 50 r° n. 6 et 7). Cette pose de virilité intransigeante est un trait essentiel de la personnalité de Charlus qui se trouve ainsi à l'origine même du personnage. On y retrouvera diverses allusions dans le texte final, par exemple dans *JF* : « il avait à l'égard des hommes, et particulièrement des jeunes gens, une haine d'une violence qui rappelait celle de certains misogynes pour les femmes. » (II, p. 120).

4. *qualité de la marchandise.*
Cette expression figure déjà dans *Jean Santeuil* : « Naturellement répondit Henri. On l'avait volé sur la qualité de la marchandise. Être une femme, que pouvait-il reprocher de pire à un jeune homme ? » (NAF 16616, f° 645 v° ; *JS*, p. 719). Proust la réemploiera en 1912 dans une lettre à Fasquelle : « Je crois ce caractère – le pédéraste viril, en voulant aux jeunes gens efféminés qui le trompent sur la qualité de la marchandise en n'étant que des femmes, ce "misanthrope" d'avoir souffert des hommes comme sont misogynes certains hommes qui ont trop souffert des femmes, je crois ce caractère quelque chose de neuf » (lettre du [28 octobre 1912], *Corr.*, t. XI, p. 256). Voir N. Mauriac Dyer, « Note sur M. de Lomperolles dans *Jean Santeuil* … », art. cité, p. 21.

5. *peintre Z.*
Dans la version du Cahier 35 comme dans *JF*, c'est un livre de Bergotte que Guercy devenu Fleurus, puis Charlus, apporte au héros (Cahier 35, f° 37 r° ; *JF*, II, p. 124). Dans le Cahier 53, c'est le héros qui feuillette « un album ~~de Turner,~~ d'Elstir » en attendant Albertine (*Cahier 53*, f° 20 v°).

Folio 34 vº.

1. ~~*Aussi je fus bien étonné le lendemain*~~.
La rédaction amorcée ici semble antérieure à la suite du verso précédent : devait-elle s'intercaler après la croix de renvoi, au recto en face ? Sur « le lendemain », voir aussi fº 28 vº et les n. 3, 4 et 5.

2. *quelques meubles qui lui ont servi.*
Ce développement sur les meubles qui auraient servi à Mme de Sévigné prend la suite des lignes ajoutées en bas du verso précédent ; il ne sera pas repris dans le Cahier 35 ni dans *JF*.

Folio 35 rº.

1. *tout un chœur de sœurs délicates.*
Sur la voix, voir fº 50 vº n. 4. On retrouve presque la même évocation dans *JF* : la voix de M. de Charlus « semblait contenir des chœurs de fiancées, de sœurs, qui répandaient leur tendresse » (II, p. 123). Un développement intitulé « À propos de la voix de M. de Charlus » apparaît également sur l'un des versos du Cahier 49 (fº 49 vº ; *SG*, *Esq. IV*, III, p. 954).

2. *une Célimène.*
Voir aussi plus bas son « rire de coquette », et au fº 50 vº ses « intonations de coquette ». Cette allusion au *Misanthrope* disparaîtra, et c'est à Mme de Guermantes que s'attachera l'esprit médisant de l'héroïne de Molière dans *Le Côté de Guermantes*. (Sur la référence au *Misanthrope* dans la *Recherche*, voir Sylvaine Landes-Ferrali, *Proust et le Grand Siècle*, Tübingen, G. Narr, 2004, p. 180 *sq.*) Voir aussi *infra*, fº 50 vº n. 4. Plus généralement, la station balnéaire, son grand hôtel et la vie de bains de mer sont perçus comme un décor de théâtre, ainsi que Proust le souligne dans une lettre de 1907 : « l'hôtel a l'air d'un décor » (*Corr.*, t. VII, p. 261 ; Anne Chevalier, « Balbec », *Dict.*, p. 108).

3. *en l'écoutant +.*
Cette croix pourrait renvoyer à l'amorce biffée, en haut du verso en face : « Aussi je fus bien étonné le lendemain ».

Folio 36 rº.

1. *des gaietés de petite folle.*
Proust joue-t-il ici sur l'ambiguïté du terme « folle », employé pour désigner les homosexuels efféminés depuis la fin du XIXe siècle ? Voir Jean-Yves Le Talec, *Folles de France. Repenser l'homosexualité masculine*, La Découverte, 2008, p. 20, et *infra*, fº 51 rº n. 5.

Folio 37 rº.

1. *la nature.*
Sur l'amour de la grand-mère pour la nature qui est encore plus marqué dans le brouillon que dans le texte définitif, voir *supra*, fº 27 rº n. 5 et *infra*, fº 38 rº, fº 42 rº.

2. *une de ces plages qu'il détestait.*
Proust reprend cette notation dans une addition du Cahier 28, où elle est attribuée à Montargis/Saint-Loup : « Du reste je ne crois pas qu'il reste ~~il~~ <car il> déteste ~~les~~/a ~~bains de mer~~ <vie de plage> et ne vient que pour voir ma tante Villeparisis » (Cahier 28, fº 78 rº).

3. *une vieille ville de nobles et de pêcheurs.*
Cette opposition entre la « vieille ville » et la « plage » sera développée dans le Cahier 32 avec l'opposition entre Querqueville-le-vieux et Querqueville, qui annonce elle-même la distinction entre Balbec-en-Terre et Balbec-Plage de l'édition définitive. Dans le Cahier 32, légèrement ultérieur, le narrateur semble précisément reprendre le point de vue de Guercy développé dans le Cahier 7 et sa critique des plages : « Querqueville le vieux qui ~~est~~ touche Querqueville et par où il faut passer si on veut aller se promener sur la hauteur parlait davantage à mon imagination avec sa ~~vaste~~ <grande> place, ~~d'où on aperçoit entre~~ toute en vieux hôtels encore habités par l'aristocratie d~~u~~/e la région

et d'où on aperçoit la mer fort audessous » (f° 40 v° ; *JF*, *Esq. XXXII*, II, p. 900). Il évoque ensuite Vauban et « les constructions du XVIIe siècle » ; dans le présent cahier, il s'attarde sur une maison d'armateur du XVIIIe siècle (voir *infra* n. 6 et f° 38 r°).

4. *XX.*
Le nom de la station balnéaire n'est pas encore fixé. Elle est également appelée T dans le présent cahier. Voir *infra*, f° 38 r° n. 2.

5. *des hostilités.*
Ce trait est déjà souligné dans le Cahier 4 : « ma grand'mère trouvant que c'était "une pitié" ~~de ne pas~~/'avoir les fenêtres fermées au bord de la mer, faisait laisser ~~les~~/e vitrage de la salle à manger ouvert, malgré les réclamations des autres personnes qu'elle ~~écoutait se n'entendait~~ <ne voulait pas entendre> » (Cahier 4, f° 63 r°). Dans ce cahier, le héros et sa grand-mère sont mis « à la porte » de l'hôtel (*ibid.* ; cf. *JF*, *Esq. XXXVI*, II, p. 910-912). On retrouvera cet épisode dans le texte définitif (*JF*, II, p. 35) ; l'issue sera toutefois moins désagréable pour les protagonistes.

6. *une de ces vieilles maisons d'<anciens> armateurs.*
Au folio suivant, il est précisé qu'elle date du XVIIIe siècle. Proust développera la description d'un hôtel « de commis voyageurs », « l'hôtel des Quatre Tourelles » (f° 53 r°), dans le Cahier 26. Cet hôtel est situé « dans une vieille abbaye qui était devenue au XVIIIe siècle l'hôtel d'un riche armateur » (f° 49 r°). Voir *Cahier 26*, f° 49 r° n. 1 et *JF*, *Esq. LXXIII*, II, p. 1010.

7. *Françoise.*
Voir *supra*, f° 5 r° n. 2.

Folio 38 r°.

1. *bon pour la santé.*
Sur les préoccupations hygiénistes de la grand-mère encore plus marquées dans le brouillon que dans le texte définitif, voir *supra*, f° 27 r° n. 5 et *infra*, f° 42 r°.

2. *T.*
« T » renvoie sans doute ici à Trouville. Voir aussi le f° 37 r°, où le nom de la station balnéaire est XX. Le nom « Querqueville », premier nom de Balbec absent ici, apparaît sur certains versos des premiers cahiers : dans le portrait d'un inverti solitaire du Cahier 6 (f°s 35-36 v°s), et dans le Cahier 4 avec cette note : « ne pas oublier les fêtes éliotesques à Querqueville » (f° 67 r° ; le recto joue ici le rôle d'un verso car le cahier est pris à l'envers). On retrouve également « Querqueville » dans le Cahier 5, f°s 57-58 r°s. (Voir F. Leriche « Note sur le Cahier "Querqueville", les thèses d'Akio Wada et de Takaharu Ishiki, et sur l'activité de Proust en 1909 », *BIP*, 1987, n° 18, p. 18-19.) Selon Anthony Pugh, les premières mentions de Querqueville apparaissent dans les Cahiers 8 et 12 (*Growth*, p. 33-34). Une note du Carnet 1 (f° 40 r°) que l'on peut dater d'août 1909 précise : « Querqueville (équivalent) ». C'est donc sans doute au cours de cet été de 1909 que Proust a commencé à utiliser ce nom qui signifie « ville de l'église ». La station balnéaire, après avoir été nommée un temps Bricquebec ou Cricquebec, ne devient Balbec qu'en juin 1913 (voir *Agenda*, f° 11 v° n. 10 et f° 16 n. 2).

3. *ceux qui « étaient de vraies femmes ».*
Voir *supra*, f° 34 r° n. 3.

4. *une petite fripouille.*
Proust consigne dans le Carnet 1 un mot qu'il prêtera, dans *Sodome et Gomorrhe II*, à Charlus (*SG*, III, p. 113) : « Je ne sais pas ce que c'est que la société des honnêtes gens mais celle des fripouilles est délicieuse » (f° 6 v° ; *Cn*, p. 42). Charlus emploiera cette expression pour apostropher le héros à l'occasion de leur premier tête-à-tête : « "Mais on s'en fiche bien de sa vieille grand-mère, hein ? petite fripouille !" » (*JF*, II, p. 126). En outre, ce sont ces mêmes canailles et crapules que Charlus recherchera durant la guerre, dans l'hôtel de Jupien : « [...] Jupien sentait que ce n'était pas encore assez de présenter à M. de Charlus un garçon laitier. Il lui murmurait en clignant de l'œil : "Il est garçon laitier, mais au fond c'est surtout un des plus dangereux apaches de Belleville" [...]. Et comme si ces références ne suffisaient pas, il tâchait d'ajouter quelques "citations". "Il a été condamné plusieurs fois pour vol et cambriolage de villas, il a été à Fresnes pour s'être battu [...] avec des passants qu'il a à moitié estropiés [...]". » (*TR*, IV, p. 395-396).

Le terme de fripouille n'est donc pas anodin dans la bouche de Guercy et esquisse un trait de ses fantasmes sexuels. Voir aussi le terme « voyou », f° 53 r° n. 1.

5. *Il parlait des jeunes gens avec une sorte de haine.*
Ce trait provient encore une fois du personnage de Lomperolles dans *JS* : « il ~~détestait to~~ n'aimait pas les jeunes gens. Il ~~les trouvait tous et surtout ceux d'aujourd'hui bêtes, méchants, insensibles au mérite, par trompeurs perfides~~ ne les trouvait pas seulement sans esprit et sans goût, dépourvus de mérite et sans égards pour celui des autres. » (NAF 16616, f° 460 r° ; *JS*, p. 676).

Folio 39 r°.

1. *mauvais arrangement de la vie.*
La même expression est utilisée dans la tirade sur la « race maudite » (*infra*, f° 51 v°).

2. *cour.*
Ce bref développement qui s'achève au milieu du recto suivant introduit Guercy dans l'univers parisien et fait un premier pendant à son portrait dans la station balnéaire (*supra* fos 29-39 ros). Il met l'accent sur le rôle d'observateur, voire d'espion, du héros qui le regarde à travers les volets de son appartement. Raconté ici sur le mode itératif (« Tous les jours après le déjeuner »), il aboutit à une impasse : « Je ne sortais jamais à cette heure là et lui ne venait jamais à aucune autre » (f° 40 r°). Il sera prolongé dans le Cahier 51 par le récit de la rencontre avec Borniche qui, sous le titre « Le Marquis de Guercy (Suite) », débute par les mots plusieurs fois raturés : « Un jour j'étais à ma fenêtre » (Cahier 51, fos 1-22 ros ; *MPG*, p. 47-66 ; cf. Pugh, *Growth*, p. 25 ; L. Teyssandier, *op. cit.*, p. 17). Mais les circonstances sont très différentes : dans le Cahier 51, les visites de Guercy aux autres membres de la famille Guermantes ne sont plus quotidiennes ; elles ont lieu le soir, et une seule fois, exceptionnellement, l'après-midi, à Mme de Villeparisis qui est très souffrante (Cahier 51, f° 4 r° ; *MPG*, p. 50 ; *SG*, *Esq. II*, III, p. 935). Dans les Cahiers 4, 5 et 31, la cour de l'hôtel aristocratique était déjà évoquée, et l'appartement du héros et de ses parents situé « dans une seconde cour donnait sur celui de la comtesse ». Voir Cahier 4, f° 10 v° (*CSB (F)*, coll. « Folio », chapitre IV, « La comtesse », p. 77 ; *CG*, *Esq. V*, II, p. 1042) ; Cahier 5, f° 39 v° *sq.* (*CG*, *Esq. I*, II, p. 1021). Cette comtesse, encore parfois anonyme dans les Cahiers 4 et 5, prendra ensuite le nom de comtesse de Garmantes dans les Cahiers 4 et 31 : « Car j'ai oublié de dire qu'une fois dans la maison quand nous apprîmes le nom des autres locataires, nous sûmes que la "Comtesse" qui avait l'"hôtel au fond de la cour" sous l'appartement de Me de Villeparisis (c'était sa nièce) s'appelait la Ctesse de Garmantes. » (Cahier 31, f° 37 r°, transcription simplifiée ; *CG*, *Esq. XII*, II, p. 1101).

Folio 40 r°.

1. *Pas de blanc.*
La suite du folio précédent pourrait en effet passer, étant donné sa position en tête de page et sa teneur (« Je ne sortais jamais à cette heure… »), pour l'*incipit* d'un nouveau développement. Par cette note de régie Proust prévient toute méprise à la relecture.

2. *Me de Villeparisis.*
C'est Mme de Villeparisis qui, dans la station balnéaire, présente Guercy, son neveu, au héros (voir *supra*, f° 31 r° *sq.*). Dans le Cahier 51, Guercy ne lui rend plus visite l'après-midi mais « le soir en allant voir les Guermantes » (f° 4 r°), sauf le jour où il croisera Borniche : voir f° 39 r° n. 2. Mme de Villeparisis habite en effet le même hôtel que le héros et Mme de Guermantes dès le Cahier 31.

3. *La poésie.*
Ici commence la première version connue de la soirée chez le prince et la princesse de Guermantes (fos 40-49 ros). L'invitation que reçoit le héros ainsi que son entrée dans leur hôtel feront l'objet d'une réécriture beaucoup plus développée en 1910 dans le Cahier 43 (fos 17-41 ros), dernier des cinq cahiers « Guermantes » (Cahiers 39 à 43) qui constituent la première version suivie de ce qui deviendra *Le Côté de Guermantes*. Voir aussi *supra*, f° 10 r° n. 1, pour la poésie associée au nom du comte et de la comtesse de Guermantes. Dans le Cahier 5, le passage sur « la race des Guermantes » des folios 56 à 67 ros – sans doute postérieur au présent cahier car la station balnéaire y est déjà nommée « Querqueville » (f° 58 r°) – évoque l'originalité des Guermantes « qui les faisait poétiques et dorés comme leur nom » (f° 64 r°) et la disparition de cette poésie qui suit nécessairement leur fréquentation (*CG*, *Esq. II*, II, p. 1025-

1030). Voir aussi Cahier 4, fos 10 v°-11 r° (*CSB (F)*, coll. « Folio », chapitre IV, « La comtesse », p. 78 ; *CG*, *Esq. V*, II, p. 1042), et Cahier 31, f° 38 r° (*CG*, *Esq. XII*, II, p. 1102). Le transfert au prince et à la princesse de Guermantes de la poésie du nom des Guermantes est repris dans le Cahier 43 (fos 17-18 ros) ; comme dans le présent cahier, le passage sur le nom précède et introduit la description de leur hôtel comme un « vrai palais de Contes de fées » (f° 18 r°). Voir les deux n. suivantes.

4. *rue de Solférino.*
Dans le même quartier du faubourg Saint-Germain, l'hôtel sera finalement situé rue de Varenne (*SG II*, III, p. 420). Dans le Cahier 43, l'hôtel de Bavière (f° 18 r°), hôtel du Prince et de la Princesse, semble déjà situé rue de Varenne (f° 66 r°).

5. *palais de conte de fées.*
Dans le Cahier 5, l'hôtel de Guermantes, sans qu'il soit précisé s'il s'agit de celui de la comtesse/duchesse ou celui de la princesse, situé à Paris ou à Poitiers, apparaît comme un lieu merveilleux, « fragile et pur rectangle de cristal » (Cahier 5, f° 59 r° ; *CG*, *Esq. II*, II, p. 1026). Dans le présent cahier, l'hôtel est associé aux féeries de Combray et du côté de Guermantes (voir *supra*, f° 12 r° *sq.*) comme dans le Cahier 6 (fos 1 v°-5 r°) : « Vitrail, tapisserie, oiseau, tombe des abbés de Guermantes ~~à qui avait été~~ chez qui s'étaient réfugiés les fils de Chlodobert, n'étaient-ce pas autant d'objets féeriques ~~qu~~ qui avaient été ~~d~~ fabriqués ou donnés par ces personnages ~~dont je ne connaissais gu~~ qui n'étaient guère pour moi qu'une silhouette éclatante falote et tremblée dans ma lanterne magique, ou ces images plus profondes mais insaisissables aussi, tout rêve et poésie que j'aurais ~~enf~~ en vain essayé de saisir entre les pages des Récits des temps mérovingiens ou de la Conquête de l'Angleterre par les Normands » (Cahier 6, f° 4 r° ; *DCS*, *Esq. XXV*, I, p. 734). Cette description est plus tard réécrite dans une addition sur un verso du Cahier 40 où l' « hôtel du XVIIIe siècle » de la princesse de Guermantes est admiré encore une fois par le père du héros qui le décrit comme « un véritable palais de conte de fées » (f° 4 v° ; *CG*, *Esq. XXIII*, II, p. 1203). Toutefois, Proust ne reprend pas l'association de l'hôtel avec la féerie de Combray, mais lie le portrait de la princesse au rêve à travers l'évocation des « salles de St Wandrille <sur> qu~~e~~/i Maeterlinck ~~imprégné~~ <a jeté un enchantement, a ensorcelé> d'histoire, de romanesque et de poésie, en en faisant le palais de Macbeth ou de Mélisande » (Cahier 40, f° 4 v° ; *CG*, *Esq. XXIII*, II, p. 1203). Dans le Cahier 43, le héros se représente l'hôtel « <à la fois> comme le palais d'une fée défendu par des génies, et comme l'hôtel de Bavière dont parle St Simon » (f° 19 r° m.), hôtel dont l'attrait tient surtout pour lui au souvenir du mémorialiste (*CG*, *Esq. XXXII*, II, p. 1305 ; voir aussi les folios suivants et en particulier le f° 21 r°). Dans un des cahiers de mise au net du *Côté de Guermantes II*, la féerie de l'hôtel des Guermantes ne sera plus le fruit de l'imagination du héros et de sa rêverie sur les noms, mais de celles du baron de Charlus, qui transforme l'hôtel en un palais des *Mille et une Nuits* (NAF 16707, fos 65 r° pap.-66 r° m. ; *CG*, II, p. 857 var. *a* [p. 1823]). Cette dimension féerique disparaîtra finalement de la description de l'hôtel du prince et de la princesse de Guermantes dans *Sodome et Gomorrhe II* (voir III, p. 34, n. 2, [p. 1798]), pour réapparaître fugitivement dans le récit de la matinée finale chez la princesse de Guermantes (*TR*, p. 434-436). L'expression « palais de contes de fées » figurait d'ailleurs déjà entre guillemets dans le Cahier 51, première version du « bal de têtes » (fos 68 v° *sq.* ; *MPG*, p. 31 ; *TR*, *Esq. XLI.I*, IV, p. 874). Elle a donc vraisemblablement été écrite après les fos 40-47 ros du Cahier 7. Voir aussi le Cahier 30, f° 9 v° (*CG*, *Esq. X*, II, p. 1071).

6. *Gueniêvre* [*de Brabant*].
Le prénom « Geneviève » apparaît ici sous une forme censée être archaïsante, comme *supra*, f° 32 v°, et dans le Cahier 8 (f° 63 v°) où il prend la forme « Guinevère ». Sur la lanterne magique, voir *supra* f° 12 r° n. 2, et sur Gueniêvre, *supra* f° 32 v° n. 1. Dans le Cahier 6, Geneviève de Brabant est « seule dans la lande dorée » et c'est la couleur de « ce nom » de Brabant, d'abord « brun clair » (f° 2 r°) puis « jaune » (f° 6 r°), ainsi que sa dimension angoissante, que le narrateur souligne (*DCS*, *Esq. VI*, I, p. 662-663). Voir aussi K. Yoshikawa, « Geneviève de Brabant », in *Proust et les « Moyen Âge »*, S. Duval et M. Lacassagne (dir.), Hermann, 2015, p. 105-115.

Folio 40 v°.

1. *carte.*
Dans le Cahier 43, la date de la réception chez la princesse est précisée, il s'agit d'un 2 avril (f° 21 r° ; *CG*, *Esq. XXXII*, II, p. 1306). Elle sera supprimée dans la version finale (*CG*, II, p. 855).

2. *aucune souvenir.*
Sic.

3. *syllables.*
Sic. Cf. *Cahier 44*, f° 26 r° : « monosyllables ».

Folio 41 r°.

1. *entré.*
Sic.

2. *êtres de légende, de lanterne magique, de vitrail et de tapisserie.*
Comme le montre également le f° 46 r°, la tapisserie de Combray fait partie de l'univers de Guermantes et participe de sa féérie. Ce passage semble reprendre des éléments du Cahier 6 (fos 3-4 ros). Cependant, dans le Cahier 6, qui précise que le sujet de la tapisserie est le couronnement d'Esther, le roi représenté n'est pas Charles VIII mais Charles VII. Une tapisserie appartenant aux Guermantes est également évoquée lors de la conversation entre le héros et Montargis (*supra* f° 32 v°). Le souvenir de Combray contenu dans le nom de Guermantes est développé sur les versos du Cahier 43 (fos 20-21 vos), qui mettent plutôt l'accent sur le vitrail que sur la tapisserie.

3. *pendre haut et court au IXe siècle.*
Sur la cruauté des Guermantes, et notamment de leur ancêtre, Oriane de Guermantes, voir *supra*, f° 9 r° et n. 7. L'expression figurait déjà dans le Cahier 31 : « on m'avait dit que Guermantes était une ancienne baronnie où on pendait fort, haut et court les vilains au XIe siècle » (Cahier 31, f° 39 r° ; *CG*, *Esq. XII*, II, p. 1102). Ces deux passages seront repris dans le Cahier 66 : « En nous disant qu'elle ressemblait à cette dame de Guermantes son ancêtre du XIIe siècle qui faisait pendre tant de manants, ~~Mr~~ le curé fit accueillir pour longtemps au nom de Guermantes l'image d'une dame que quoique vivant de notre temps je sentais une personne du XIe siècle et que je voyais en hennin, cruelle, et faisant pendre beaucoup de manants ~~à~~ <~~et~~> <dans son> Guermantes » (Cahier 66, f° 7 r° ; *CG*, *Esq. VIII*, II, p. 1054).

4. *en voyage.*
Dans le Cahier 43, il est précisé qu'ils sont à Cannes (f° 21 r° ; *CG*, *Esq. XXXII*, II, p. 1306), mais ils rentrent finalement la veille de la soirée et le héros décide d'aller leur rendre visite pour avoir confirmation que l'invitation n'est pas une « farce » (fos 22-23 ros ; *ibid.*, p. 1306-1307). Proust intercale donc dans ce cahier, entre la réception de l'invitation et la soirée chez la princesse de Guermantes, un nouvel épisode : la visite à la duchesse de Guermantes (fos 22-27 ros ; *ibid.*, p. 1306-1309).

5. *une mauvaise farce.*
Dans une lettre à Max Daireaux, écrite selon Philip Kolb [vers mai 1909], Proust évoque une situation un peu analogue qu'il explique par sa fatigue : « il m'arrive quelquefois si la lettre a roulé de mon lit sans que je la retrouve de ne plus savoir si j'ai rêvé d'avoir vu telle lettre ou si elle est venue en réalité ». Et il ajoute : « Or depuis quelques jours je vois dans ma pensée une carte
La Baronne d'Eichtal
sera – – – –
L'ai-je rêvé ? Ai-je reçu cette carte ? [...] Si j'ai rêvé, au nom du ciel, n'allez pas croire que ceci soit une ruse, afin d'être invité aux soirées ou matinées de cette dame. [...] Mais si par hasard c'était une réalité dites-moi ce que je dois faire. Cartes ? (où ?) –. Lettre ? –. *Bible d'Amiens* ? – Fleurs ? (je suppose que non !) – Tout, sauf y aller, étant malade. » (*Corr.*, t. IX, p. 109-110).

6. *mes parents.*
Dans le Cahier 43, « les parents » sont remplacés par la grand-mère (f° 22 r° ; *CG*, *Esq. XXXII*, II, p. 1306).

Folio 42 r°.

1. *la petite fille du plus grand homme d'état de Louis XVIII.*
Selon l'édition de la « Bibliothèque de la Pléiade », il s'agirait du duc de Richelieu (1766-1822), ministre de Louis XVIII (*SG*, *Esq. I*, III, p. 921, n. 1, [p. 1798]). Dans le Cahier 43 comme dans le Cahier 30, c'est le lien entre la princesse de Guermantes et Marie-Antoinette qui est souligné (Cahier 43, f° 19 r°, passage biffé et non retranscrit par l'édition de la « Bibliothèque de la Pléiade » ; Cahier 30, f° 9 v° ; *CG*, *Esq. X*, II, p. 1071).

2. *une boutonnière.*
L'anecdote serait réellement arrivée à Proust si l'on en croit sa préface à *Propos de peintre* de Jacques-Émile Blanche (1919). Il se serait en effet rendu en omnibus au bal de Mme de Wagram avec à la boutonnière une « rose coupée dans le jardin » (*EA*, p. 575). Il ne date pas ce souvenir, mais il pourrait s'agir du bal donné par la princesse de Wagram le 1er juillet 1893, qu'il mentionne dans une lettre à Montesquiou (*Corr.*, t. I, p. 219). L'anecdote ne sera pas reprise dans le Cahier 43. Dans *Jean Santeuil*, Jean porte aussi une fleur à la boutonnière, ce qui suscite les réflexions de M. de Lomperolles : « Qu'est-ce que c'est que cette fleur que ce Santeuil a à la boutonnière. Moi à mon âge je n'oserais pas porter une fleur à ma boutonnière et lui un jeune homme. Mais ce n'est pas un homme, une vraie femme, une vraie femme » (NAF 16616, fº 460 vº ; *JS*, p. 683). Voir aussi *supra*, fº 26 vº n. 2 et fº 30 rº.

3. *ma grand mère.*
Sur cet attrait de la grand-mère pour la nature, voir *supra*, fº 27 rº n. 5 et fº 38 rº.

4. *l'omnibus.*
Dans la préface à *Propos de peintre* de Jacques-Émile Blanche (voir ci-dessus n. 2), Proust souligne également que ses parents lui refusèrent « non seulement la voiture familiale dont les chevaux étaient dételés depuis sept heures du soir, mais même un modeste fiacre » (*EA*, p. 575). Dans le Cahier 43, le héros arrive en voiture (fº 27 rº ; *SG*, *Esq. VI*, III, p. 962).

5. *dans le parfum.*
Sic. On attendait « dont ».

Folio 43 rº.

1. *cataclisme.*
Sic.

2. *Huxley.*
Cette anecdote à propos du médecin et biologiste Thomas Huxley sera conservée dans l'édition finale (*SG*, III, p. 38), mais la source n'en est pas très claire, Proust lui-même renvoyant, en marge du Cahier 43, à *De l'intelligence* de Taine (Cahier 43, fº 29 rº et fº 39 rº). Voir *SG*, III, p. 38, n. 2 [p. 1354]. Elle était évoquée, quoique de manière un peu différente, dès le Cahier 1 pour illustrer le plaisir que procure l'entrée dans un lieu longtemps désiré, la maison d'une jeune fille aimée : « Les parents de la jeune fille qui nous semblaient ~~un obstacle nous invitent sont~~ des divinités <plus> implacables nous barrant plus sûrement la route que les dieux de l'enfer sont changés en ~~divi-nités~~ Euménides bienveillantes qui nous invitent à venir la voir, à dîner, à lui apprendre la littérature, comme dans l'hallucination de ce fou <de Huxley> qui voyait là où il ~~n~~'avait vu un mur de prison à la même place une vieille dame bienveillante qui lui disait de s'asseoir » (fº 11 rº ; *JF*, *Esq. XIV*, I, p. 1017). Comme le souligne Edward Bizub, Proust s'intéressait beaucoup aux phénomènes psychologiques et en particulier aux hallucinations (*Proust et le moi divisé*, *op. cit.*, p. 96).

Folio 44 rº.

1. *la Princesse.*
La description est reprise dans le Cahier 43. Proust y élimine les répétitions : la « robe mauve "princesse" » devient une robe de « reine d'autrefois » et la causeuse, un « sofa », une « sorte de trône » (fº 29 rº m.)

Folio 45 rº.

1. *Quand au Prince.*
Sic.

2. *Elle ne m'avait pas encore vue.*
Sic.

Folio 46 r°.

1. *Mis de Guercy.*
Cette rencontre à la fin de la soirée chez la princesse de Guermantes et la conversation entre le héros et Guercy qui la suit seront reprises dans le Cahier 43 (f°s 64-72 r^{os}) et sur les premiers folios du Cahier 49 (f°s 1-8 r^{os}) dans la scène des propositions de Guercy au héros. Elle est encore en effet, à cette étape, située juste après la soirée de la princesse de Guermantes et non après la matinée de Mme de Villeparisis comme dans *Le Côté de Guermantes I* (voir L. Teyssandier, *op. cit.*, p. 45 *sq.*). Comme dans le Cahier 7, elle annonce la révélation de l'homosexualité de Guercy.

2. *ses yeux de marchand en plein vent.*
Des notations semblables sont déjà apparues dans ce cahier, lors de la première rencontre entre le héros et le futur Charlus dans la station balnéaire. La comparaison semble naître au f° 33 r° (« ~~le singulier aspect de ces~~ marchands ~~ambulants~~ <en plein vent> qui [...] regardent ailleurs » ; voir *ibid.*, n. 1 et 2, et f° 33 v°). Elle sera reprise dans le Cahier 43 (f°s 32 r°, 32 v°, 47 r°). Quant aux « yeux épiant "la rousse" » qui apparaissent à la dernière ligne du présent folio, ils figuraient déjà au f° 33 r° (voir n. 2). Voir aussi *infra*, f° 48 r°.

Folio 47 r°.

1. *son sourire <disponible et son regard> vacant.*
Dans le Cahier 43, cette expression devient « son sourire vacant » (f° 48 r°).

2. *que je pouvais prendre <une amabilité> pour moi.*
Proust a omis d'ajouter la préposition « pour ». Il faut comprendre : « sa main libre que je pouvais prendre pour une amabilité pour moi ».

3. *l'anneau d'archevêque.*
La manière dont Guercy salue le héros était déjà comparée à celle d'un « archevêque » au f° 32 r°. Sur les versos, probablement plus tardifs, son salut est finalement comparé à celui d'« un évêque qui donne à baiser son anneau » (f° 31 v°). Une autre référence à « l'anneau épiscopal » figure au f° 49 r° ; on le retrouve sous cette forme dans le Cahier 43 (f° 48 r°), où il est d'ailleurs précisé qu'il s'agit d'un « anneau d'améthyste » (f° 32 v°). Il s'agit peut-être d'un souvenir du roman d'Anatole France ainsi intitulé, troisième volet de l'*Histoire contemporaine*, récit des aventures de M. Bergeret. Le roman avait d'abord paru en feuilleton dans *L'Écho de Paris* (1898) avant d'être publié en 1899. Proust le relit en février 1899, comme il le souligne dans sa lettre de remerciement à l'écrivain pour l'envoi d'un exemplaire (*Corr.*, t. II, p. 275).

4. *entré par effraction dans son bonjour incessant.*
L'expression est reprise dans un passage très travaillé du Cahier 43, sous une forme un peu différente : « <avoir pénétré> à son insu et par effraction dans son sourire » (f° 48 r°).

5. *on dansa.*
Dans le Cahier 43, cette évocation des jeunes filles et des bals ne sera reprise que sur le verso du f° 23 et dans ses marges, mais beaucoup plus tard, puisqu'il y est fait mention d'Albertine. Cependant, on remarque que les intrigues parallèles amorcées par le Cahier 43 et développées dans le Cahier 49 – la découverte de l'inversion autour de Guercy et la poursuite de la jeune fille aux roses rouges, soulignées par L. Teyssandier (*op. cit.*, p. 45) – sont déjà en germe dans ces quelques lignes du Cahier 7. On peut même se demander si le blanc qui suit n'est pas un blanc d'attente et les deux dernières lignes un « compact » scénarique, le bas du folio et le folio suivant appartenant de toute évidence à la même séquence narrative.

6. *Il ne fit aucun mouvement signifiant qu'il me voyait.*
La manière particulière qu'a le marquis de Guercy de saluer a déjà été évoquée sur cette même page et la précédente, et plus tôt dans ce cahier (*supra*, f° 31 v° *sq.*). Voir aussi Cahier 43, f°s 32 v°, 48 r°. Dans *Jean Santeuil*, le personnage du marquis Guy de Brucourt semble déjà posséder cette façon de saluer particulière « sans qu'un muscle de sa figure ne bougeât » (NAF 16616, f° 492 r° ; *JS*, p. 577-578). Elle provoque ce commentaire du narrateur : « Il se rappela ~~ce~~/le salut qui avait eu l'air de ne pas voir le désir qu'il avait de l'arrêter. Et il eut l'impression d'une sorte de duplicité dans la politesse de M. de Brucourt ». Ce trait sera repris dans la *Recherche* mais attribué à Saint-Loup (*CG*, II, p. 436).

Folio 48r°.

1. *œil à la rousse.*
Voir *supra*, f° 33 r° n. 2 et f° 46 r° n. 2.

2. *retira brusquement sa ~~main~~ <bras>.*
Cette scène dans laquelle Guercy retire brusquement son bras à la vue de « l'un des invités », appelé ensuite Adalbert, est développée dans le Cahier 43 (f° 64 r° *sq.*), puis dans le Cahier 49 qui prend sa suite (fos 1-8 ros ; voir L. Teyssandier, *op. cit.*, p. 50). Dans cette nouvelle version, l'invité est d'emblée désigné sous le nom de « Marquis de Mortagne ». Cette fois, il revient non plus pour retrouver l'éventail de sa femme, mais pour aller lui chercher un fiacre. Mais la principale modification introduite dans cette réécriture concerne le déplacement des marques de mépris à l'égard du héros, puisque c'est Mortagne qui, dans la version du Cahier 43, le regarde « comme il eût regardé un tas d'ordure » (f° 70 r°). La conclusion de la scène est également différente. Alors que, dans le Cahier 7, Guercy abandonne le héros sur un bonsoir « glacial » (f° 49 r°), dans le Cahier 43, la conversation continue et c'est Guercy lui-même qui qualifie de « sot » celui qui les a interrompus (Cahier 43, f° 71 r°). Cette rencontre entre le héros et Guercy, qui suit la soirée chez la princesse de Guermantes dans le Cahier 7 comme dans le Cahier 43, sera avancée et placée à l'issue de la matinée Villeparisis dans *Le Côté de Guermantes* (II, p. 580 *sq.*).

3. *Adalbert.*
Adalbert est ici le prénom de l'invité qui deviendra « marquis de Mortagne » dans le Cahier 43 (f° 70 r°), puis marquis d'Argencourt dans *RTP*. S'il est également question d'un « Adalbert » dans le Cahier 43 (voir, par exemple, f° 32 r°) et dans le Cahier 49 (f° 40 r°), il s'agit cette fois du prénom de Guercy. Dans le Cahier 41, une note de régie met en évidence ce changement de prénom du futur baron : « Quand Mme de Guermantes me dit dans une phrase ~~Adalbert~~ Palamède » (f° 41 v° ; *CG*, II, p. 1248 ; note seulement partiellement retranscrite dans l'édition de la « Bibliothèque de la Pléiade »). Sur les noms de Guercy, voir *supra*, f° 29 r° n. 9.

4. *éventail.*
L'éventail oublié pourrait être une allusion à une situation de la pièce d'Oscar Wilde *L'Éventail de Lady Windermere*, qui venait d'être jouée au Théâtre des Arts en mai 1909. Henri de Régnier l'avait longuement évoquée dans son feuilleton dramatique du *Journal des Débats* (17 mai 1909). Voir aussi f° 30 r° n. 5.

Folio 49 r°.

1. *la place vide l'anneau épiscopal.*
Sic. Proust a omis la préposition. Sur l'anneau, voir f° 47 r° n. 3.

2. *salut poli mais hostile.*
Voir f° 48 r° n. 2.

3. *comte de ~~Gurcy~~ / Guercy.*
Pour les hésitations sur le nom de Guercy/Gurcy/Guercœur dans le présent cahier, voir *supra*, f° 29 r° n. 9. Quant à son titre, le personnage est parfois ici « marquis » (cf. Cahier 51, f° 1 r° : « Le Marquis de Guercy (suite) »), mais aussi « comte » ou « vicomte », et déjà « baron » (sur les versos plus tardifs, fos 29 à 34 vos). Voir Index et *supra*, f° 31 v° n. 5.

4. *assoupi.*
La description du comte de Guercy endormi sera reprise et développée dans le Cahier 49 qui en reprend les principaux éléments : fatigue, pâleur, vieillesse (f° 44 r° *sq.* ; *SG*, *Esq. IV*, III, p. 944). Dans ce cahier, Proust lui donnera un contexte particulier : le héros est à l'Opéra à la recherche de la princesse de Guermantes lorsqu'il aperçoit « Gurcy » endormi dans sa loge.

5. *sur la pierre de son tombeau dans l'église de Guermantes.*
Les plates-tombes qui apparaissaient dès les premiers projets d'écriture de Proust ainsi que les tombes qui dallent le sol de l'abbaye de Guermantes décrites au début du cahier (*supra*, f° 11 r° n. 7) trouvent ici un écho. La référence au tombeau est encore présente dans la description de Guercy endormi à l'étape du Cahier 49 (f° 44 r° ; *SG*, *Esq. IV*, III, p. 944), mais « l'église de Guermantes » est remplacée par celle de Combray (sur la disparition de l'abbaye de Guermantes, voir *supra*, f° 2 r° n. 4). Dans l'édition de *Sodome et Gomorrhe II*, c'est à une figure sculptée « dans la chapelle

de Combray » que Charlus est finalement comparé (*SG*, III, p. 5). Comme le souligne Françoise Leriche, ce passage du Cahier 7 opère donc « la fusion entre les deux thématiques (l'église et ses tombeaux médiévaux/l'inverti) ». Voir « Palamède XV, baron de Charlus » art. cité, p. 283 *sq.*

6. *le visage de sa race.*
Le sommeil en entraînant « la mort de l'individu » joue comme un révélateur et met l'accent sur deux des caractéristiques essentielles du personnage : son inscription dans sa famille et son lignage d'une part, et d'autre part, son homosexualité. Cette première idée est reprise dans le Cahier 49 : « Plus qu'un individu n'était-il pas du reste avant tout un Guermantes » (f° 44 r° ; *SG*, *Esq. IV*, III, p. 944). Sur le mot « race », voir f° 50 r° n. 8.

7. *les uns intellectualisé, les autres rendu plus guerrier.*
Comprendre : « ce visage que le caractère de chacun avait transformé[,] avait aménagé à ses besoins personnels, [chez] les uns intellectualisé, [chez] les autres rendu plus guerrier… »

Folio 50 r°.

1. *comme la pièce d'un château.*
La comparaison du visage avec « la pièce d'un château » est encore présente dans le Cahier 49, mais elle y prend une connotation plus explicitement médiévale puisqu'il est d'abord question d'un « donjon féodal », expression qui sera biffée, puis d'une « chambre d'armes » (f° 45 r° ; *SG*, *Esq. IV*, III, p. 944). Dans les descriptions de l'homosexualité de Guerchy (autre avatar de Guercy) qu'on trouve dans le Cahier 6, cette dimension médiévale est encore plus développée (voir la comparaison avec une « châtelaine du moyen âge » ou avec le personnage de Grisélidis au f° 30 r° ; *SG*, *Esq. I*, III, p. 929). Une image analogue figurait déjà dans « Le salon de la Princesse Edmond de Polignac » à propos du Prince : « Son corps et sa face ressemblaient à un donjon désaffecté qu'on aurait aménagé en bibliothèque » (*Le Figaro*, 6 septembre 1903 ; *EA*, p. 465). Comme le souligne une note de l'édition de la « Bibliothèque de la Pléiade », elle sera ensuite reprise dans *JF* pour la description de Saint-Loup (*JF*, II, p. 176 et n. 1 [p. 1428]).

2. *ligne noble de son nez.*
Dans le Cahier 49, le nez de Guercy révèle son ambiguïté : « son nez fort et fin qui, ne recevant plus du regard une signification étrangère à eux-mêmes, développaient *[sic]* mystérieusement la beauté indépendante de leur modelé » (f° 44 r° m.).

3. *qui aime tant la virilité.*
Dans la description de la première rencontre du héros avec ce personnage, une formule presque identique apparaît à deux reprises : « sa grande prétention, son goût exclusif, était à tout ce qui est mâle, viril, énergique » (*supra*, f° 33 r°), « sa prétention à la trop grande virilité » (*supra*, f° 35 r°). Les « prétentions à la virilité excessive » du futur Charlus sont également soulignées dans le Cahier 49 (f° 45 r° ; *SG*, *Esq. IV*, III, p. 944) ; Proust note ensuite à propos de cette formule : « dire mieux ». M. de Lomperolles était déjà décrit comme très critique à l'égard des signes de féminité chez les hommes et en particulier chez les jeunes hommes (voir N. Mauriac Dyer, « Note sur M. de Lomperolles dans *Jean Santeuil*… », art. cité, p. 16-19). Florence Tamagne note que c'est à la faveur de l'affaire Eulenburg (voir *supra*, Introduction, p. XXX *sq.*) que s'est développée cette description de l'homosexuel viril. Voir « Caricatures homophobes et stéréotypes de genre en France et en Allemagne : la presse satirique, de 1900 au milieu des années 1930 », *Le Temps des médias*, automne 2003, n° 1, p. 51.

4. *révolution magique.*
L'expression est développée dans le Cahier 49 : « une révolution sembla s'être opérée en M. de Gurcy comme s'il venait d'être touché par une baguette magique » (f° 45 r° ; *SG*, *Esq. IV*, III, p. 945). La révélation de l'homosexualité de Guercy donne ensuite lieu dans le Cahier 49 à toute une série de métaphores qui décrivent le « riche dessous d'humanité profonde » du personnage ; Proust le compare tantôt à « une œuvre d'art », « une tête fortement peinte et travaillée de Rembrandt », tantôt à une pâtisserie, une « pâte savoureuse à double et triple dessous » (f° 46 r°). Voir *SG*, *Esq. IV*, III, p. 945.

5. *il s'éclairait d'une lumière intérieure.*
Dans *Jean Santeuil*, où la révélation de l'homosexualité de M. de Lomperolles avait lieu après sa mort et par l'intermédiaire d'un autre personnage, Henri, Proust développait davantage cette idée de profondeur et de lumière : « [Henri] éclaira brusquement la vie souterraine si bien gardée, aujourd'hui sans défense, qui s'étendait sous son autre vie,

comme ces palais d'Orient au fond desquels il y a des cachots, où celui qu'hier on croyait le maître de la Turquie est le prisonnier d'un janissaire qui ne tarde que trop à le frapper » (NAF 16616, f° 645 r° ; *JS*, p. 718). Voir N. Mauriac Dyer, « Note sur M. de Lomperolles dans *Jean Santeuil* ... », art. cité, p. 15-17.

6. *on dirait une femme.*
Proust, dans son portrait du « pédéraste viril » (voir *supra* n. 3), reprend des éléments qui figuraient déjà dans la description de M. de Lomperolles et, en particulier, le paradoxe apparent qui fait que l'homme épris de virilité « cet ~~ennemi~~ dissident de <l'amour de> la femme », « avait ~~pris~~ emprunté à ~~la fe~~ l'amour de la femme » son langage, sa gestuelle, ses rites (NAF 16616, f° 645 v° ; *JS*, p. 719). Ici, Proust approfondit le paradoxe puisque le futur Charlus non seulement reproche, comme Lomperolles, aux hommes d'être de « vraies femmes », mais en est une. Voir N. Mauriac Dyer, « Note sur M. de Lomperolles dans *Jean Santeuil*... », art. cité, p. 19.

7. *C'en était une.*
Les mots qui marquent cette « révolution » sont conservés jusque dans la version définitive : « C'en était une » (*SG*, III, p. 16). L'exposé sur « La Race des Tantes » se poursuit et prend ce titre dans le Cahier 6 (f° 37 *sq.*). Il est ensuite repris et développé dans le Cahier 49 (fos 46-62 ros), et enfin, pour ce qui concerne le début, dans le Cahier 38 (fos 68-67 vos). Dans ces cahiers et, en particulier, dans le Cahier 49, Proust se livre à un important travail de réécriture qui consiste à insérer dans la trame romanesque le passage théorique rédigé dans le Cahier 7. Dans le Cahier 6, sans doute après avoir rédigé le portrait de Guerchy (fos 29-32 ros) et celui du jeune garçon de Querqueville (fos 35-36 vos), il détaille les différentes catégories d'homosexuels (fos 37-41 ros). Le Cahier 49, quant à lui, donne un premier contexte à la révélation de l'homosexualité du personnage : une soirée à l'Opéra. Cette révélation s'intègre donc, comme le souligne Laurence Teyssandier, à la « partie centrale et mondaine du roman, à l'intérieur du tableau du monde et du milieu Guermantes » (*op. cit.*, p. 58) : « ce couplage entre révélation et exposé sur la "Race des Tantes" ne sera plus remis en cause. Mais du coup, la rencontre homosexuelle de Charlus et de Jupien, qui ouvre aujourd'hui *Sodome et Gomorrhe* et dont une première version est esquissée en 1909 dans le Cahier 51, n'entretient à cette date aucun rapport avec la dissertation sur les tantes et n'a donc apparemment pas pour fonction de révéler la vraie nature de M. de Guercy. » (L. Teyssandier, *op. cit.*, p. 16).

8. *race.*
Le développement annonce peut-être déjà celui sur la « race maudite » (f° 51 r°) qui est repris dans le Cahier 6, puis dans le Cahier 49 (voir n. précédente). Dans le Cahier 49, rédigé en 1910, le mot « race », dans la description de Guercy endormi, est remplacé par « pur type », par « Guermantes » ou par « ancêtres » (f° 44 r° ; *SG*, *Esq. IV*, III, p. 944). Mais il figure dans la comparaison des homosexuels avec « des Juifs » (f° 51 r°), bien que, précisément, comme le souligne un passage du folio 52 r°, les homosexuels nient être « une race ». Dans *Jean Santeuil*, Proust emploie aussi ce terme pour désigner « les jeunes gens » qui, selon Lomperolles, appartiennent à « une race ~~perfide~~ trompeuse jusqu'à la perfidie » (NAF 16616, f° 460 r° ; *JS*, p. 677). Selon Antoine Compagnon, Proust définit l'inversion comme « la résurgence de la race dans l'individu » (*Proust entre deux siècles*, Seuil, 1989, p. 277).

9. *intaillé.*
« Intailler », terme emprunté au vocabulaire des beaux-arts, signifie « graver en creux une pierre précieuse ou dure » (TLF). Dans le Cahier 49, Proust emploie le verbe à la forme pronominale (« s'intaille », f° 47 r° ; *SG*, *Esq. IV*, III, p. 946), qui ne semble pas attestée ailleurs. C'est sans doute ce qui explique le retour, dans l'édition définitive, à la forme « intaillée » (*SG*, III, p. 16). Autre modification, ce n'est plus le « corps » mais la « silhouette » qui est « intaillée ».

Folio 50 v°.

1. *~~Race en qui~~ Le mensonge.*
La longue addition qui débute ici (fos 50-52 vos) a probablement été écrite après les deux portraits d'homosexuels qui figurent dans le Cahier 6 (portraits de Guerchy et du jeune homme de Querqueville ; fos 29-32 ros, *SG*, *Esq. I*, III, p. 929-930 et fos 35-36 vos, *SG*, *Esq. I*, III, p. 933). Elle pourrait s'insérer dans le recto situé en face (avant les mots « Race maudite » ; f° 51 r°, troisième ligne), où le mensonge est également évoqué, d'abord sur le plan individuel et sexuel, ensuite comme une nécessité ou une obligation sociale et politique.

2. *dans le sillage de quelque panache militaire.*
Après l'affaire Eulenburg, les caricatures de l'homosexualité dans la presse, comme le souligne Florence Tamagne, utilisent un dispositif « visuel récurrent (l'uniforme de cuirassier, bottes vernies, culottes blanches, casque à pointe) »

qui témoigne « de l'assimilation durable de l'homosexualité au seul milieu militaire » (« Caricatures homophobes et stéréotypes de genre … », art. cité, p. 50).

3. *l'efféminement.*
Proust reprend ici l'un des stéréotypes les plus courants associés à l'homosexualité au début du XXe siècle. Dans son étude sur la caricature de cette époque, Florence Tamagne note en particulier : « La pose la plus fréquente représente l'homosexuel outrageusement déhanché, une main à la taille, l'autre pendant mollement, le poignet cassé, dans un mouvement qui suggère à la fois vanité et manque total de virilité. » (« Caricatures homophobes et stéréotypes de genre… », art. cité, p. 44). Voir aussi *supra*, f° 50 r° n. 6.

4. *avec des intonations de coquette et une voix de fausset.*
On retrouve cette voix « où il y a malgré elle le fausset d'un instrument mal accordé » dans le Cahier 49 (f° 61 v° ; *SG*, *Esq. IV*, III, p. 956). Une longue réflexion sur la voix de Guercy et sa féminité figure également lors de sa première rencontre avec le héros. En l'écoutant parler, ce dernier pouvait croire entendre « tout un chœur de sœurs délicates » ou « une Célimène qui minaudait et ajustait son prochain avec des traits qui donnaient à sa voix à ce moment des tons aigus et perçants » (*supra*, f° 35 r°). Proust pourrait s'inspirer ici de la voix de Montesquiou : il en avait noté, comme l'a souligné Pyra Wise, la « riche musique » (*EA*, p. 407). Voir P. Wise, « Deux lettres de Marcel Proust à Robert de Montesquiou retrouvées dans des bibliothèques américaines », *BMP*, 2005, n° 55, p. 11, n. 9. Montesquiou écrivait à Proust : « vous croyez détenir *tous mes secrets vocaux*. Laissez-moi vous détromper » (*Corr.*, t. IV, p. 187). Voir V. Greene, notice « Montesquiou », in *Lettres*, p. 1259. Proust pensait peut-être aussi à l'acteur Baron comme le suggère Françoise Leriche (*Lettres*, p. 477, n. 4). Dans une lettre à Jules Lemaitre sans doute écrite peu après le 6 mars 1909, c'est-à-dire à une époque légèrement antérieure à la rédaction de ce passage, Proust loue les articles du critique et en particulier ses réflexions « sur la voix de Baron, sur les arias qui s'y mêlaient » (*Lettres*, p. 476 ; *Corr.*, t. IX, p. 63-64).

5. *Les uns.*
Ce souci de classification était en usage au XIXe siècle, en particulier dans les ouvrages de médecine qui s'intéressaient à la sexualité et en revendiquaient une approche non plus religieuse ou philosophique, mais médicale. Voir notamment le livre du docteur Georges Saint-Paul, alias Dr Laupts, *Tares et poisons. Perversion et perversité sexuelles* (1896), préfacé par Zola, qui sera d'ailleurs republié en 1910 sous le titre *L'Homosexualité et les types homosexuels*. Le médecin commence par reprendre les classifications habituellement proposées (p. 21-24) avant de développer la sienne qui contient par exemple les « invertis nés féminiformes » (p. 24 *sq.*). En parallèle avec le Cahier 7, Proust développe aussi cette classification dans le Cahier 6. On peut penser qu'il a d'abord rédigé le portrait de Guerchy du Cahier 6 (f° 29 r° *sq.* ; *SG*, *Esq. I*, III, p. 929-930), puis les versos du Cahier 7 (fos 50-51 vos), et enfin le morceau intitulé « La Race des Tantes » dans le Cahier 6 (f° 37 r° *sq.* ; *SG*, *Esq. I*, III, p. 930-933) : ce dernier développement en effet semble être une tentative pour fondre le portrait de Guerchy et le premier essai de classification des homosexuels. Voir *supra*, f° 50 r° n. 7. Proust serait donc parti d'un contexte narratif précis avant la généralisation opérée sur les versos du Cahier 7 (avec passage du temps du récit au temps du discours). Pour une autre hypothèse sur cette question, voir L. Teyssandier, *op. cit.*, p. 20 *sq.*

6. *solitaires.*
La description des homosexuels solitaires apparaît également, en termes similaires, dans le Cahier 6 (f° 29 r° *sq.* ; *SG*, *Esq. I*, III, p. 929-930).

7. *sans s'être parlés.*
Sic.

8. *correligionnaires.*
Sic.

9. *bureaucrates farouches de leur vice.*
Voir Cahier 6 : « comme des bureaucrates » (f° 31 r° ; *SG*, *Esq. I*, III, p. 930), « bureaucrates de leur vice » (f° 39 r° ; *SG*, *Esq. I*, III, p. 932). L'expression n'est pas présente dans le Cahier 49. Dans les « Notes sur l'amour » dont la datation est incertaine, on trouve, à propos des « vicieux », une expression analogue et très proche du premier jet finalement biffé du Cahier 7 (« ~~fiers de leur vice, comme d'une profession~~ ») : « les professionnels de leur vice » (*TxR*, p. 364).

10. *une réserve de demoiselle de province.*
Cette comparaison figure sous une forme légèrement différente dans le Cahier 6 (fº 31 rº ; *SG*, *Esq. I*, III, p. 930, puis fº 39 rº ; *SG*, *Esq. I*, III, p. 932). Elle est reprise sous une troisième forme (« avec l'air rogue d'une jeune fille de province ») dans le Cahier 49 (fº 62 rº).

Folio 51 rº.

1. *nymphe.*
Dans le Cahier 38, il sera question plus directement d'une « vierge » (fº 68 vº).

2. *Race maudite.*
Cette expression disparaît à partir du Cahier 49 pour devenir la « race sur qui pèse une malédiction » (fº 47 rº) jusque dans l'édition définitive (*SG I*, III, p. 16).

3. *sur les bancs du tribunal.*
En France, l'homosexualité masculine n'est plus un crime depuis 1791. Il n'en va pas de même en Allemagne où la dépénalisation est beaucoup plus récente. Voir F. Tamagne, « Caricatures homophobes et stéréotypes de genre… », art. cité, p. 42. En Angleterre, Oscar Wilde, auquel Proust fait allusion au fº 55 rº, a été condamné à l'issue de ses procès (voir *infra*, fº 55 rº n. 2). Sur la justice et l'homosexualité, voir aussi *infra*, fº 52 rº n. 6.

4. *mensonge.*
Antoine Compagnon rapproche la duplicité de l'homosexuel, tel qu'il est décrit par Proust, de celle de Charles Marie, coupable dans *Jean Santeuil* de malversations (« Notice », *SG*, III, p. 1193). Voir aussi *supra*, fº 50 vº n. 1.

5. *« homosexuel ».*
Le terme figure sans guillemets au folio 52 rº. Il était d'emploi récent en France en 1909. Selon Florence Tamagne, il aurait été employé pour la première fois en 1869 par l'écrivain hongrois Karoly Maria Kertbeny qui, dans un mémoire adressé au ministre de la Justice de la Prusse, s'élevait contre la pénalisation de l'homosexualité. Il se serait ensuite diffusé dans la société par l'intermédiaire des médecins, comme plus « objectif » que les termes péjoratifs employés jusque-là. Voir F. Tamagne, *Histoire de l'homosexualité en Europe : Berlin, Londres, Paris (1919-1939)*, Seuil, 2000, p. 13. Proust lui préférait le terme d'*inverti*, retenu dans *Sodome et Gomorrhe* (« Notice », III, p. 1216 et *ibid.*, p. 16, n. 2 [p. 1277-1278]), ainsi que celui de *tante* qui est également entre guillemets quelques lignes plus bas sur la présente page (voir aussi dans le Cahier 6 le titre « La Race des Tantes », fº 37 rº, et Carnet 1, fº 12 rº-vº ; *Cn*, p. 52). D'après Proust, c'est l'affaire Eulenburg (évoquée dès le Carnet 1, fº 14 vº ; *Cn*, p. 56) qui aurait entraîné la diffusion du terme « homosexuel » en France. Sur ce point, voir l'importante note marginale et le verso suivant du Cahier 49 (fº 60 rº-vº) qui datent vraisemblablement de la Guerre (*SG*, *Esq. IV*, III, p. 955), ainsi que les notes et la « Notice » de l'édition d'Antoine Compagnon (*SG*, III, p. 1812-1814 ; p. 1202 et 1217). On trouve également dans le Cahier 49 « androgyne » (fº 48 rº) et, dans un des carnets, l'abréviation « péder. » (Carnet 1, fº 12 rº ; *Cn*, p. 52). L'expression « la folle » est également employée dans une addition du Cahier 49 (fº 58 vº) pour désigner un homosexuel efféminé (« se costumant », portant un éventail…) Elle y figure néanmoins entre guillemets et appartient à l'idiolecte, dans une première version biffée, de l'homosexuel lui-même, et dans une seconde, de « ses camarades ». Le terme est emprunté à l'argot parisien et tend à s'employer plus largement au XXe siècle. Sur le terme « tante », voir aussi la n. suivante.

6. *la plus infâme « tante ».*
Une note à ce sujet figure déjà dans le Carnet 1 : « Le pédér. […] voudrait une non tante mais vite croit demi tante une tante qui lui plaît » (fº 12 rº-vº ; *Cn*, p. 52). Proust associe le terme à Balzac comme le souligne une note plus tardive du Cahier 49 (fº 60 rº-vº ; *SG*, *Esq. IV*, III, p. 955 et n. 1, p. 1812-1813). Il pouvait aussi avoir une connotation plus précise et s'employer dans le cadre de la prostitution comme le suggère un ouvrage qui a connu de nombreuses rééditions, l'*Étude médico-légale sur les attentats aux mœurs* (1857) d'Ambroise Tardieu : « ce sont surtout ceux qu'on appelle *tantes*, c'est-à-dire ceux qui se prostituent aux véritables pédérastes, qui recherchent parfois à leur tour les rapports avec les femmes » (p. 183). Ouvrage cité par N. Mauriac Dyer, « Note sur M. de Lomperolles dans *Jean Santeuil…* », art. cité, p. 16. L'adjectif « infâme » qui accompagne ici le terme semble renforcer cette hypothèse.

7. *la <douleur> de sa famille.*
C'est à partir de la version du Cahier 49 qu'on trouve l'expression « fils sans mère » (fº 48 rº).

8. *race <maudite,> persécutée comme Israël.*
La comparaison des homosexuels avec les Juifs, amorcée ici et filée sous différentes formes dans les pages suivantes (fºs 51 rº- 54 rº) se prolonge dans le Cahier 49 (fºs 48 rº-48 vº, 51 rº, 52 rº). Elle pourrait trouver une de ses origines dans l'affaire Dreyfus, à laquelle fait explicitement référence la version du Cahier 49 : les homosexuels « se rallient tous autour de la victime comme les juifs autour de Dreyfus » (fº 51 rº). D'autre part, la comparaison entre Juifs et homosexuels faisait partie du vocabulaire de la presse satirique au moment de l'affaire Eulenburg (voir F. Tamagne, « Caricatures homophobes et stéréotypes de genre… », art. cité, p. 50). Rappelons aussi, comme l'a souligné Bernard Brun, que la présence du judaïsme, notamment autour de Swann et du personnage du grand-père antisémite, est beaucoup plus importante en 1909 (voir le Cahier 4) que dans la version définitive : c'est seulement à partir de 1911 que disparaît ce qu'il appelle le « roman juif ». Voir B. Brun, « Brouillons et brouillages : Proust et l'antisémitisme », *Littérature*, mai 1988, nº 70, p. 123.

9. *caractères communs.*
Cette idée d'une « communauté » des homosexuels est, là encore, un cliché de la presse des années 1900. Pour Florence Tamagne, « l'idée que les homosexuels forment une coterie, un groupe uni par des codes et des liens mystérieux est régulièrement évoquée ». Voir « Caricatures homophobes et stéréotypes de genre… », art. cité, p. 45. Voir aussi fº 52 rº n. 8.

10. *qui le souvent.*
Sic. Proust a probablement oublié « plus ».

Folio 51 vº.

1. *anges déchus.*
L'image de l'ange pour désigner les homosexuels n'est pas reprise dans les Cahiers 6 et 49. Il s'agit pourtant d'un motif fréquent chez Proust, en particulier en lien avec le thème de l'aviation.

2. *dans leur bras.*
Sic.

3. *chef de gare.*
Ces différentes catégories sociales sont reprises dans le Cahier 6 : le chef de gare, le militaire qui devient un « lieutenant colonel ». S'y ajoutent aussi un « boucher », un « facteur » ainsi qu'un « ivrogne » et un « aveugle » (fº 30 rº). Le Cahier 49 (fº 55 rº) conservera quelques-unes de ces figures : le chef de gare et le télégraphiste du Cahier 7, un laitier et un garçon boucher. Dans *Jean Santeuil*, Lomperolles s'éprenait tantôt d'un « cuirassier, d'un vicaire, d'un ~~clown~~ danseur, d'un ~~assassin~~ <forçat> » (NAF 16616, fº 645 rº ; *JS*, p. 718). Le thème des « amours ancillaires » est aussi évoqué du côté des femmes dans le Cahier 6 (fºs 66 vº-63 vº).

4. *dans une brasserie allemande.*
Cette référence à l'Allemagne pourrait être une allusion à l'affaire Eulenburg. Comme le souligne F. Tamagne, l'homosexualité était parfois, à la suite de cette affaire, appelée le « vice allemand » (« Genre et homosexualité. De l'influence des stéréotypes homophobes sur les représentations de l'homosexualité », *Vingtième Siècle. Revue d'histoire*, 2002/3, nº 75, p. 66). Voir aussi *SG*, III, p. 1813, n. 3 et « Notice », *ibid.*, p. 1200.

5. *le bracelet de leur bras.*
L'anecdote de la manche relevée sous l'œil du « garçon de café philosophe » figure également dans le Cahier 6 où est évoquée « la secte porte bracelets » (fº 40 rº). Reprise et développée dans le Cahier 49 (fº 62 vº), elle servira finalement à décrire la catégorie des « extrémistes » dans *SG I* (III, p. 21).

6. *le garçon de café philosophe.*
Le personnage reparaît dans le Cahier 49 où il est décrit comme « indigné mais philosophe » (fº 62 vº). Cette mention disparaîtra dans *SG I* qui introduit en revanche une nouvelle référence à l'affaire Dreyfus (III, p. 21). Un autre ajout notable figure dans le Cahier 49 : le « garçon » non seulement « sait la vie » mais « connaît leur vice ». Dans une note marginale plus tardive de ce même cahier, on trouve cette mention : « Penser à faire dire à M. de Charlus pendant la guerre : Mais pensez [qu']il n'y a plus de valets de pied, plus de garçons de café. Toute la sculpture masculine de Paris a disparu. » (fº 51 rº m. ; *SG*, *Esq. IV*, III, p. 953).

Folio 52 r°.

1. *patrie.*
Cette idée, plus politique, d'exclusion de la patrie est encore présente dans le Cahier 38, renforcée par l'idée d'usurpation : « n'étant dans leur patrie que des criminels non découverts, ~~qui~~ usurpant la situation qu'ils occupent » (f° 67 v°). Elle disparaît dans le Cahier 49 pour être remplacée par des considérations d'ordre social (les homosexuels sont « ~~sans honneur~~ », f° 49 r°) et juridique (en « liberté provisoire », *ibid.*). Il s'agit peut-être ici d'un souvenir de l'affaire Dreyfus.

2. *l'avertissement ce que.*
Sic.

3. *folie maladive.*
Le lien entre homosexualité et maladie réapparaît au folio suivant (f° 53 r°) ainsi que dans le portrait des êtres « au visage maladif » (f° 53 v°), puis dans le Cahier 49 qui évoque « une bizarrerie maladive » ayant sa source dans « une perversion de leur système nerveux » (f° 51 r°). Dans une des premières nouvelles écrites par Proust, « Avant la nuit », la cause de l'amour entre femmes est déjà située « dans une altération nerveuse » (*La Revue blanche*, décembre 1893 ; *PJ*, p. 169). Voir aussi A. Compagnon, *Proust entre deux siècles, op. cit.*, p. 269 *sq.* Cette approche médicale de l'homosexualité s'est développée à la fin du XIXe siècle : on la retrouve dans nombre d'ouvrages de l'époque.

4. *féminilité.*
Le mot apparaît encore (souvent mal transcrit) dans le Cahier 49 (f° 51 r°). Aujourd'hui inusité, il est employé entre autres par les Goncourt, Zola et Huysmans.

5. *psychologie de fantaisie.*
L'expression est reprise dans le Cahier 38 (f° 68 v°) et dans le Cahier 49 (f° 48 r°), mais elle sera remplacée dans *SG I* par « psychologie de convention ». C'est plus directement le lien entre homosexualité et criminalité que souligne Proust, même lorsqu'il est fait « par l'esprit le plus impartial » (Cahier 49, f° 48 r°). La période 1880-1945 marque en effet « le passage du sodomite, criminel contre Dieu, à l'homosexuel, criminel contre la société ». Et la « peur de l'homosexuel se traduit par la mise en place d'un double système de contrôle : les homosexuels sont placés sous la surveillance du médecin, chargé de classifier les déviances, voire de les guérir, et du juge, chargé de les réprimer et de les circonscrire » (F. Tamagne, « Figures de l'étrange et de l'étranger : la peur de l'homosexuel(le) dans l'imaginaire occidental (1880-1945) », *Annales de Bretagne et des Pays de l'Ouest*, 2002, tome 109, n° 2, p. 129). D'ailleurs, dans l'un des ouvrages publiés par Adrien Proust, figurait une brève synthèse sur les liens entre mariage et baisse de la criminalité (*Traité d'hygiène*, 2e éd., G. Masson, 1881, p. 45).

6. *comme ces juges pour qui un juif était naturellement un traître.*
Proust ne reprend pas seulement ici l'un des traits du discours traditionnel du christianisme qui associe les Juifs à Judas et aux persécuteurs du Christ : il s'agit avant tout d'une allusion à l'affaire Dreyfus. Cette comparaison est reprise dans le Cahier 49 (« comme les Juifs pour trahir », f° 47 r°), puis sous la forme d'un parallèle entre « l'assassinat chez les invertis et la trahison chez les Juifs » dans *SG I* (III, p. 17). Quant au lien entre homosexualité et trahison, il est également « un trait récurrent du discours homophobe », comme l'a souligné Florence Tamagne (« Genre et homosexualité », art. cité, p. 66), notamment à partir de l'affaire Eulenburg. Enfin, cette image négative de la justice, et en particulier du juge d'instruction, parcourt *RTP* comme l'a souligné Antoine Compagnon. Voir « Vérité et justice », *Fabula / Les colloques, À la recherche d'*Albertine disparue : http://www.fabula.org/colloques/document497.php

7. *ce qui ne sont pas.*
Sic.

8. *une sorte de franc maçonnerie.*
La comparaison des homosexuels avec une franc-maçonnerie subsiste jusqu'à l'édition définitive (*SG I*, III, p. 18). Elle est exprimée de manière encore plus radicale dans le Cahier 49 : « comme les Juifs encore, ou du moins les moins bons d'entre les Juifs, dont la collectivité forme une étroite franc maçonnerie… d'antisémites » (f° 51 r°). Proust reprend ici un stéréotype du discours antisémite qui associe étroitement juif et franc-maçon, comme il l'avait déjà fait dans « Mondanité et mélomanie de Bouvard et Pécuchet » : « D'ailleurs, [les Juifs] formaient une sorte de vaste

société secrète, comme les jésuites et la franc-maçonnerie » (*PJ*, p. 62). On trouve le même adjectif « secrète », biffé, au f° 53 r°. L'expression « franc-maçonnerie du vice » figurait, à propos de l'homosexualité masculine, dans l'ouvrage du « chef de service actif des mœurs à la préfecture de police », F. Carlier. Voir *Les Deux Prostitutions* (1860-1870), E. Dentu, 1887, p. 275, p. 283, et F. Tamagne, « Genre et homosexualité », art. cité, p. 66.

Folio 52 v°.

1. *et quelquefois.*
Cet ajout s'insère dans le folio situé en face, au signe de renvoi en forme de croix, après « dans le fiancé de sa fille » (f° 53 r°).

2. *suite du morceau de la page précédente du même côté.*
C'est-à-dire suite du f° 51 v°.

3. *romanesque.*
La version du Cahier 49 insiste davantage sur cet aspect romanesque de la vie des homosexuels. Les « secrets insoupçonnés » donnent « à leur vie le romanesque, le mystère, l'anachronisme unique à notre époque de certaines vies de conspirateurs et d'aventuriers » (f° 52 r°). Proust pourrait s'inspirer ici de l'ouvrage du Dr Laupts déjà mentionné, *Tares et poisons. Perversion et perversité sexuelles* (1896), qui s'appuie justement sur ce que l'auteur appelle le « roman d'un inverti », véritable récit à la première personne qu'un jeune homosexuel aurait envoyé à Zola (voir la Préface de ce dernier). Dans cet ouvrage qui se termine par une « observation-type » sur le cas Oscar Wilde et son procès, il est en effet régulièrement question de l'aspect romanesque de la vie des homosexuels (voir par exemple p. 70).

4. *halo d'efféminement.*
Cette image est reprise et développée dans le Cahier 49 et devient « un halo troublant et mélancolique auquel certaines femmes trouvent de la poésie » (f° 62 r°). Elle figure à deux reprises dans le Cahier 6 (f°s 30 r°, 40 r°). Sur l'efféminement voir aussi *supra*, f° 34 r° n. 2, f° 50 r° n. 6 et f° 50 v° n. 3.

Folio 53 r°.

1. *voyou.*
Le Cahier 49 donne « vagab[ond] » puis « mendiant » (f° 52 r°). Dans les notes les plus tardives du même cahier, on retrouve ce terme de « voyou » ainsi que celui d'« apache », toujours en lien avec l'homosexualité (Cahier 49, f° 51 v°). Voir aussi, dans le Cahier 73 de 1915, M. de Charlus arrivant chez les Verdurin, « ~~suivi de quelques~~ voyous, ouvreurs de portière, apaches, mendigots » (f° 28 r°).

2. *dans le fiancé de sa fille +.*
La croix renvoie à l'ajout qui figure dans la partie supérieure du verso en face, à partir de : « et quelquefois ».

3. *tarre.*
Sic. Le Cahier 49 évoque les « tares constitutionnelles » (f° 51 r°). Le mot était en usage chez les médecins : voir l'ouvrage du Dr Laupts, *Tares et poisons. Perversion et perversité sexuelles* (*op. cit.*), où l'homosexualité est définie comme « une malformation innée » (p. 101). Sur l'aspect héréditaire de l'homosexualité chez Proust, voir A. Compagnon, *Proust entre deux siècles*, *op. cit.*, p. 270 *sq.*

4. *ces pages les premières.*
Cette revendication de l'écriture ne figure pas dans les Cahiers 6 et 49. Dans *SG I*, Proust évoque « ce premier exposé » (III, p. 25).

5. *infortune ~~nativ~~ innée.*
Le terme est à nouveau repris au folio suivant (f° 54 r°). Proust nuance cette affirmation dans une note du Cahier 49 intitulée « À propos des invertis » : « <Chez certains, bien rares, le> ~~Leur~~ mal n'est pas ~~toujours de naissance~~ congénital (mettre le mot exact) ; et dans ce cas, superficiel, il peut guérir » (Cahier 49, f° 59 v° ; *SG*, *Esq. IV*, III, p. 950). L'ouvrage du Dr Laupts fait aussi une distinction entre « invertis-nés » et « invertis d'occasion » (*op. cit.*, p. 24-27). Voir aussi A. Compagnon, *Proust entre deux siècles*, *op. cit.*, p. 269 *sq.* et *SG*, III, p. 31, [p. 1287], n. 2.

6. *antisémite.*
Une idée analogue figure dans l'un des fragments de *Jean Santeuil*, qui date, selon Yuji Murakami, de 1898 : « Et juif nous comprenons l'antisémitisme, et partisan de Dreyfus nous comprenons le jury d'avoir condamné Zola » (NAF 16615, f° 339 v° ; *JS*, p. 641). Voir Y. Murakami, « Le moment antisémite et la genèse d'un cosmopolitisme littéraire », in Du côté de chez Swann *ou le cosmopolitisme d'un roman français*, A. Compagnon et N. Mauriac Dyer (dir.), Champion, 2016, p. 221.

Folio 53 v°.

1. *gare.*
Le point d'insertion du développement qui commence ici et se poursuit au verso suivant n'a pas été précisé par Proust. Dans le Cahier 51 (1909), la scène de rencontre entre Guercy et le pianiste – préfigurant celle de Charlus et Morel à la gare de Doncières – avait lieu à Paris à la gare Saint-Lazare (f° 10 r° ; *MPG*, p. 56 ; *SG*, *Esq. II*, III, p. 939). Le passage du présent cahier est repris dans le Cahier 49 : « Qui n'en a rencontré, <au théâtre>, dans une gare ...» (f° 56 r°), puis biffé et réécrit un peu plus loin (f°s 59-60 r°s) : « Il en est d'autres qu'on a toujours rencontrés une fois dans sa vie ~~sur le quai~~ d'une gare, <dans la salle des pas perdus> [...] » (f° 59 r°). Dans le même cahier, la description des homosexuels solitaires aboutit à cette formule frappante : « l'Andromède des plages, [...] la fleur des gares à l'hyménée imparfait » (Cahier 49, f° 61 r°).

2. *La nature.*
On a souvent associé les différentes mentions de la nature (voir *infra* f° 54 r°) et plus généralement l'emploi de la métaphore botanique qui perdure jusque dans l'édition définitive (*SG I*, III, p. 27-30) à une volonté de Proust de naturaliser l'homosexualité (pour l'innocenter), comme le rappelle Antoine Compagnon (*ibid.*, p. 31, n. 3, [p. 1288-1289]). Pourtant, la représentation que Proust donne de l'homosexuel, dès ses premiers brouillons, semble plutôt être le fruit d'un « recollage, rafistolage » et l'apparenter à un « être maquillé » (Cahier 49, f° 61 v° ; *SG*, *Esq. IV*, III, p. 956) et hybride, appartenant, comme le Cahier 54 le soulignera, à l'« armée des hors natures *[sic]* » (*Cahier 54*, f° 6 r°). Voir aussi *supra*, f° 30 v°, l'attitude « si peu naturelle » de Guercy.

3. *pour certains animaux.*
Comme l'a souligné Yuji Murakami, Proust pense sans doute ici aux baleines et à leurs amours difficiles telles que les a décrites Michelet dans *La Mer*. Voir *La Mer*, Hachette, 1861, p. 240-242 et Y. Murakami, « La méduse et le nid », *BIP*, 2013, n° 43, p. 98. Voir aussi l'ajout sur une paperole du Cahier I : « Les animaux <~~eux~~ sont> si souvent mal construits pour l'amour ~~et~~ qui<'ils> ne peuvent le goûter, – comme les baleines par exemple – qu'au prix de gdes souffrances, et ~~ces~~ <certaines> plantes ~~qui~~ comme la vallisnère dont parle Maeterlinck ~~sont obligées pour le connaître de se~~ <qu'en se> bless~~er~~/ant à mort » (Cahier I, f° 36 r° pap. ; cf. *SG*, III, p. 19, var. *d* [p. 1279]).

4. *pour certaines fleurs.*
C'est ici qu'apparaît la métaphore botanique pour décrire la difficulté des rencontres homosexuelles, largement développée dans les cahiers ultérieurs (Cahier 49, f° 60 r° notamment), puis dans *Sodome et Gomorrhe*. Voir *Esq. I*, III, n. 1 à la p. 928 [p. 1801]. Les sources sont multiples : les travaux de Darwin et en particulier la préface du professeur Amédée Coutance à l'un de ses ouvrages traduits en français en 1878, *Des différentes formes de fleurs dans les plantes de la même espèce* (sur ce point, voir A. Compagnon, *Proust entre deux siècles*, *op. cit.*, p. 138 *sq.*), ainsi que *L'Intelligence des fleurs*, ouvrage publié en 1907 par Maeterlinck qui insiste en effet sur le hasard présidant à la fécondation des fleurs (voir n. précédente ; sur les emprunts de Proust à Maeterlinck, voir aussi Anne Simon, « Proust lecteur de Maeterlinck : affinités sélectives », *MP 4*, 2004, p. 151-153). Dès *Jean Santeuil*, une fleur (la « pauvre digitale ») symbolisait la solitude (voir N. Mauriac Dyer, « Note sur M. de Lomperolles dans *Jean Santeuil...* », art. cité, p. 9-10 et NAF 16615, f°s 272 v°, 273 v°, 274 r° ; *JS*, p. 470-471). Lors de la rédaction de la rencontre de Guercy (décrit comme la « fleur rêvée ») et Borniche dans le Cahier 51, Proust fait allusion à « la digitale dans le vallon » (Cahier 51, f° 8 v° ; *MPG*, p. 55 ; *SG*, *Esq. II*, III, p. 938 et n. 3 [p. 1804-1805]), sans doute pour parodier à la fois son propre texte de jeunesse et le roman de Balzac, *Le Lys dans la vallée.*

5. *espèce.*
Les emprunts au vocabulaire des sciences naturelles pour décrire l'amour se multiplieront dans *SG I* en référence aux travaux de Darwin (voir n. précédente). Voir *SG*, III, p. 31 et n. 2 [p. 1288]. Le terme d'« espèce » apparaissait dès *Jean Santeuil* dans le passage consacré à l'une des religieuses libertines d'Anvers, et Proust, par la voix de son personnage Jean, soulignait « la richesse de toutes les espèces, ~~la variété de la nature qui vient ici~~ ce que la nature cache de

variétés dans son apparente ~~monotonie~~ uniformité », et « senta[i]t une angoisse comme quand il avait vu la digitale dans le vallon [...] » (NAF 16616, fº 644 vº ; *JS*, p. 851-852). Les termes de « nature », d'« espèce », d'« organes » et la référence aux animaux et aux fleurs présents sur cette page reflètent également le discours médical et scientifique sur l'homosexualité tel qu'on peut le lire, par exemple, dans l'ouvrage du Dr Laupts (*op. cit.*, p. 8, p. 237). L'auteur y affirme notamment à propos des homosexuels « qu'il s'agit là d'accidents comme il s'en produit dans toutes les espèces animales ou végétales » (*ibid.*, p. 9).

Folio 54 rº.

1. *pareils aux autres et.*
Rédaction interrompue. De nombreux passages sont ainsi interrompus dans les premières rédactions de l'« exposé » : voir, par exemple, Cahier 49, fº 47 rº, Cahier 38, fº 67 vº.

2. ~~*Michel-Ange*~~ *<Platon>.*
Dans le Cahier 6 (fº 41 rº), c'est Platon et Socrate qui sont donnés comme exemples d'homosexuels célèbres (et « Michel », pour Michel-Ange, biffé). Dans le Cahier 49 (fº 52 rº) comme dans *SG I*, seul Socrate est retenu. La référence à l'Antiquité ainsi que l'allusion à Oscar Wilde (voir *infra*, fº 55 rº n. 2) font partie des stéréotypes associés à l'homosexualité dans la presse des années 1900. Voir F. Tamagne, « Caricatures homophobes et stéréotypes de genre... », art. cité, p. 44.

3. *Socrate l'homme le plus moral qui fût jamais.*
L'ouvrage du Dr Laupts évoque Platon comme un « philosophe d'une haute moralité » (*op. cit.*, p. 206). L'anecdote racontée par Proust sur les « deux jeunes garçons » pourrait avoir pour origine un des dialogues de Platon longuement cité en note de cet ouvrage : *Lysis ou de l'amitié* (*op. cit.*, p. 33). Voir aussi les propos de l'héroïne lesbienne d'« Avant la nuit » : « Comment nous indigner d'habitudes que Socrate (il s'agissait d'hommes, mais n'est-ce pas la même chose), qui but la ciguë plutôt que de commettre une injustice, approuvait gaiement chez ses amis préférés ? » (*La Revue blanche*, décembre 1893 ; *PJ*, p. 169).

4. *car ces crimes on ~~peut~~ peuvent.*
« On » aurait dû être biffé. Le Cahier 49 atténue ce terme très fort en « vices ». De ce fait, il n'est plus question ensuite d'assassinat, mais de « mauvaise foi », d'« indélicatesse, de vol, de cruauté » (fº 52 rº). Pour Proust, comme le souligne Antoine Compagnon, « la culpabilité est attachée au vice et non seulement au crime. Entre crime et vice – c'est-à-dire désir – l'assimilation est constante dans la *Recherche* » (A. Compagnon, « Vérité et justice », art. cité, § 24).

Folio 54 vº.

1. *éfféminés.*
Sic.

Folio 55 rº.

1. *comme la vue du sang.*
Dans le Cahier 49, il s'agit de « l'odeur du sang » (fº 52 rº). La comparaison « des autres » – ceux qui vivent autour des homosexuels et craignent les scandales – avec des « fauves » et la mention de leur « férocité » n'est pas reprise dans *SG I*. Mais la métaphore du « jeu » ainsi que la chute – l'homosexuel « dompteur » fini « dévoré » – subsiste jusque dans le volume publié (*SG I*, III, p. 19). Elle pourrait avoir été inspirée à Proust par deux estampes du caricaturiste Jean Veber datant de juillet 1909 et montrant Clemenceau, après sa démission, en dompteur avalé par la foule (l'une porte le titre « Le dompteur a été mangé ».) Voir https://gallica.bnf.fr/ark:/12148/btv1b85776526

2. *comme le poète reçu dans tous les salons de Londres.*
Dans le Cahier 49, un passage biffé mentionne un « poète anglais » (fº 48 rº). Voir aussi Cahier 38, fº 67 vº. Proust fait ici référence à Oscar Wilde qu'il rencontra sans doute en 1894 (*SG*, « Notice », III, p. 1192). Ses procès pour homosexualité en 1895, que Proust évoque aussi dans une lettre à Robert Dreyfus de mai 1908 (*Corr.*, t. VIII, p. 123), avaient abouti à une peine de travaux forcés de deux ans pour outrage aux mœurs et sodomie (Voir *SG*, « Notice », III, p. 1218 et F. Tamagne, *Histoire de l'homosexualité, op. cit.*, p. 28). Voir aussi *supra*, fº 54 rº n. 2. L'ouvrage du

Dr Laupts, après avoir consacré un chapitre à la confession d'un « inverti féminiforme », propose une « Observation type d'un inverti paidophile *[sic]* » (*op. cit.*, p. 105), entièrement fondée sur le cas d'Oscar Wilde et son procès.

3. *ne pouvant trouver un ~~théâtre~~ <lit> où reposer.*
Comme l'ont souligné N. Mauriac Dyer et Y. Murakami, cette image sera reprise et développée dans le Cahier 49 où la comparaison biblique sera plus explicite : « comme un fugitif ne trouvant point comme le fils de l'Homme d'oreiller où reposer sa tête » (f° 51 r°), Proust s'inspirant ici de Ruskin et de sa traduction de *Sésame et les Lys*. Voir Y. Murakami, « La méduse et le nid », art. cité, p. 100-101. La phrase se poursuit dans le Cahier 49 par une autre allusion biblique, ainsi qu'à « La colère de Samson » de Vigny : « tournant la meule comme Samson et comme lui criant : les deux sexes mourront chacun de son côté ». Cf. Cahier 38, f° 67 v°. Proust pourrait aussi s'être inspiré de ce passage d'un article d'Octave Mirbeau, « Sur un livre » (*Le Journal*, 7 juillet 1895) : « Ces pièces furent chassées honteusement du théâtre où, la veille encore, elles étaient applaudies avec enthousiasme ». Voir Emily Eells, « Proust et Wilde », in *Le Cercle de Marcel Proust*, Jean-Yves Tadié (dir.), Champion, 2013, p. 233.

4. *elles une salle où être jouée.*
Sic.

5. *sa statue audessus de sa tombe.*
La « statue » est peut-être métaphorique, mais il pourrait s'agir aussi d'une allusion au transfert de la dépouille d'Oscar Wilde de Bagneux, où il était mort le 30 novembre 1900, au cimetière du Père-Lachaise le 20 juillet 1909, et au projet d'édification de son monument funéraire. *Le Figaro* le mentionne le 21 juin 1909 et il avait été annoncé, semble-t-il, dès décembre 1908, au moment où le sculpteur Jacob Epstein (1880-1959) avait accepté de l'exécuter. La célèbre statue, représentant un sphinx volant et sexué, ne sera installée qu'un peu plus tard, entre 1911 et 1914.

Folio 56r°.

1. *le tiers et le quart.*
Cette série de notes, difficile à dater mais vraisemblablement ajoutée après coup, n'a pas de rapport avec la section qui suit consacrée à « Sainte-Beuve et Baudelaire ». Elle servira à préciser l'idiolecte de plusieurs des personnages du roman : ces expressions apparaîtront en effet dans la bouche du duc et de la duchesse de Guermantes, d'Odette et de Gilberte Swann dans *À l'ombre des jeunes filles en fleurs*, *Le Côté de Guermantes* et *Sodome et Gomorrhe*. L'expression « le tiers et le quart », de même que « de ses amis », est reprise pour le duc de Guermantes dans une discussion à propos de l'affaire Dreyfus : « Enfin en tout cas, personnellement, on sait que je pense tout le contraire de mon cousin Gilbert. Je ne suis pas un féodal comme lui, je me promènerais avec un nègre s'il était *de mes amis*, et je me soucierais de l'opinion *du tiers et du quart* comme de l'an quarante, mais enfin tout de même vous m'avouerez que, quand on s'appelle Saint-Loup, on ne s'amuse pas à prendre le contrepied des idées de tout le monde qui a plus d'esprit que Voltaire et même que mon neveu. » (*CG*, II, p. 535 ; nous soulignons). C'est aussi le duc qui désigne son épouse par « ma bourgeoise » dans *Le Côté de Guermantes* : « Vous êtes bien gentils tous les deux, attendez Oriane un instant, je vais mettre ma queue de morue et je reviens. Je vais faire dire à *ma bourgeoise* que vous l'attendez tous les deux. » (*CG*, II, p. 868). L'expression « de ttes les paroisses » figure dans *Sodome et Gomorrhe* où elle est mise dans la bouche d'Oriane : « Je ne comprends pas, me dit-elle, comme pour s'excuser, que Marie-Gilbert nous invite avec toute cette lie. On peut dire qu'il y en a ici *de toutes les paroisses*. C'était beaucoup mieux arrangé chez Mélanie Pourtalès. Elle pouvait avoir le Saint-Synode et le Temple de l'Oratoire si ça lui plaisait, mais, au moins, on ne nous faisait pas venir ces jours-là. » (*SG*, III, p. 72). Quant aux mots « baronnet » et « meeting », ils seront respectivement employés par Odette et par Gilberte, le premier avec une orthographe différente pour désigner le baron de Charlus : « Avez-vous vu cher *baronet* ? lui disait-elle. » (*JF*, I, p. 594) ; le second, pour désigner « une réunion mondaine chez des amies des Swann (ce que celle-ci appelait "un petit meeting") » (*JF*, I, p. 516). Ces deux anglicismes (« baronnet » n'est pas un titre en France, voir Daniel Karlin, *Proust's English*, Oxford University Press, 2005, p. 42-43) pourraient avoir comme origine commune Armand de Gramont, duc de Guiche. Dans une lettre d'avril 1913, Proust écrit en effet à Antoine Bibesco : « Sans aller jusqu'à approuver Guiche qui dit : "allez-vous au petit meeting de Me de Ganay" au lieu de réunion et appelle St Marc baronet au lieu de baron etc., en revanche je trouve légitime les écrivains qui disent squire, home etc. » (*Corr.*, t. XII, p. 148). Seule l'expression « soit dit entre nous », semble-t-il, ne sera finalement pas reprise dans le roman. On trouve cependant un « entre nous, je trouve... » dans la bouche de Mme Verdurin (*DCS*, I, p. 223).

2. *Sainte Beuve et Baudelaire.*
Ici commence une importante section consacrée à l'étude de la poésie de Baudelaire dans le cadre d'une conversation avec Maman, relevant de la partie plus théorique et critique que Proust projetait pour le « Contre Sainte-Beuve » (voir Introduction, p. XXXIV). Elle termine le Cahier 7 et se prolonge dans le Cahier 6 (« Fin de Baudelaire », f°s 10-15 r^os^). Ce développement suit une structure implicite en deux temps bien distincts. La première partie, biographique, se fonde, pour l'essentiel, sur une étude d'Eugène et Jacques Crépet publiée en 1907 ainsi que sur un volume de *Lettres* paru l'année précédente (Cahier 7, f°s 56-64 r^os^, voir les n. *infra*) : elle suit donc de près l'actualité éditoriale, ces deux publications ayant ranimé les débats autour de la vie du poète – et de la légende qui l'accompagne (voir André Guyaux, *Baudelaire. Un demi-siècle de lectures des « Fleurs du mal » (1855-1905)*, Presses de l'université Paris-Sorbonne, 2007). Proust y résume à grands traits la trame factuelle de l'amitié entre Sainte-Beuve et Baudelaire, retenant surtout les échanges consécutifs au procès des *Fleurs du Mal* en 1857 puis ceux qui sont relatifs à la candidature sans lendemain de Baudelaire à l'Académie française en 1862. La seconde partie, à cheval sur les Cahiers 7 et 6, présente et analyse la poésie de Baudelaire (Cahier 7, f°s 64-71 r^os^ et Cahier 6, f°s 10-15 r^os^).

3. *Un poète que tu n'aimes qu'à demi.*
Pour la deuxième fois dans ce cahier, Proust emploie la tournure énonciative qu'il comptait déployer pour son « Contre Sainte-Beuve ». Celui-ci devait en effet prendre en partie la forme d'une « conversation avec Maman » qui aurait occupé la conclusion du livre (voir *supra*, f° 10 r° n. 1). Cette « conversation » n'aura jamais de forme aboutie ; mais l'adresse à la deuxième personne ponctue ces pages (f°s 60 r°, 61 r°, 62 r°, 64 r°, 70 r°, 71 r°) et la fin du morceau dans le cahier suivant (Cahier 6, f°s 10 r°, 11 r°).

4. *pain d'épices.*
Voir Charles Baudelaire, *Lettres (1841-1866)*, Société du Mercure de France, 1906 : « En route, je passai devant une boutique de pain d'épices, et l'idée fixe me prit que vous deviez aimer le pain d'épices. Notez que rien n'est meilleur dans le vin, au dessert, et je sentais que j'allais tomber chez vous, au moment du dîner. J'espère bien que vous n'aurez pas pris le morceau de pain d'épices, incrusté d'angélique, pour une plaisanterie de polisson, et que vous l'aurez mangé avec simplicité » (p. 270).

5. *Joseph Delorme.*
Vie, poésies et pensées de Joseph Delorme, ouvrage de Sainte-Beuve publié en 1829. Voir Baudelaire, *Lettres*, *op. cit.* : « Enfin, j'ai l'espoir de pouvoir montrer, un de ces jours, un nouveau *Joseph Delorme*. Décidément, vous aviez raison : *Joseph Delorme*, c'est *Les Fleurs du Mal* de la veille. La comparaison est glorieuse pour moi. Vous aurez la bonté de ne pas la trouver offensante pour vous » (p. 421). Cf. Cahier 6, f° 13 r° : « Joseph Delorme ce sont les fleurs du mal avant la lettre vérifier ».

6. *Consolations.*
Les Consolations, ouvrage de Sainte-Beuve publié en 1834. Voir Charles Baudelaire, *Lettres*, *op. cit.* : « J'ai beaucoup mieux compris qu'autrefois *Les Consolations* et *Les Pensées d'Août*. J'ai noté, comme plus éclatants, les morceaux suivants [...]. Il y a encore une pièce que je trouve merveilleuse, c'est le récit d'une veillée funèbre, près d'un cadavre inconnu, adressée à Victor Hugo, au moment de la naissance d'un de ses fils. Ce que j'appelle le décor (paysage ou mobilier) est toujours parfait. [...] J'ai l'air de vous faire des compliments, et je n'en ai pas le droit. C'est impertinent » (p. 494-495).

7. *Lundis.*
À partir d'octobre 1849, Sainte-Beuve publie, successivement dans *Le Constitutionnel*, *Le Moniteur* et *Le Temps*, des feuilletons hebdomadaires regroupés en volumes sous le nom de *Causeries du lundi* puis de *Nouveaux lundis*, cette chronique paraissant le premier jour de chaque semaine.

8. *tant de Comtes Daru.*
Pierre Daru, homme d'État et homme de lettres, fit carrière sous le règne de Napoléon Ier. Il accède à l'Académie française en 1806 puis est nommé comte d'Empire en 1809. En 1819, il devient pair de France et retrouve les honneurs du pouvoir jusqu'à sa mort en 1829, après deux années difficiles à la suite de la défaite de Waterloo. Sainte-Beuve consacre plusieurs chroniques à l'*Histoire de la République de Venise* de « M. Daru ». Voir Sainte-Beuve, *Causeries du lundi*, t. IX, 3e éd., Garnier frères, 1869, p. 413-433, 434-441, 442-453 et 454-472. Proust utilise le même volume quelques lignes plus loin pour mentionner une lettre de Sainte-Beuve à Baudelaire (voir f° 57 r° et n. 6, ainsi que les f°s 56-57 v^os^). On trouve déjà une référence à ce volume des *Causeries du lundi* au f° 31 r° du Carnet 1 (*Cn*, p. 84).

9. *Alton Shée.*
Le comte Edmond d'Alton Shée ou d'Alton Schée (1810-1879) devient pair de France à l'âge de vingt-six ans. Il publie à partir de 1848 plusieurs ouvrages politiques, édite les *Mémoires du Vicomte d'Aulnis* et publie en 1869 *Mes Mémoires.* Georges Bizet envoie en 1882 l'une de ses compositions à la veuve d'Alton Shée, accompagnée d'une dédicace.

10. ~~*l'article sur les Élections à l'Académie*~~.
Sur la « Folie Baudelaire » et cet article de Sainte-Beuve, voir la reprise de Proust au f° 58 r° et la n. 9.

Folio 56 v°.

1. *« Ste Beuve.*
La note renvoie à l'appel « 1 » placé au milieu du folio 57 r°, après le mot « anonymement ».

2. *comme dit naïvement M. Crépet.*
Voir Eugène Crépet et Jacques Crépet, *Baudelaire* [1907], *op. cit.*, p. 423 : « Quand [Sainte-Beuve] apprit les poursuites, il eût voulu défendre publiquement son ami ; mais les exigences de ses relations avec le monde officiel paralysaient sa bonne volonté [...] ».

3. *Il commence par remercier.*
Le point d'insertion de cette trentaine de lignes sur deux folios n'est pas explicité, mais le passage se comprend comme un développement du folio qui lui fait face, lorsque le narrateur évoque « une lettre sur les Fleurs du Mal [...] reproduite dans les Causeries du Lundi ». La croix barrée signale probablement le point d'accroche de ces lignes (voir *infra*, f° 57 r° n. 6) ; d'ailleurs, Proust commence à biffer les lignes qui suivent, devenues redondantes.

4. *dit que ces pièces qu'il avait déjà lues.*
Proust reprend ligne à ligne, tout en la commentant, la lettre de Sainte-Beuve. Voir Sainte-Beuve, *Causeries du lundi*, *op. cit.*, t. IX : « Ce 20 juillet 1857./ Mon cher ami,/ J'ai reçu votre beau volume, et j'ai à vous remercier d'abord des mots aimables dont vous l'avez accompagné ; vous m'avez depuis longtemps accoutumé à vos bons et fidèles sentiments à mon égard. – Je connaissais quelques-uns de vos vers pour les avoir lus dans divers recueils ; réunis, ils font un tout autre effet. Vous dire que cet effet général est triste ne saurait vous étonner ; c'est ce que vous avez voulu. Vous dire que vous n'avez reculé, en rassemblant vos *Fleurs*, devant aucune sorte d'image et de couleur, si effrayante et affligeante qu'elle fût, vous le savez mieux que moi ; c'est ce que vous avez voulu encore. » (p. 527).

5. *quelle tendresse et quelle déférence.*
Voir Eugène Crépet et Jacques Crépet, *Baudelaire* [1907], *op. cit.*, p. 423 : « Avec l'inaltérable déférence qu'il témoigna toute sa vie à "l'oncle Beuve", Baudelaire... ». Proust reprendra des éléments de ce développement en 1920 lorsqu'il rédigera la préface à *Tendres Stock* de Paul Morand. La reprise littérale de plusieurs segments de phrase atteste que Proust a consulté ces notes plus de dix ans après les avoir rédigées (voir : « Pauvre Baudelaire ! mendiant un article à Sainte-Beuve (avec quelle tendresse, quelle déférence !) », *EA*, p. 609).

Folio 57 r°.

1. *M. Baudelaire gagne à être vu.*
Voir f° 59 r° et la n. 1.

2. *procès de Baudelaire.*
Publié en juin 1857 pour la première fois en volume, le recueil des *Fleurs du Mal* occasionne, dans les semaines qui suivent, un procès pour « outrage à la morale publique ». Le procureur Pinard requiert la condamnation de « certaines pièces du livre » pour leur réalisme ; le 21 août, six pièces sont censurées, Baudelaire et son éditeur Poulet-Malassis condamnés à une amende. En 1885, Pinard publiera une version remaniée de son réquisitoire (André Guyaux, *Baudelaire. Un demi-siècle de lectures*, *op. cit.*, p. 217-223).

3. *un plan de défense.*
Voir les notes que Sainte-Beuve avait rédigées à cet effet (« Petits moyens de défense tels que je les conçois », dans Eugène Crépet et Jacques Crépet, *Baudelaire* [1907], *op. cit.*, p. 229-230) ainsi que le récit de la mise en place de ce « plan » (*ibid.*, p. 422-423, n. 2).

4. *« Loin de moi.*
Voir *ibid.*, p. 230. Proust recopie Sainte-Beuve cité par les Crépet.

5. *Béranger.*
Pierre-Jean de Béranger (1780-1857), chansonnier prolifique, connut un immense succès populaire à partir des années 1820 en célébrant la République et le Premier Empire et en vilipendant la Restauration. Le Second Empire, à l'avènement duquel Béranger avait contribué, lui organise des funérailles nationales. L'œuvre n'a guère survécu à son auteur.

6. *une lettre sur les Fleurs du Mal.*
La lettre est reproduite dans Sainte-Beuve, *Causeries du lundi*, *op. cit.*, t. IX, p. 527 *sq.* Proust la commente sur les f°s 56-57 v°s, voir *supra*, f° 56 v° n. 3.

7. *dans la pensée de venir en aide à la défense +*
Cf. f° 58 v°. La croix de renvoi est biffée : toutefois, le texte qui commence en regard sur le f° 56 v° est manifestement le développement que Proust songeait à insérer puisqu'il décrit et résume la teneur de la lettre.

8. ~~*Il y a de charmantes appréciations.*~~
Ce court passage biffé et sa suite sont repris et longuement précisés dans le développement qui se trouve sur le verso qui fait face à ce folio ainsi que sur le suivant (voir f° 57 v° et n. 1).

Folio 57 v°.

1. *En faisant cela avec subtilité.*
Proust recopie ce passage dans Sainte-Beuve, *Causeries du lundi*, *op. cit.*, t. IX, p. 528-529 : « En faisant cela avec subtilité, avec raffinement, avec un talent curieux et un abandon quasi *précieux* d'expression, en *perlant* le détail, en *pétrarquisant* sur l'horrible, vous avez l'air de vous être joué ; vous avez pourtant souffert, vous vous êtes rongé à promener et à caresser vos ennuis, vos cauchemars, vos tortures morales ; vous avez dû beaucoup souffrir, mon cher enfant. [...] J'aime plus d'une pièce de votre volume, ces *Tristesses de la lune*, par exemple, délicieux sonnet qui semble de quelque poëte anglais contemporain de la jeunesse de Shakespeare. Il n'est pas jusqu'à ces stances, *À celle qui est trop gaie*, qui ne me semblent exquises d'exécution. Pourquoi cette pièce n'est-elle pas en latin, ou plutôt en grec, et comprise dans la section des *Erotica* de l'*Anthologie* ? » Proust a en effet travaillé avec son exemplaire des *Causeries du lundi* à portée de main, plutôt qu'avec celui des *Fleurs du Mal*, où la lettre de Sainte-Beuve est également reproduite en appendice, mais sans son préambule que Proust cite largement au verso suivant (voir Charles Baudelaire, *Œuvres complètes*, t. I, *Les Fleurs du mal*, précédées d'une notice par Théophile Gautier, Michel Lévy frères, 1868, p. 396-398 pour le présent passage).

2. *sage.*
Lapsus de Proust : « À celle qui est trop gaie ».

3. *en latin.*
Proust a déjà fait référence à cette remarque de Sainte-Beuve au f° 31 r° du Carnet 1 : « regret qu'un poème de Baudelaire ne soit pas en latin » (*Cn*, p. 84).

4. *Copier la fin.*
Proust réserve ici un blanc à cet effet. Voici le passage qu'il souhaitait reproduire : « Mais encore une fois, il ne s'agit pas de cela ni de compliments ; j'ai plutôt envie de gronder, et si je me promenais avec vous au bord de la mer, le long d'une falaise, sans prétendre à faire le Mentor, je tâcherais de vous donner un croc-en-jambe, mon cher ami, et de vous jeter brusquement à l'eau, pour que vous, qui savez nager, vous alliez désormais sous le soleil et en plein courant. » (Sainte-Beuve, *Causeries du lundi*, *op. cit.*, t. IX, p. 529). Il le reprendra finalement quelques années plus tard dans la préface à *Tendres Stocks*, en le citant alors « de mémoire » (*EA*, p. 610).

Folio 58 r°.

1. *« piqué sa première tête ».*
Ces deux dernières citations sont étrangement inexactes ; elles font écho à la conclusion de la lettre de Sainte-Beuve en une métaphore analogue mais n'en reprennent pas les mots : « je tâcherais [...] de vous jeter brusquement à l'eau, pour que vous, qui savez nager, vous alliez désormais sous le soleil et en plein courant » (Sainte-Beuve, *Causeries du lundi*, *op. cit.*, t. IX, p. 529 ; voir la n. précédente). Proust écrit sans doute ces lignes sans avoir le livre immédiatement à disposition. Au f° 57 v°, il écrit justement « copier la fin » de la lettre à propos de ces mêmes lignes (que nous donnons intégralement, voir *supra*, f° 57 v° n. 4).

2. *publiquement attaqué par les amis de Baudelaire pour n'avoir pas eu le courage de témoigner pour lui.*
Allusion probable à l'« affaire Babou », sur laquelle Proust revient plus loin : voir f° 60 r° et les n. 4 et 5.

3. *d'Aurévilly.*
Sic. Jules Barbey d'Aurevilly (1808-1889), écrivain incontournable du milieu littéraire parisien de la seconde moitié du XIXe siècle, est notamment l'auteur d'une œuvre critique colossale, *Les Œuvres et les Hommes*, dans laquelle il cherche à dresser l'inventaire intellectuel de son siècle. Sa plume virtuose et acérée ne ménage pas les critiques et vise principalement les réalistes, les parnassiens et les bas-bleus. L'un de ses pamphlets porte sur l'œuvre de Sainte-Beuve. Il fut, par ailleurs, l'un des ardents défenseurs de Baudelaire au moment de son procès. Baudelaire avait alors réuni quatre articles écrits lors de la parution des *Fleurs du Mal* pour les présenter au juge sous forme de mémoire : Barbey d'Aurevilly s'était prêté au jeu de bonne grâce (signalons que son texte faisait partie des deux qui « *n'[avaie]nt pas pu* paraître » ; Charles Baudelaire, *Œuvres complètes*, t. I, *op. cit.*, p. 356). L'article, qui sera repris dans l'édition de 1868 dont Proust disposait (*ibid.*, p. 365-376), s'applique à souligner le caractère moral d'une entreprise poétique qui ne peut conduire son auteur qu'à « se brûler la cervelle... ou se faire chrétien ! » (p. 376). Ce texte connaîtra une grande postérité en raison notamment de l'« *architecture secrète* », du « plan calculé par le poète » (p. 375) qu'évoque Barbey à propos de la composition du recueil.

4. *etc.*
Il s'agit probablement d'un renvoi aux trois autres critiques dont Baudelaire avait rassemblé les articles en vue de son procès (voir n. précédente) : Édouard Thierry (1813-1894), Frédéric Dulamon (1825-1880) et Charles Asselineau (1820-1874).

5. *devant la Cour d'assises.*
Proust a-t-il commis une erreur en confondant le Tribunal correctionnel de la Seine, qui a condamné Baudelaire en août 1857, et la Cour d'assises, ou bien dramatise-t-il le propos à dessein, transformant le délit en crime ? Cette hypothèse n'est pas la plus improbable quand on voit le ton railleur de son récit et l'excès de certaines attaques à l'encontre de Sainte-Beuve.

6. *Baudelaire était candidat.*
Voir Sainte-Beuve, *Nouveaux lundis*, t. I, Michel Lévy, coll. « Bibliothèque contemporaine », 1863, « Des prochaines élections de l'Académie » (20 janvier 1862), p. 387-410. L'académicien y fait une rude critique de tous les prétendants au siège laissé vacant par Scribe, dont Baudelaire, qui est épinglé aux p. 400-402.

7. *ses collègues du Sénat.*
Sainte-Beuve ne faisait pas mystère de ses attaches institutionnelles et de sa proximité avec le régime impérial, comme Proust le rappelle d'ailleurs au f° 57 r°. Il a en effet siégé au Sénat de 1865 jusqu'à sa mort en 1869, et à l'Académie française après son élection en 1844. Proust fait probablement ici allusion à ce passage de l'article « Des prochaines élections de l'Académie » : « Il n'est pas si aisé qu'on le croirait de prouver à des académiciens politiques et hommes d'État comme quoi il y a, dans les *Fleurs du Mal*, des pièces très-remarquables vraiment pour le talent et pour l'art » (Sainte-Beuve, *Nouveaux lundis*, *op. cit.*, t. I, p. 401). Proust va immédiatement citer la suite : voir la n. 9 *infra*.

8. *à l'extrémité du Kamtchatka.*
Partie extrême orientale de la Sibérie et quasi désertique, le Kamtchatka est assez bien connu des milieux intellectuels français du XIXe siècle en raison, d'une part, du tropisme slave alors en plein essor et dont se fait notamment l'écho la *Revue des Deux Mondes*, et, d'autre part, d'un célèbre épisode de la guerre de Crimée qui vit s'opposer les armées franco-britanniques aux Russes dans cette péninsule en 1854. Il représente avant tout un repère géographique (dans

les expressions « de l'Elbe au Kamtchatka » ou « de Saint-Pétersbourg au Kamtchatka ») auquel sont attachées des notions de lieu inaccessible, étranger, sauvage. Cyprien Robert, titulaire de la chaire de langues et littératures slaves du Collège de France de 1845 à 1857, décrit cette région, probablement sans s'y être jamais rendu, en des termes qui auraient pu inspirer à Sainte-Beuve son propos sur Baudelaire : « Plus loin encore, vous trouvez le Kamtchatka, presqu'île tellement dévastée par les brumes éternelles et les vents de la mer Glaciale, que toute culture y est presque impossible ; mais le feu souterrain que la glace refoule y réagit avec d'autant plus de fureur. Comme la Sicile, cette péninsule a son Etna qui l'ébranle tout entière et lui déchire incessamment les entrailles. Là, du milieu des neiges s'élancent des gerbes enflammées ; là, un fleuve entier d'eau thermale coule en formant des cascades, et ses rives, respectées par les vents du pôle, étalent tout le luxe d'une végétation méridionale, là enfin, durant leurs longues chasses, le Tongouse et l'Iakout à demi gelés peuvent, en passant, se réchauffer au feu des cratères. Si l'on voulait comparer les deux îles extrêmes du monde gréco-slave : Candie, près de l'Égypte, et la Nouvelle-Zemble, près du pôle, quelle foule de contrastes jailliraient de ce rapprochement ? Comment peindre les magnificences des trois règnes de la nature dans ce monde immense, depuis Irkoutsk jusqu'à Damas en Syrie ? » (« Du mouvement unitaire de l'Europe orientale », *Revue des Deux Mondes*, 1er novembre 1844, p. 433).

9. *Folie Baudelaire.*
Vu l'allusion, quelques lignes plus haut, à cet article, Proust a dû démarquer le passage d'après son exemplaire des *Nouveaux lundis* : « M. Baudelaire a trouvé moyen de se bâtir, à l'extrémité d'une langue de terre réputée inhabitable et par delà les confins du romantisme connu, un kiosque bizarre, fort orné, fort tourmenté, mais coquet et mystérieux [...]. Ce singulier kiosque, fait en marqueterie, d'une originalité concertée et composite, qui, depuis quelque temps, attire les regards à la pointe extrême du Kamtchatka romantique, j'appelle cela *la folie Baudelaire.* » (Sainte-Beuve, *Nouveaux lundis*, *op. cit.*, t. I, « Des prochaines élections de l'Académie », p. 401). On notera que, deux pages plus haut, Proust a fait une première référence plutôt bienveillante à cette image de Sainte-Beuve, aussitôt biffée il est vrai : « Accessoirement, dans l'article sur les Élections à l'Académie il dit quelques mots, charmants, d'ailleurs, sur les fleurs du mal : "J'appelle cela moi la Folie Baudelaire" » (f° 56 r°). Proust revient sur ce « trait d'esprit » dans le Cahier 6, f° 13 r°.

10. *Royer Collard.*
Pierre-Paul Royer-Collard (1763-1845) est un homme politique de premier plan pendant la période révolutionnaire et durant la Restauration. Il est l'un des penseurs français libéraux les plus en vue de son époque.

Folio 58 v°.

1. *un petit préambule.*
Proust reprend l'essentiel du préambule que Sainte-Beuve donne à sa lettre à Baudelaire dans *Causeries du lundi*, *op. cit.*, t. IX, p. 527-528 : « Je profite de quelques pages restantes pour glisser, suivant mon habitude, une ou deux anecdotes littéraires./ *Le poète Baudelaire*, très raffiné, très corrompu à dessein et par recherche d'art, *avait mis des années à extraire de tout sujet et de toute fleur un suc vénéneux, et même, il faut le dire, assez agréablement vénéneux* ; il avait tout fait pour justifier ce vers d'un poète : "La rose a des poisons qu'on finit par trouver". *C'était d'ailleurs un homme d'esprit, assez aimable à ses heures et très capable d'affection. Lorsqu'il eut publié ce recueil, intitulé* Fleurs du mal*, il n'eut pas seulement affaire à la critique, la justice s'en mêla* ; elle prit fait et cause au nom de la morale publique, *comme s'il y avait véritablement danger à ces malices enveloppées et sous-entendues dans des rimes élégantes.* Quoi qu'il en soit, il y eut procès, condamnation même, et c'est à la veille de cette plaidoirie plus que littéraire que j'adressai à l'auteur la lettre suivante, *dans la pensée de venir en aide à la défense* et de ramener la question à ce qu'elle était en soi, c'est-à-dire à une simple affaire de goût relevant de la seule critique. Cette lettre a été publiée depuis peu par les éditeurs des *Œuvres* de Baudelaire, mais avec des fautes d'impression selon l'usage ; j'ai tenu à les corriger. » (nous soulignons les passages repris par Proust, qui les entrelace de ses commentaires). Voir les n. suivantes.

2. *cette fois-ci où il ne s'adresse plus au poète « son ami ».*
Sainte-Beuve commençait en effet sa lettre par « Mon cher ami ». Proust ironise ensuite sur le dernier paragraphe, qu'il se proposait de « copier » au verso précédent : « « Mais encore une fois, il ne s'agit pas de cela ni de compliments ; j'ai plutôt envie de gronder » (*Causeries du lundi*, *op. cit.*, t. IX, p. 529).

3. *j'ai besoin de vous voir comme Antée.*
« Il y a peu de jours, mais alors par pur besoin de vous voir, comme Antée avait besoin de la Terre, je suis allé rue Montparnasse. » (Baudelaire, *Lettres*, *op. cit.*, p. 270 ; *Correspondance*, t. II, Gallimard, coll. « Bibliothèque de la Pléiade »,

1973, p. 56). Proust reprendra cette citation au verso suivant (voir f° 59 v° et n. 2). C'est dans cette même lettre à Sainte-Beuve que Baudelaire évoque le pain d'épices qu'il pensa un temps offrir au critique ; Proust fait allusion à cet épisode au tout début de « Sainte-Beuve et Baudelaire » (voir *supra*, f° 56 r° n. 4).

4. *Stendhal était modeste et Flaubert bongarçon.*
Sic. Nous n'avons pas élucidé ces références. Ce ne sont peut-être pas des citations, mais un résumé de l'idée que, selon Proust, Sainte-Beuve se faisait de Stendhal et Flaubert.

5. *disait un homme du monde à Me de Noailles.*
On sait que Proust, très lié avec Anna de Noailles (1876-1933), publia un article à son sujet dans *Le Figaro* en juin 1907, au moment de la parution de son recueil de vers *Les Éblouissements* (Voir *EA*, p. 533-545). Il y rapproche d'ailleurs la poétesse de Baudelaire (*ibid.*, p. 543).

6. *Les é.*
Le mot « éloges » resté incomplet sera repris à l'initiale de la ligne suivante.

Folio 59 r°.

1. *Ce qui est certain.*
Proust cite avec exactitude la suite de l'article de Sainte-Beuve : « Ce qui est certain, c'est que M. Baudelaire gagne à être vu ; que là où l'on s'attendait à voir entrer un homme étrange, excentrique, on se trouve en présence d'un candidat poli, respectueux, exemplaire, d'un gentil garçon, fin de langage et tout à fait classique dans les formes. » (Sainte-Beuve, *Nouveaux lundis, op. cit.*, t. I, « Des prochaines élections de l'Académie », p. 401-402). La citation est également donnée par Eugène Crépet et Jacques Crépet, *Baudelaire* [1907], *op. cit.*, p. 149. Elle est reprise dans le Cahier 6, f° 13 r°, avec ce commentaire : « ceci qui peut s'appliquer aussi bien à ~~presque tous les~~ <beaucoup de> conducteurs de cotillon ». Proust la mentionne également dans sa préface à *Tendres Stocks* (*EA*, p. 609 ; cf. *supra*, f° 56 v° n. 5) ; là encore, et douze ans plus tard, l'argument sera à charge.

2. *finement touché.*
C'est la scène du bal à la Vaubyessard, non le début du roman, que Sainte-Beuve décrit en ces termes : « De là, la visite de M. et Mme Bovary au château de la Vaubyessard ; c'est un des endroits principaux du livre, et des plus savamment touchés » (« Madame Bovary par M. Gustave Flaubert », 4 mai 1857, *Causeries du lundi*, t. IX, p. 354).

3. *Stendahl.*
Sic.

4. *« plus sûr dans son procédé ».*
Cette citation ne se retrouve pas littéralement chez Sainte-Beuve ; on trouve néanmoins, dans l'article que Sainte-Beuve consacre à Stendhal (et qui est recueilli dans le même volume des *Causeries du lundi* que la lettre à Baudelaire), un passage auquel Proust peut songer : « Parfaitement honnête homme et homme d'honneur dans son procédé et ses actions, [Stendhal] n'avait pas, en écrivant, la même mesure morale que nous ; il voyait de l'hypocrisie là où il n'y a qu'un sentiment de convenance légitime et une observation de la nature raisonnable et honnête, telle que nous la voulons retrouver même à travers les passions. » (Sainte-Beuve, *Causeries du lundi, op. cit.*, t. IX, « M. Beyle », p. 330).

5. *Et après avoir conseillé à Baudelaire.*
Voir Eugène Crépet et Jacques Crépet, *Baudelaire* [1907], *op. cit.* : « Sur de nouvelles instances du critique des *Lundis*, Baudelaire se décida enfin. Il écrivit la lettre de désistement qu'il faut, en pareil cas, adresser au secrétaire perpétuel de l'Académie française. » (p. 151-152). E. et J. Crépet citent la lettre où Sainte-Beuve engage Baudelaire, qui souhaitait se porter candidat au fauteuil de Lacordaire après celui de Scribe, à se désister (*ibid.*, p. 151 n. 3).

6. *« Quand on a lu (à la séance de l'Académie) ».*
Proust reprend là encore littéralement les Crépet citant Sainte-Beuve, se contentant d'ajouter « (à la séance de l'Académie) » : « Un dernier billet de Sainte-Beuve nous apprend l'impression que produisit sur l'Académie la lettre du poète : "...Quand on a lu votre dernière phrase de remerciement, conçue en termes si modestes et si polis, on a dit tout haut : Très bien ! Ainsi, vous avez laissé de vous une bonne impression. N'est-ce donc rien ?" » (*ibid.*, p. 152).

Folio 59 v°.

1. *Quelle vieille bête.*
Notons que Swann utilise la même expression quand il se méprend sur le musicien Vinteuil, méconnaissant son génie : il le traite, à trois reprises, de « vieille bête » (*DCS*, I, p. 211).

2. *Et il appelait.*
Le lieu d'insertion de cet ajout n'est pas explicite mais pourrait compléter la citation d'une des lettres de Baudelaire à Sainte-Beuve, sur le folio qui fait face : « Il y a encore peu de temps que je parlais à Malassis de cette grande amitié qui me fait honneur etc ». Sur la lettre « contée plus haut et qui a été reproduite à la fin des fleurs du mal », c'est-à-dire la lettre de Sainte-Beuve à Baudelaire publiée dans les *Causeries du lundi* et reprise dans l'édition des *Fleurs du Mal* chez Michel Lévy en 1868, voir *supra*, f° 57 r° *sq*. Sur la lettre à Sainte-Beuve où Baudelaire se compare à Antée, voir f° 58 v° et n. 3.

Folio 60 r°.

1. *M. de Sacy.*
Samuel Ustazade Silvestre de Sacy (1801-1879), fils d'Antoine-Isaac Silvestre de Sacy, philologue et orientaliste de renom, fut conservateur puis administrateur de la Bibliothèque Mazarine et tint, vingt années durant, une chronique littéraire dans le *Journal des Débats*. Il entra à l'Académie française au mois de mai 1854 ; il fut l'un des rares à prendre au sérieux et à soutenir la candidature de Baudelaire sous la Coupole.

2. *Viennet.*
Jean-Pons-Guillaume Viennet (1777-1868) fut officier d'artillerie de marine. Il publia des poésies, des fables, des romans et des tragédies et collabora au *Constitutionnel* et au *Journal de Paris*. Il entra à l'Académie française en novembre 1830 et représenta alors l'un des plus opiniâtres opposants au romantisme même s'il donna son suffrage à Victor Hugo quelques années plus tard.

3. *Baudelaire était du même avis !*
Eugène Crépet et Jacques Crépet, *Baudelaire* [1907], *ibid.*, p. 423 : « Avec l'inaltérable déférence qu'il témoigna toute sa vie à "l'oncle Beuve", Baudelaire avait admis la sincérité et la validité de l'excuse qu'on lui donnait [...] ».

4. *Quand ses amis s'indignent du lâchage.*
Proust pense surtout à Hippolyte Babou, critique littéraire et satiriste, proche ami de Baudelaire, qui passe pour avoir soufflé au poète, si l'on en croit Asselineau, le titre de son recueil le plus fameux. Dans un article de la *Revue française* paru en février 1859, « De l'amitié littéraire », Babou avait fustigé, sans le nommer, le comportement de Sainte-Beuve au cours du procès des *Fleurs du Mal*. Baudelaire comme Sainte-Beuve n'apprécièrent guère cette sortie. Pour le présent récit, Proust puise à deux sources différentes : une longue note des Crépet (*Baudelaire* [1907], *op. cit.*, p. 422-425), et la correspondance échangée par Baudelaire avec Asselineau, Poulet-Malassis et Sainte-Beuve, reproduite dans *Lettres*, *op. cit.* Proust a bien lu ce recueil, même s'il n'en fait jamais mention (voir les n. 9 et 10 *infra*). Exception faite de la lettre inédite destinée à Asselineau (voir *infra*, n. 9), les trois autres lettres qu'il cite n'avaient été publiées jusqu'alors que dans l'édition des écrits intimes, dans les *Œuvres posthumes* de 1887 : or Proust affirme, en 1905, ne l'avoir jamais consultée. Si c'est bien le cas, il emprunte en effet toutes les citations de la correspondance de Baudelaire au volume de *Lettres* de 1906. Les citations du brouillon étant, en général, exactes, Proust a dû rédiger ces quelques feuillets en ayant le livre sous les yeux.

5. *Baudelaire est affolé.*
Baudelaire envoie en effet trois lettres à Sainte-Beuve en l'espace de quelques jours. Proust les a lues dans l'édition des *Lettres* parue au Mercure de France en 1906 (voir la n. précédente) : « Cette fois, en lisant cette malheureuse ligne, je me suis dit : Mon Dieu ! Sainte-Beuve, qui connaît ma fidélité, mais qui sait que je suis lié avec l'auteur, va peut-être croire que j'ai été capable de souffler ce passage. C'est juste le contraire ; je me suis maintes fois querellé avec Babou pour lui persuader que vous faisiez toujours tout ce que vous deviez et pouviez faire. » (Baudelaire, *Lettres*, *op. cit.*, « 21 février 1859 », p. 184 ; *Correspondance*, éd. cit., t. I, p. 553). Deux lettres sont datées, par Féli Gautier dans son édition de 1906, du 28 février 1859 ; Proust a ainsi pu croire qu'elles avaient été envoyées coup sur coup. Nous les donnons dans l'ordre original de publication, même si Claude Pichois propose pour la seconde une date antérieure. « Je ne comprends absolument rien à cette sottise de la *Revue française*. [...] Comment M. Morel a-t-il imprimé cela, sans faire des représenta-

tions à Babou, et sans deviner quel préjudice il me portait ? » (Baudelaire, *Lettres*, *op. cit.*, « 28 février 1859 », p. 191-192 ; *Correspondance*, éd. citée, t. I, p. 561). « En repensant à Babou (l'important, pour moi, était de m'assurer que vous ne me croyiez pas capable d'une petitesse), je trouve que vous lui attribuez trop d'importance. » (Baudelaire, *Lettres*, *op. cit.*, « 28 février 1859 », p. 192 ; *Correspondance*, éd. citée, t. I, p. 556). Proust a également eu connaissance de la réponse de Sainte-Beuve, que l'on trouve en appendice d'Eugène Crépet et Jacques Crépet, *Baudelaire* [1907], *op. cit.* : « Ne vous inquiétez plus du Babou. Je ne sais si je répondrai jamais à ce qui n'est pas une espièglerie, mais une petite infamie, car il a mis l'honnêteté en jeu. Dans tous les cas, j'ai la Némésis très lente et très boiteuse. » (« 5 mars 1859 », p. 423-424).

6. *Malassis.*
Auguste Poulet-Malassis (1825-1878) est le descendant d'une grande famille d'imprimeurs et crée sa maison d'édition au cours des années 1850. Il publie *Les Fleurs du Mal* en 1857, avant d'être condamné, avec son beau-frère Eugène de Broise, à 100 francs d'amende pour outrage à la morale publique. Fidèle ami de Baudelaire, Poulet-Malassis obtient du poète les droits de reproduction exclusifs de ses œuvres littéraires parues ou à paraître, ainsi que de ses traductions de Poe. Il éditera également les poètes du Parnasse, comme Leconte de Lisle ou Théodore de Banville, avant de connaître la faillite et de s'exiler à Bruxelles.

7. *Asselineau.*
Charles Asselineau (1820-1874) est un écrivain et critique d'art, comptant parmi l'un des plus proches et fidèles amis de Baudelaire. Mme Aupick lui confiera ainsi qu'à Banville le soin d'éditer les œuvres complètes de son fils en 1868 chez Michel Lévy. Il sera également le premier biographe du poète (*Charles Baudelaire, sa vie et son œuvre*, 1869), texte qui sera republié dans le volume des Crépet comme document, sous le titre de « Baudelairiana ». Son abondante correspondance avec Poulet-Malassis ainsi qu'avec Baudelaire apporte de précieuses informations biographiques.

8. *Voyez donc combien.*
Proust cite ici deux extraits d'une lettre à Poulet-Malassis : « Voyez donc comme cette affaire Babou peut m'être désagréable, surtout si on la rapproche de cet ignoble article du *Figaro*, où il était dit : *Que je passais ma vie à me moquer des chefs du romantisme*, à qui je devais tant d'ailleurs. [...] Ce qu'il y avait de dangereux pour moi, là-dedans, c'est que Babou avait l'air de me défendre contre quelqu'un qui m'a rendu une foule de services. » (Baudelaire, *Lettres*, *op. cit.*, « 24 février 1859 », p. 187-188 ; *Correspondance*, éd. citée, t. I, p. 560-561). Mais il y interpole un fragment de la lettre à Asselineau. Voir la n. suivante.

9. *je suis très lié avec l'oncle Beuve.*
Voir la lettre à Asselineau : « Babou sait bien que je suis très lié avec l'oncle Beuve, que je tiens vivement à son amitié, et que je me donne, *moi*, la peine de cacher mon opinion, quand elle contrarie la sienne. – Voilà des pensées qui sont faites pour être approuvées par vous. » (Baudelaire, *Lettres*, *op. cit.*, « 24 février 1859 », p. 186 ; *Correspondance*, éd. citée, t. I, p. 555). Cette lettre était restée inédite jusqu'à sa publication dans le recueil du Mercure de France en 1906.

10. *Il écrit à Ste Beuve.*
Proust reprend les termes exacts d'une lettre de Baudelaire adressée à Sainte-Beuve le 21 février 1859 au sujet de l'article de Babou : voir *supra* n. 5.

11. *Il y a encore peu de temps.*
« Il y a peu de temps, je parlais à Malassis de cette grande amitié qui me fait honneur et à laquelle je dois tant de bons conseils. » (Baudelaire, *Lettres*, *op. cit.*, p. 184 ; *Correspondance*, éd. citée, t. I, p. 553).

Folio 61 r°.

1. « *gagne à être connu.*
Voir la précédente mention de cet extrait de l'article de Sainte-Beuve, *supra*, f° 59 r° et n. 1.

2. « *Encore un service que je vous dois.*
Proust copie presque littéralement, avec quelques coupures, la lettre de Baudelaire (voir Baudelaire, *Lettres*, *op. cit.*, p. 325-327 ; *Correspondance*, éd. citée, t. II, p. 219-220), exception faite d'une divergence notable avec la mention de la « certitude de forme » quand Baudelaire écrivait : « Comment faites-vous pour arriver à cette certitude de plume qui vous permet de tout dire et de vous faire un jeu de toute difficulté ? »

3. *l'amoureux incorrigible des Rayons jaunes et de Volupté.*
« Les rayons jaunes » est un poème extrait du recueil *Vie, poésies et pensées de Joseph Delorme* publié en 1829. Sainte-Beuve invente le personnage de Joseph Delorme, poète malheureux, qui souffre intensément dans son siècle et qui tente en vain de renouveler le langage poétique. Mort prématurément et sorte de double de l'auteur, Delorme incarne l'une des grandes figures mythiques du romantisme. Baudelaire dira à plusieurs reprises son souhait d'écrire un « nouveau Joseph Delorme » (voir *Lettres*, *op. cit.*, p. 493, 421, et Patrick Labarthe, « Joseph Delorme ou "Les Fleurs du mal de la veille" », *Cahiers de l'Association internationale des études francaises*, 2005, vol. 57, n° 1, p. 241-255). Sainte-Beuve fait paraître *Volupté*, quelques années plus tard, en 1834 ; ce n'est pas à proprement parler un roman mais une œuvre qui tient à la fois du récit, du journal intime et des mémoires. Amaury sonde, à la manière de René, d'Adolphe ou d'Obermann, les dédales de son cœur et de sa pensée. Devenu prêtre, il livre ses confessions à un jeune homme pour le détourner de la vie mondaine.

4. *il fait un article non signé.*
Baudelaire publia en effet, dans la *Revue anecdotique* du 15 janvier 1862, un article, non signé, sur l'article de Sainte-Beuve déjà mentionné, « Des prochaines élections de l'Académie », où il était question de sa propre candidature (*Nouveaux lundis*, *op. cit.*, t. I, p. 400-402). Voir *supra* f°s 58-59 r[os] et les n. Proust en recopie ici le début d'après la note d'Eugène Crépet et Jacques Crépet, *Baudelaire* [1907], *op. cit.*, p. 149-150. Baudelaire a montré une grande constance dans les marques d'admiration et de respect à l'égard de Sainte-Beuve, tout au long de sa vie, quand ce dernier s'est toujours montré beaucoup plus réservé.

5. *Revue anecdotique.*
La *Revue anecdotique des lettres et des arts* paraît, à raison de deux numéros par mois, de 1855 à 1862 ; elle désire s'illustrer dans le genre des « nouvelles à la main », en traquant les bruits académiques et judiciaires, les bruits de salon et de théâtre, et les anecdotes diverses du monde des lettres. « En un mot, nous avons essayé de commencer une série de documents pour servir à l'histoire littéraire de l'époque » (*Revue anecdotique*, 1855, vol. n° 1, p. VI). Poulet-Malassis fut l'un des contributeurs réguliers de la revue.

Folio 62 r°.

1. *« Je salue et respecte le bienveillant anonyme ».*
Proust résume le bref récit des Crépet puis recopie les mots de Sainte-Beuve, en soulignant « respecte », ce qui n'est pas le cas dans l'original (voir Eugène Crépet et Jacques Crépet, *Baudelaire* [1907], *op. cit.*, p. 151).

2. *Mais Baudelaire n'étant pas certain.*
Proust prend cette information dans une lettre adressée par Baudelaire à Sainte-Beuve le 3 février 1862 (voir Baudelaire, *Lettres*, *op. cit.*, p. 338) : « J'ai fait, dans la *Revue anecdotique* (sans signer, mais ma conduite est infâme, n'est-ce pas ?), une analyse telle quelle de votre excellent article. Quant à l'article lui-même, je l'ai envoyé à M. de Vigny, qui ne le connaissait pas, et qui m'a témoigné l'envie de le lire. » Proust a toutefois appris dans le volume des Crépet que « Sainte-Beuve avait tout d'abord attribué ces lignes à Poulet-Malassis, alors directeur de la *Revue anecdotique*, et l'en avait remercié [...] » (Eugène Crépet et Jacques Crépet, *Baudelaire* [1907], *op. cit.*, p. 150). Les Crépet ne signalent pas l'aveu de Baudelaire.

3. *Les Lundis, Carmen et Indiana.*
Proust cite des œuvres de Sainte-Beuve, Mérimée et George Sand qui font pendant aux œuvres de Baudelaire, Stendhal et Flaubert, citées cinq lignes auparavant. Ces derniers, chacun à leur manière, ont montré de la « déférence », du « calcul » ou de « l'amitié » (voir f° 63 r°) envers ces trois auteurs que Proust juge mineurs. Rappelons que la grand-mère du héros lui offre, à l'occasion de son anniversaire, les quatre romans champêtres de Sand, après avoir un temps envisagé de lui offrir *Indiana* si le père du héros ne s'y était opposé (*DCS*, I, p. 39).

Folio 63 r°.

1. *Voir Baudelaire désincarné, respectueux avec Ste Beuve.*
Ces réflexions sur Baudelaire sont émaillées de références à l'actualité éditoriale et intellectuelle. Aux publications relatives à l'auteur des *Fleurs du Mal* précédemment évoquées s'ajoute ici une allusion à un épisode contemporain. Proust consigne en effet dans un cahier ultérieur, le Cahier 14 : « Ajouter à Baudelaire quand je parle du poète qui désire être de l'Académie etc (suprême ironie, Bergson et les visites académiques). Et c'est ~~peut-être~~ peut-être mieux ainsi. C'est notre raisonnement qui dégageant de l'œuvre du poète sa grandeur ~~lui~~ dit : c'est un Roi, et le voit Roi, et

voudrait qu'il se conduisît en Roi. Mais ~~si~~ le poète ne doit nullement se voir ainsi pour qu'~~il~~/e ~~ne comprenne~~ la réalité qu'il peint lui reste objective et qu'il ne pense pas à lui. Aussi se voit-il comme un pauvre homme qui serait bien flatté d'être invité chez un duc et d'avoir des voix à l'académie. Et si cette humilité est la condition de sa sincérité et de son ~~obj~~ œuvre, qu'elle soit bénie. » (f° 2 r°) Bergson était cousin par alliance de Proust et fut élu le 14 décembre 1901 à l'Académie des Sciences morales et politiques. Cette anecdote du poète en quête de voix illustre avec propos la thèse que Proust voulait soutenir dans son « Contre Sainte-Beuve » en distinguant le moi créateur du moi social.

2. *Vigny qui vient d'écrire les Destinées.*
La rédaction des *Destinées* s'échelonne sur près de vingt-cinq ans (depuis 1838 jusqu'à la mort du poète en 1863). Ce volume posthume, publié en 1864 par les soins de Louis Ratisbonne, recueille onze textes dont une partie fut publiée durant la campagne académique de Vigny dans la *Revue des Deux Mondes* (en 1838 et 1844). En mourant, Vigny a laissé une suite de textes sans ordre établi. La remarque de Proust à propos du volume est donc déconcertante, sauf s'il fait référence, en particulier, à l'un des six poèmes prépubliés.

3. *dont l'apparence.*
Sans doute faut-il comprendre « dans l'apparence ».

4. *Même quand l'oiseau marche.*
Vers d'Antoine-Marin Lemierre, *Les Fastes ou Les Usages de l'année* [1779], chant I, v. 40, repris comme un cliché poétique dès le début du XIXe siècle. Voir aussi Maupassant, *L'Inutile Beauté* : « Je l'aime aussi pour sa démarche. "Même quand l'oiseau marche, on sent qu'il a des ailes", a dit le poète. » Cette citation rappelle également « L'albatros ».

5. *Baudelaire dans ses petits poèmes.*
Dans le Carnet 1, Proust soutient l'idée que « Baudelaire a fait les poèmes en prose et les Fleurs du mal sur les mêmes sujets » et que « Gérard de Nerval a fait en une pièce de vers et dans un passage de Sylvie le même château Louis XIII, le myrte de Virgile etc. », avant d'ajouter : « En réalité ce sont des faiblesses » (f° 13 v° ; *Cn*, p. 54).

Folio 64 r°.

1. *Je comprends que tu n'aimes qu'à demi Baudelaire.*
Cf. f° 56 r° : « Un poète que tu n'aimes qu'à demi [...] » La mère du narrateur semble apparaître ici comme un interlocuteur fictif qui a peu à voir avec la mère de Proust, même s'il est plausible que Jeanne Weil n'ait pas aimé Baudelaire (comme Mme Santeuil préférait Lamartine à Verlaine, voir *JS*, p. 217-218). Elle ne le connaît sans doute *qu'à demi*, l'associant à une génération de poètes maudits et décadents. Voir la n. suivante.

2. *dans ses lettres.*
Les premières lettres du poète paraissent dans le *Baudelaire* d'Eugène Crépet et les *Œuvres posthumes et correspondances inédites* (Quantin, 1887), puis sont reprises en 1907 (dans la réédition procurée par Jacques Crépet) ; quelques mois auparavant paraissaient au Mercure de France un nombre important de lettres inédites (*Lettres, op. cit.*), aucune d'entre elles ne permettant, d'ailleurs, de comprendre les rapports compliqués que Baudelaire entretenait avec sa mère. Au moment de la mort de Mme Proust, en septembre 1905, la nature précise des relations que le poète entretenait avec Mme Aupick ne pouvait être appréciée, si bien que Lemaitre était autorisé à écrire : « Baudelaire fut un bon fils » (Jules Lemaitre, *Les Contemporains. Études et portraits littéraires*, deuxième série, Lecène et Oudin, coll. « Nouvelle bibliothèque littéraire », 1889, p. 26). Il en ira différemment à la suite de la publication des échanges entre Baudelaire et maître Ancelle, qui parurent pour la plupart en 1906 (*Lettres, op. cit.*). Voir aussi *supra*, f° 56 r° et n. 3. Il faudra attendre 1918 pour que paraissent de Baudelaire les *Lettres inédites à sa mère*, par Jacques Crépet.

3. *dans celles de Stendahl.*
Sic. Voir aussi *supra,* f° 59 r°. Les deux volumes de la première édition de la *Correspondance* de Stendhal parue en 1855 avec une préface de Mérimée ne contenaient pas une seule lettre adressée à sa famille. Ce n'est qu'à l'occasion du cinquantenaire de sa mort, en 1892, que sont données à lire plusieurs lettres adressées à Pauline Beyle, la sœur et confidente du romancier (*Lettres intimes*, Calmann Lévy, 1892). Cette même année, l'édition de *Souvenirs d'égotisme* procurée par Casimir Stryienski proposait de nouvelles lettres inédites, dont une vingtaine est adressée à Pauline. Cet ensemble complétait la publication en 1890 de *Vie de Henry Brulard*, œuvre autobiographique laissée inachevée par Stendhal. Toutes ces lettres sont recueillies, avec d'autres inédites, dans la nouvelle édition de la *Correspondance* de Stendhal en quatre volumes, due aux soins d'Adolphe Pope et Paul-Henri Chautard, publiée en 1908 chez Bosse

avec une préface de Maurice Barrès. C'est ainsi très probablement à cette édition, contemporaine de la rédaction de ces lignes et de l'intérêt de Proust pour la biographie des écrivains étudiés par Sainte-Beuve, que le narrateur fait référence. Cet élément permet, là encore, de souligner le caractère fictif de ce personnage maternel qui ne saurait être Jeanne Proust, décédée avant la parution de cette correspondance. Stendhal disait « haïr » son père et sa tante Séraphie, « ce diable femelle ».

4. *« ces yeux sont des puits.*
« Les petites vieilles », v. 33, puis v. 48. Ce poème, que Proust cite fréquemment et dont il égrène (au gré de ses écrits critiques presque exclusivement) de nombreux vers, s'impose comme le poème de référence. Sur les quatre-vingt-quatre vers qu'il compte, Proust en cite trente-sept. La plupart des occurrences soulignent l'empathie du poète avec ces êtres en souffrance et viennent illustrer l'expression d'une charité qui résiste à la tentation du misérabilisme. Jean Prévost note d'ailleurs qu'« au moment où tous les réformateurs s'occupaient de donner aux hommes quelques surcroîts de biens matériels, Baudelaire songe que le vrai progrès serait de rendre au pauvre sa dignité d'homme » (J. Prévost, *Baudelaire. Essai sur l'inspiration et la création poétiques*, Mercure de France, 1953, p. 123). La véritable charité ignore l'hypocrisie du pharisien. Proust reviendra sur ce sujet en juin 1921 dans son article sur Baudelaire commémorant le centenaire de la naissance du poète : « Bien qu'en principe on puisse comprendre la souffrance et ne pas être bon, je ne crois pas que Baudelaire, exerçant sur ces malheureuses une pitié qui prend des accents d'ironie, se soit montré à leur égard cruel. Il ne voulait pas laisser voir sa pitié, il se contentait d'extraire le *caractère* d'un tel spectacle, de sorte que certaines strophes semblent d'une atroce et méchante beauté » (« À propos de Baudelaire », *EA*, p. 625).

5. *« flagellés par les bises iniques.*
« Les petites vieilles », v. 9-11.

Folio 64 v°.

1. *Regarde les mon âme.*
Le point d'insertion de cette note sur « Les aveugles » n'est pas précisé ; elle complète néanmoins la série de vers extraits des « Petites vieilles » que Proust donne sur le f° 65 r° en illustrant l'apparente cruauté du poète. Le verbe « vérifier » est ambigu : Proust cite en effet inexactement le premier alexandrin (« Contemple-les mon âme ; ils sont vraiment affreux »), et semble avoir oublié la suite (« Pareils aux mannequins, vaguement ridicules »).

Folio 65 r°.

1. *« Et dansent sans vouloir danser, pauvres sonnettes ».*
« Les petites vieilles », v. 15. Baudelaire écrit : « Ou dansent sans vouloir danser ».

2. *« Celle-là droite encor, fière et sentant la règle ».*
« Les petites vieilles », v. 57.

3. *Avez-vous observé que maints cercueils de vieilles.*
« Les petites vieilles », v. 21-24.

4. *À moins que méditant sur la géométrie.*
« Les petites vieilles », v. 29-32.

5. *« Mais moi, moi qui de loin tendrement vous surveille*
« Les petites vieilles », v. 73-76.

6. *aimer Baudelaire comme dirait Ste Beuve.*
Allusion à la fin célèbre d'un article de Sainte-Beuve consacré à une nouvelle édition des œuvres de Molière, où « Aimer Molière » revient cinq fois en anaphore : « Aimer Molière, j'entends l'aimer sincèrement et de tout son cœur, c'est, savez-vous, avoir une garantie en soi, contre bien des défauts, bien des travers et des vices d'esprit. [...] Aimer Molière, c'est... » (*Nouveaux lundis*, *op. cit.*, t. V, 1866, p. 277-278). Cf. Cahier 1, f° 44 v° (*CSB*, p. 271-272) : « Aimer Balzac ! Ste Beuve qui aimait tant définir ce que c'était que d'aimer quelqu'un aurait eu là un joli morceau à faire. »

7. *ce n'est pas pastiche.*
L'une des formes que Proust a, un temps, songé à donner à son projet de « Contre Sainte-Beuve » consistait à intriquer critique littéraire et pastiche (qu'il définit, dans une lettre du 17 mars 1908 adressée à Robert Dreyfus, comme de la « critique en action », *Corr.*, t. VIII, p. 61).

Folio 66 r°.

1. *« Débris d'humanité pour l'éternité mûrs ».*
« Les petites vieilles », v. 72. Antoine Compagnon a commenté ce paradoxe baudelairien sur lequel Proust revient à plusieurs reprises dans son œuvre : il y a une solidarité profonde entre le mal et la volupté (A. Compagnon, *Proust entre deux siècles*, *op. cit.*, p. 158 *sq.*). Au cours de cet échange, la mère du narrateur semble ne pas comprendre cette dialectique, invoquant les « crimes maternels » de « Bénédiction » (v. 20) et n'y voyant que pure cruauté. On trouvera une illustration de ce paradoxe lorsque le narrateur de la *Recherche* évoquera sans le développer le thème des « mères profanées » (*SG*, III, p. 300).

2. *le violon frémit comme un cœur qu'on afflige.*
« Harmonie du soir », v. 9. Voir Antoine Compagnon, *Proust entre deux siècles*, *op. cit.*, chap. 6.

Folio 67 r°.

1. *Pour que tu puisses faire à Jésus quand il passe.*
« Le rebelle », v. 7-8.

2. *« Un ange furieux fond du ciel comme un aigle.*
« Le rebelle », v. 1-8.

3. *Toutes m'enivrent.*
« Les petites vieilles », v. 41-44.

4. *plus fort, malgré tout ce qu'on dit, que celui d'Hugo.*
Dans son grand article de 1921, Proust compare à nouveau Baudelaire à Hugo, au détriment de ce dernier : « À côté d'un livre comme *Les Fleurs du mal*, comme l'œuvre immense d'Hugo paraît molle, vague, sans accent ! » (« À propos de Baudelaire », *EA*, p. 621 ; voir aussi p. 622).

Folio 68 r°.

1. *de ces formes inouïes.*
La réflexion sur les « formes » qui débute sur cette page se poursuit dès l'entrée en matières de « Fin de Baudelaire », dans le Cahier 6 : « Et du reste peut-on compter ces formes [...] » (f° 10 r°).

2. *L'une par sa patrie au malheur exercée*
« Les petites vieilles », v. 45-48.

3. *Les uns joyeux de fuir une patrie infâme.*
« Le voyage », v. 9.

Folio 69 r°.

1. *C'est la bourse du pauvre et sa patrie antique.*
« La mort des pauvres », v. 13.

2. *« d'autres l'horreur de leurs berceaux ».*
« Le voyage », v. 10.

3. *Dans le pain et le vin destinés à sa bouche.*
« Bénédiction », v. 33-36.

4. *« Sa femme va criant sur les places publiques.*
« Bénédiction », v. 37-44 :

Sa femme va criant sur les places publiques :
Puisqu'il me trouve assez belle pour m'adorer,
Je ferai le métier des idoles antiques,
Et comme elles je veux me faire redorer ;
Et je me soûlerai de nard, d'encens, de myrrhe,
De génuflexions, de viandes et de vins,
Pour savoir si je puis dans un cœur qui m'admire
Usurper en riant les hommages divins !

5. *« Ah ! que n'ai-je mis bas tout un nœud de vipères.*
« Bénédiction », v. 5-6.

6. *« Tous ceux qu'il veut aimer l'observent avec crainte ».*
« Bénédiction », v. 29. Proust reviendra fréquemment sur le classicisme des vers de Baudelaire et sur leur dimension racinienne. C'est le cas notamment au détour de notes non publiées consacrées à des œuvres poétiques de Montesquiou (*EA*, p. 408-409), dans la préface qu'il donne à *Tendres Stocks* de Morand en 1921 (*EA*, p. 609), et dans l'article « À propos de Baudelaire » paru en juin 1921 dans *La NRF* (*EA*, p. 627) ; voir aussi Cahier 6, f° 11 r°. Ce vers de « Bénédiction » ne sera cependant jamais repris comme exemple. Voir aussi Antoine Compagnon, *Proust entre deux siècles*, *op. cit.*, p. 91-93.

7. *« comme des ostensoirs ».*
« Harmonie du soir », v. 5.

8. *« Elle-même prépare au fond de la géhenne.*
« Bénédiction », v. 19-20. Proust répète par erreur le verbe « préparer » dans le second vers, quand Baudelaire emploie « consacrés ».

9. *théologie catholique.*
Le rapport de Baudelaire à la religion chrétienne a suscité polémiques et intérêt dès la parution des *Fleurs du Mal* puisque, outre la saisie pour outrage à la morale publique, la direction de la Sûreté publique appelle Baudelaire à comparaître en 1857 pour outrage à la morale religieuse. Comme l'a remarqué Antoine Compagnon, la lecture catholique s'est imposée dès les années 1880 comme un *topos* de la critique baudelairienne (A. Compagnon, *Baudelaire devant l'innombrable*, Presses de l'Université Paris-Sorbonne, 2003, p. 21 *sq.*). Mais il faudrait distinguer le Baudelaire catholique, « c'est-à-dire théologien, anti-protestant, janséniste », du Baudelaire chrétien – cet individu proche du peuple, sensible aux souffrances du plus grand nombre, et solidaire de leur sort, dont Proust fait « le plus cordial, le plus humain, le plus peuple des poètes » (*Corr.*, t. V, p. 127 ; voir A. Compagnon, *Baudelaire devant l'innombrable*, *op. cit.*, p. 22). Baudelaire tient donc à Dieu, non pas seulement par le blasphème, mais également par sa faculté d'empathie et son « humble fraternité » (« À propos de Baudelaire », *EA*, p. 628).

10. *« Les trônes, les Vertus, les Dominations ».*
« Bénédiction », v. 64. Baudelaire écrit : « Des Trônes, des Vertus, des Dominations ».

Folio 69 v°.

1. *Que Tivoli jadis ombragea dans sa fleur.*
« Les petites vieilles », v. 40. Les différentes citations et références que Proust consigne sur ce folio se trouvent en marge du développement sur les « belles images de la théologie catholique » (f°s 69-70 r^os^). Cette prise de note tranche par sa disparate, dans la mesure où elle rassemble des vers qui font allusion au catholicisme mais aussi d'autres références et citations nettement plus ambiguës et difficiles à rapprocher de ce thème.

2. *Et c'est encore Seigneur le meilleur témoignage.*
« Les phares », v. 41.

3. *Ô Mon Dieu donnez-moi la force et le courage.*
« Un voyage à Cythère », v. 60.

4. *les diverses louves.*
Cette référence laconique a sans doute été la première à être notée sur ce feuillet, puisqu'elle se trouve au milieu du folio et respecte la réglure du papier. Ces « louves » peuvent provenir du « Cygne » (« [Je pense] à ceux qui s'abreuvent de pleurs/ Et tètent la Douleur comme une bonne louve ! », v. 46-47), et de « *J'aime le souvenir de ces époques nues* » (« Cybèle alors, fertile en produits généreux,/ Ne trouvait point ses fils un poids trop onéreux,/ Mais, louve au cœur gonflé de tendresses communes/ Abreuvait l'univers à ses tétines brunes. », v. 7-10).

5. *«Avec sa jambe de statue ».*
« Agile et noble, avec sa jambe de statue » (« À une passante », v. 5). Le numéro de page renvoie à l'édition des *Fleurs du Mal* parue chez Michel Lévy en 1868.

6. + *images.*
Suite de l'ajout qui commence au recto en face : « Mais partout ces merveilleuses +/+ images [...] ».

7. *« Je traîne des serpents qui mordent mes souliers ».*
« La voix », v. 20. Cf. « À une madone », poème mentionné au f° 70 r° : « Je mettrai le Serpent qui me mord les entrailles/ Sous tes talons » (v. 25-26).

8. *Ce mot soulier qu'il aime qui tellement.*
Sic. Le passage est rédigé à la hâte. « Tu es belle dans tes pieds sans soulier » *[sic]* évoque un verset du *Cantique des Cantiques* : « Que tes pieds sont beaux dans tes sandales, fille de prince ! » (VII, 2). Cette citation et la suivante : « L'infidèle laisse ses souliers au pied de l'église » sont des souvenirs directs de John Ruskin, décrivant dans *La Bible d'Amiens* les bas-reliefs du porche (*BA*, p. 298) ; Proust annote le texte de Ruskin et le reprend presque textuellement dans sa préface : « Au-dessous, l'Athéisme laisse ses souliers à la porte de l'église. L'infidèle insensé est toujours représenté, aux XIe et XIIIe siècles, nu-pieds, le Christ ayant ses pieds enveloppés avec la préparation de l'Évangile de la Paix. "Combien sont beaux tes pieds dans tes souliers, ô fille de Prince !" » (*ibid.*, p. 39 ; *PM*, p. 96-97). Quant à la formule « Et ces serpents sous les pieds comme sous les pieds de Jésus », elle introduit à la citation latine du psaume 91 qui suit aussitôt, telle que Proust l'a lue dans le contexte de la *Bible d'Amiens* de Ruskin : voir la n. suivante. Le travail de traduction de *La Bible d'Amiens* survient à un moment où Proust lit Baudelaire ; la lettre à Mme Fortoul de 1905 (*Corr.*, t. V, p. 125-126) témoigne d'ailleurs de l'attention qu'il porte, à cette époque-là, aux liens entre la poésie de Baudelaire et l'inspiration biblique. Les analyses qu'il développe sur *Les Fleurs du Mal* quelques années après gardent la trace de ces rapprochements intertextuels qui superposent Ruskin, la Bible et *Les Fleurs du Mal.*

9. *« inculcabis aspidem ».*
Cette citation latine est extraite du psaume 91, 13 : « *Super aspidem et basiliscum ambulabis, et conculcabis leonem et draconem* » (« Vous marcherez sur l'aspic et sur le basilic ; et vous foulerez aux pieds le lion et le dragon »). Proust l'a lue dans *La Bible d'Amiens*, là où Ruskin décrit les statues du porche : « En dernier lieu, surmontant le tout, *placés sous les pieds de la statue du Christ lui-même*, sont le lion et le dragon ; les images du péché charnel ou humain, en tant que distinct du péché spirituel et intellectuel de l'orgueil par lequel les anges tombèrent aussi./ Désirer régner plutôt que servir – péché du basilic – ou la mort sourde plutôt que la vie aux écoutes – péché de l'aspic – ces deux péchés sont possibles à toutes les intelligences de l'univers. Mais les péchés spécialement humains, la colère et la convoitise, semences en notre vie de sa perpétuelle tristesse, le Christ dans Sa propre humanité les a vaincus et les vainc encore dans Ses disciples. *C'est pourquoi Son pied est sur leur tête*, et la prophétie : "Inculcabis super leonem et aspidem" est toujours reconnue comme accomplie en Lui, et tous Ses vrais serviteurs » (*BA*, p. 287-288 ; nous soulignons). On retrouvera dans la lettre que Charlus adresse à Morel ces mêmes paroles latines : « Vous savez que mes armes contiennent la devise même de Notre-Seigneur : *Inculcabis super leonem et aspidem*, avec un homme représenté comme ayant à la plante de ses pieds, comme support héraldique, un lion et un serpent. » (*TR*, IV, p. 384). Voir Matthieu Vernet, « Mémoire et oubli de l'intertexte : le cas Charlus », *Relief*, 2013, n° 7, p. 30-31.

10. *On eût dit sa prunelle trempée.*
« Les sept vieillards » (v. 17-20). Les deux premiers vers ont été intercalés après coup entre cette citation et le passage sur les « souliers ». Le regard du vieillard baudelairien et sa barbe « roide comme une épée » pourraient évoquer dans l'esprit de Proust la « Trahison de Judas » de Giotto, dans le cycle de la vie du Christ à l'Arena de Padoue (voir la n. suivante) ; Judas y est représenté, en effet, avec un regard plein de haine.

11. *(Giotto de Padoue) demander à Mâle).*
Proust correspond, depuis 1906 au moins, avec l'historien de l'art Émile Mâle dont il avait amplement utilisé les travaux pour sa traduction de la *Bible d'Amiens* de Ruskin. Il souhaite donc le consulter au sujet des fresques de Giotto dans la chapelle des Scrovegni, à l'Arena de Padoue, qu'il avait découvertes lors de son voyage en Vénétie au printemps 1900 ; le cycle des Vices et des Vertus et le cycle de la vie du Christ joueront un rôle important dans *RTP* (voir *DCS*, p. 79 *sq.*, 322 ; *JF*, II, p. 164-165 ; *AD*, IV, p. 224-226). Un passage du Cahier 4 éclaire la présente page en associant les mêmes éléments ; il suggère qu'à la même époque, en 1909, Proust dédouble une seule allégorie, *Invidia*, en « avarice » et « envie » : « Les Sept vieillards de Baudelaire = l'avarice de Giotto, les serpents qui mordent mes souliers = envie de Giotto ou Christ ou combien tes souliers sont beaux ô fille de prince etc. » (f° 67 v° ; cf. *CSB*, p. 305). On trouve la première esquisse de la visite à l'Arena dans le Cahier 5 (f°s 51 r° et 54 r°).

Folio 70 r°.

1. *Je sais que la douleur est la noblesse unique.*
« Bénédiction », v. 65-68.

2. *celles du dévouement et de la charité.*
Voir *supra* f° 67 r°, « Les petites vieilles », v. 41-44, pour « le dévouement », et « Le rebelle », v. 1-8, pour « la charité ».

3. *moyen âge catholique.*
D'après le contexte, Proust songerait notamment à des représentations des « vertus », et vraisemblablement aux fresques de Giotto de la chapelle des Scrovegni à Padoue (voir les « Giotto de Padoue » au f° 69 v°, n. 11).

4. *qu'émue ».*
Sic. Au lieu de fermer la parenthèse ouverte quelques lignes plus haut, Proust ferme les guillemets.

5. *vers sur la madone.*
Allusion au poème « À une madone ». Proust, qui vient de biffer, à la ligne précédente, « Ces souliers », poursuit, en ajout sur la même ligne puis au f° 69 v°, une réflexion autour du thème du serpent sous les pieds/souliers, également présent dans ce poème (v. 19-20, 25-28). Voir f° 69 v° n. 8 et n. 9. Notons que, dans cette phrase, à la fois Bernard de Fallois et Pierre Clarac lisent : « Je ne parle pas des vers sur la Madone, puisque là c'est précisément le *jeu* de prendre toutes ces formes catholiques » (*CSB (F)*, coll. « Folio », p. 176 ; *CSB*, p. 254. Nous soulignons).

6. *Mais partout ces merveilleuses +.*
La suite de cet ajout juxtalinéaire se trouve au verso en face : « Mais partout ces merveilleuses +/+ images [...] ».

7. *ce pays de son génie.*
Ce thème de la patrie artistique apparu au f° 68 r° (« ces formes inouïes, ravies à son monde spirituel à lui [...], formes d'une planète où lui seul a habité ») préfigure de loin l'analyse de l'œuvre de Vinteuil dans *La Prisonnière* (III, p. 761-762, 877). C'est à propos de Gustave Moreau que Proust le formule pour la première fois : « dès qu'ils [les poètes] sont exilés, ils ont perdu du même coup le souvenir de leur patrie et savent seulement qu'ils en ont une » ([Notes sur le monde mystérieux de Gustave Moreau], *EA*, p. 672). Voir Yuji Murakami, « 1898. Le moment antisémite et la genèse d'un cosmopolitisme littéraire », art. cité, p. 231-232.

8. *certaine montagne antique où le soir rougeoie.*
L'univers de Gustave Moreau est évoqué avant que le peintre, en toute fin de phrase, ne soit nommé (f° 71 r°). Le « poète à figure de femme » fait référence à son « Chanteur indien », tableau reproduit le 10 août 1899 dans la *Revue de l'art ancien et moderne*, et que Proust a pu voir chez Mme Straus qui l'acquiert dans le courant des années 1890. Le « salon » dont il est question au présent folio correspond probablement au sien. Proust écrivait à Mme Straus, au moment de l'exposition Gustave Moreau à la galerie Georges-Petit en 1906 : « J'ai appris que vos beaux Moreau,

et même votre beau d'autrefois que j'ai tant aimé sont à l'exposition » (*Corr.*, t. XIV, p. 344), le « beau d'autrefois » référant au *Chanteur indien*. Le « poète à figure de femme » de ce tableau était déjà évoqué dans les notes sur Moreau de [1898] ([Notes sur le monde mystérieux de Gustave Moreau], *EA*, p. 669), et dans l'article sur *Les Éblouissements* d'Anna de Noailles, en 1907 (*ibid.*, p. 534-535). Mais l'évocation des Muses du présent folio renvoie au développement contemporain sur Moreau qu'on trouve dans le Cahier 5 (f°s 48-50 r^{os}) : ce passage initialement destiné à constituer une « note » au développement sur les Vices et Vertus de Giotto dans « Combray » se distribuera entre le présent développement sur Baudelaire et, surtout, l'évocation de la période mythologique d'Elstir, précédant sa manière impressionniste, dans *Le Côté de Guermantes* (*CG*, II, p. 714). La peinture de Moreau, et tout particulièrement ce tableau, évoque pour Proust un climat baudelairien, en ce qu'elle associe l'éphémère et l'éternel, autrement dit ce qui fonde la modernité aux yeux du poète. C'est en des termes comparables que le narrateur de la *Recherche* concluait son commentaire de la première manière d'Elstir : « Par là l'artiste donne, en l'instantanéisant, une sorte de réalité historique vécue au symbole de la fable, le peint et le relate au passé défini » (*CG*, II, p. 715). Dans un passage du Carnet 1 rédigé avant août 1909, Proust note : « Noailles Gustave/ Moreau/ les Giotto. » (f° 37 v° ; *Cn*, p. 96).

Folio 70 v°.

1. *ses beaux reflets de cierge.*
« *Je n'ai pas oublié, voisine de la ville* », v. 9-10. Ces segments de vers viennent compléter, comme le signe l'indique, une phrase amorcée au f° 71 r° : « et où le soleil met ». Le numéro de page renvoie à l'édition des *Fleurs du Mal* parue chez Michel Lévy en 1868, de la même manière que pour la citation, un peu plus bas, d'« Un voyage à Cythère ».

2. *« brick tartane ou frégate.*
« Lesbos », v. 48-49.

3. *aux loin.*
Sic.

4. *« Le ciel était ~~léger~~ <charmant>.*
« Un voyage à Cythère », v. 53.

5. *et la négresse et le chat.*
Cette référence probable à l'*Olympia* de Manet (1863), non développée, ne trouve pas ici de véritable point d'ancrage, ni dans la suite du morceau, ni dans le Cahier 6. Proust pourrait aussi avoir à l'esprit la maîtresse noire de Baudelaire, Jeanne Duval, qu'il évoque dans « Le Chat » au v. 9. Ce rapprochement s'inscrit probablement dans l'énumération des « formes » qui constituent le « monde de la pensée de Baudelaire » (f° 70 r°).

Folio 71 r°.

1. *un port rempli de voiles et de mâts.*
« Parfum exotique », v. 10.

2. *ceux où des vaisseaux nageant dans l'or.*
« La chevelure », v. 18-20.

3. *« que les soleils marins teignaient de mille feux ».*
« La vie antérieure », v. 1.

4. *« le portique ouvert sur des cieux inconnus ».*
« La mort des pauvres », v. 14.

5. *Les cocotiers absents.*
« Le cygne », v. 43-44.

6. *« Des cocotiers absents les fantômes épars ».*
« À une Malabaraise », v. 28.

7. *Le soirs, dès qu'ils s'allume~~nt~~, et met~~tent~~.*
En passant au singulier, Proust a omis « soirs » et « ils ».

8. *la nappe de serge (vérifier).*
Proust a vérifié sur son édition des *Fleurs du Mal* et noté sur le verso en face le dernier vers de « *Je n'ai pas oublié, voisine de la ville* ». Voir f° 70 v° et n. 1 : « Sur la nappe frugale et les rideaux de serge ».

9. *de rose et de bleu mystique ».*
« La mort des amants », v. 9.

10. *« Ces concerts riches de cuivre.*
« Les petites vieilles », v. 53-56.

11. *« Le son de la trompette est si délicieux.*
« L'imprévu », v. 49-50. Proust a laissé un blanc, ayant oublié l'épithète « solennels » : « Dans ces soirs solennels de célestes vendanges ». Cf. *DCS*, I, p. 176.

12. *« sur la colline en flammes ».*
« L'âme du vin », v. 5 et 11.

13. *végétale ambroisie.*
Ibid., v. 21.

14. *« nous monte et nous enivre.*
« La mort des pauvres », v. 3-4.

15. *Et nous donne le cœur de marcher jusqu'au soir ».*
Cf. Marcel Proust à André Gide, [peu avant le 20 février 1919] : « Moi qui aimais malgré tout tellement la vie, je comprends que la mort est notre seul espoir et donne le courage de marcher jusqu'au soir [...] » (*Corr.*, t. XVIII, p. 109).

Description matérielle[1]

Le Cahier 7 a fait l'objet de descriptions succinctes :

– *RTP*, I (1987), p. CLII.

– *Catalogue des Nouvelles acquisitions françaises du département des Manuscrits, Nos 16428-18755*, Bibliothèque nationale de France, 1999, Fonds Marcel Proust, nº XXXVII, p. 23.

Couverture
Cartonnée rigide, recouverte de moleskine noire élimée par endroits, sans marque distinguant les plats supérieur et inférieur (NB : cahier utilisé presque intégralement à l'envers, voir *Utilisation*).
Plats : 221 x 173 mm (quelques taches de cire à cacheter rouge sur le plat supérieur /inférieur selon le sens d'utilisation).
Coins : arrondis.
Tranche : teintée de rouge (passée par endroits).
Contre-plats : gardes collées de vergé rose légèrement chiné, épais et rigide ; non paginées ni foliotées.
Dos toilé noir.

Papier
Vergé écru, lisse, assez opaque, réglé, épaisseur : 0,99 mm, filigrané d'un buste d'homme de profil entouré des inscriptions : « VISCONTI / 1791 / 1853 / A. H. Paris » ; écart entre lignes de chaînette : 26-27 mm.

Pages
71 ff. (vraisemblablement 72 à l'origine ? voir ci-après *Cahiers*).
Dimension : 221 × 173 mm.
Coins : arrondis.
Réglure : gris-violet, 24 lignes par page ; marges latérales réglées.
Aspect du trait de marge : simple, rouge, sur toute la hauteur de la page.
Dimension moyenne des marges : latérale, 35 mm (à droite dans le sens d'utilisation) ; supérieure, 23 mm (inférieure dans le sens d'utilisation) ; inférieure, 17 mm (supérieure dans le sens d'utilisation).
Dimension de l'interligne : 8 mm.

Foliotation
Foliotation au composteur après l'entrée du cahier à la Bibliothèque nationale du fº 1 au fº 71. Numérotation allographe (Bernard de Fallois ?) au crayon au coin supérieur droit, de « 1 » à « 91 », alternant foliotation (sur les fos 1-17 ; 21-24 ; 35-49 ; 60-71) et pagination (sur les fos 18-20 ; 25-34 ; 50-59), avec plusieurs versos utilisés non paginés (fos 40 vº, 52 vº, 64 vº, 69 vº, 70 vº).
Pages vierges : fos 1 vº-17 vº, 20 vº-24 vº, 35 vº-39 vº, 41 vº-49 vº, 55 vº, 60 vº-63 vº, 65 vº-68 vº, 71 vº.

1. Nous reprenons ici la Description figurant dans le volume de fac-similés, p. VI-VII.

Restauration
Bords cassants, petites déchirures, coins cornés restaurés (surtout sur les feuillets placés en début et fin de cahiers de brochage) et utilisation de mousseline (f°s 24, 35, 36, 47, 60).

Cahiers
Le Cahier 7 compte six cahiers de brochage de 6 bifeuillets chacun, sauf le premier cahier qui en comporte 5, suivis d'un feuillet supplémentaire, dont l'item correspondant semble manquer (ne subsiste toutefois aucun talon apparent).

Utilisation
Cahier utilisé intégralement à l'envers, à partir de la fin ; feuillets employés alternativement recto seul ou recto-verso, les versos tantôt à la suite, tantôt réservés à des ajouts ou corrections.
Encre brune, nombreuses ratures et taches, reports d'encre sur feuillets en vis-à-vis. L'écriture couvre aussi de façon continue, sans le distinguer du corps de la page, l'espace des marges latérales, qui est réglé et se trouve placé à droite.

Feuillets et fragments de feuillets découpés, arrachés ou tombés
Probablement un feuillet manquant (voir *Cahiers*), mais talon non visible.

Papiers collés et paperoles
Néant.

Dessins
Signes de renvois divers (croix simples ; lettre grecque « thêta » aux f°s 70 v°-71 r°) ; dessins, les deux derniers de dimensions minuscules : f° 1 r° (cerfs-volants ? toiles d'araignée ?), f° 52 v° (personnage ? dans un encadrement rectangulaire) et f° 71 r° (géométrique, au bord externe à mi-hauteur).

Remarques sur le microfilm (cote MF 537)
Les plats n'ont pas été microfilmés.

Numérisation
Bibliothèque nationale de France, 2008.

Claire Bustarret, Nathalie Mauriac Dyer

Diagramme des unités textuelles du Cahier 7

Note sur le diagramme des unités textuelles

Les représentations schématiques suivantes sont destinées à mettre en évidence, sur des vignettes du fac-similé, les unités textuelles qui composent le Cahier 7. Le but du diagramme n'est pas d'élucider l'ordre dans lequel Proust les a rédigées, mais d'en faciliter la lecture, dans le fac-similé comme dans la transcription.

L'analyse du contenu correspondant est donnée dans le présent volume, aux p. 241-247.

Les unités textuelles ont été mises en évidence en cernant d'un trait sur chaque page, puis en ordonnant, sur plusieurs pages, les zones qui les composent (1, 2, 3...). La fin d'une unité est indiquée par un point suivant le chiffre arabe ; un point suivant le chiffre 1 signifie par conséquent que la zone concernée constitue une unité à elle seule.

Les ajouts à une zone donnée sont signalés par des lettres (A, B...) ; « 1A » et « 1B » sont ainsi deux ajouts à la zone « 1 » correspondante. Lorsqu'un ajout se décompose lui-même en plusieurs zones, une numérotation en précise l'ordre de lecture (« $1A_1$ », « $1A_2$ », « $1A_3$ »...). Les ajouts à un ajout sont signalés par les exposants prime et seconde (« $1A_1$' », « $1A_1$" »).

Les notes de régie de Proust ne font pas vraiment partie des unités textuelles qu'elles commentent ; elles sont signalées par les lettres : « nr ».

Pour éviter toute ambiguïté quand plusieurs unités se côtoient, on recourt également au style italique (*1*, *2*, *3*...).

Proust a écrit les lignes principales de sa rédaction sur les pages versos, qu'il a utilisées comme des rectos puisqu'il a entièrement rempli son cahier à partir de la fin, à l'envers ; les pages en vis-à-vis lui ont servi pour les ajouts et les compléments.

On trouvera :

– entourées en noir, les unités rédigées sur les pages utilisées comme rectos et foliotées comme telles par la Bibliothèque nationale, avec leurs prolongements éventuels sur les pages en vis-à-vis,

– entourées en vert, les unités rédigées sur les pages utilisées comme versos.

Le diagramme du Cahier 7 a été réalisé par Matthieu Vernet.

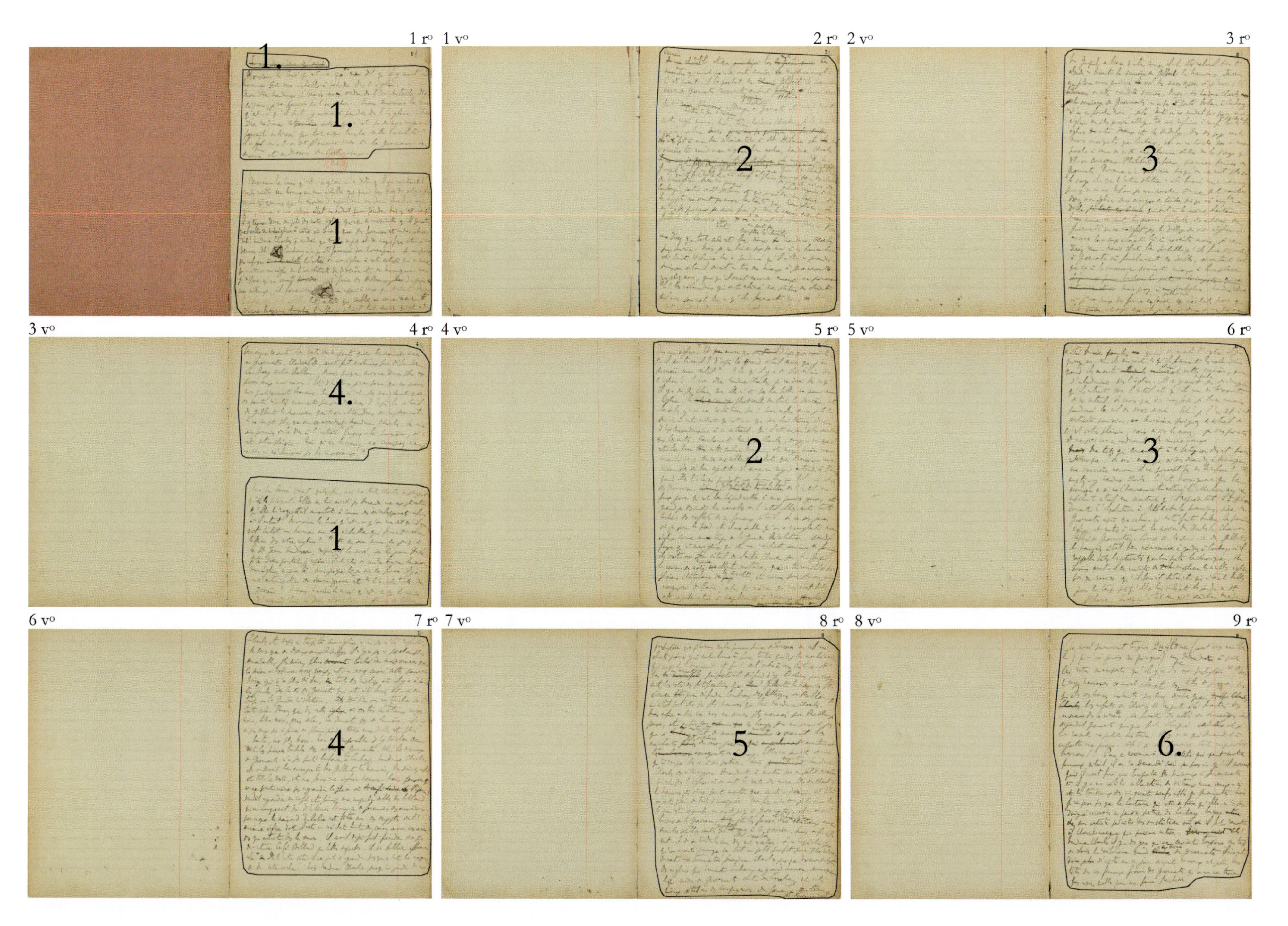
1 rº
1 vº
2 rº
2 vº
3 rº
3 vº
4 rº
4 vº
5 rº
5 vº
6 rº
6 vº
7 rº
7 vº
8 rº
8 vº
9 rº

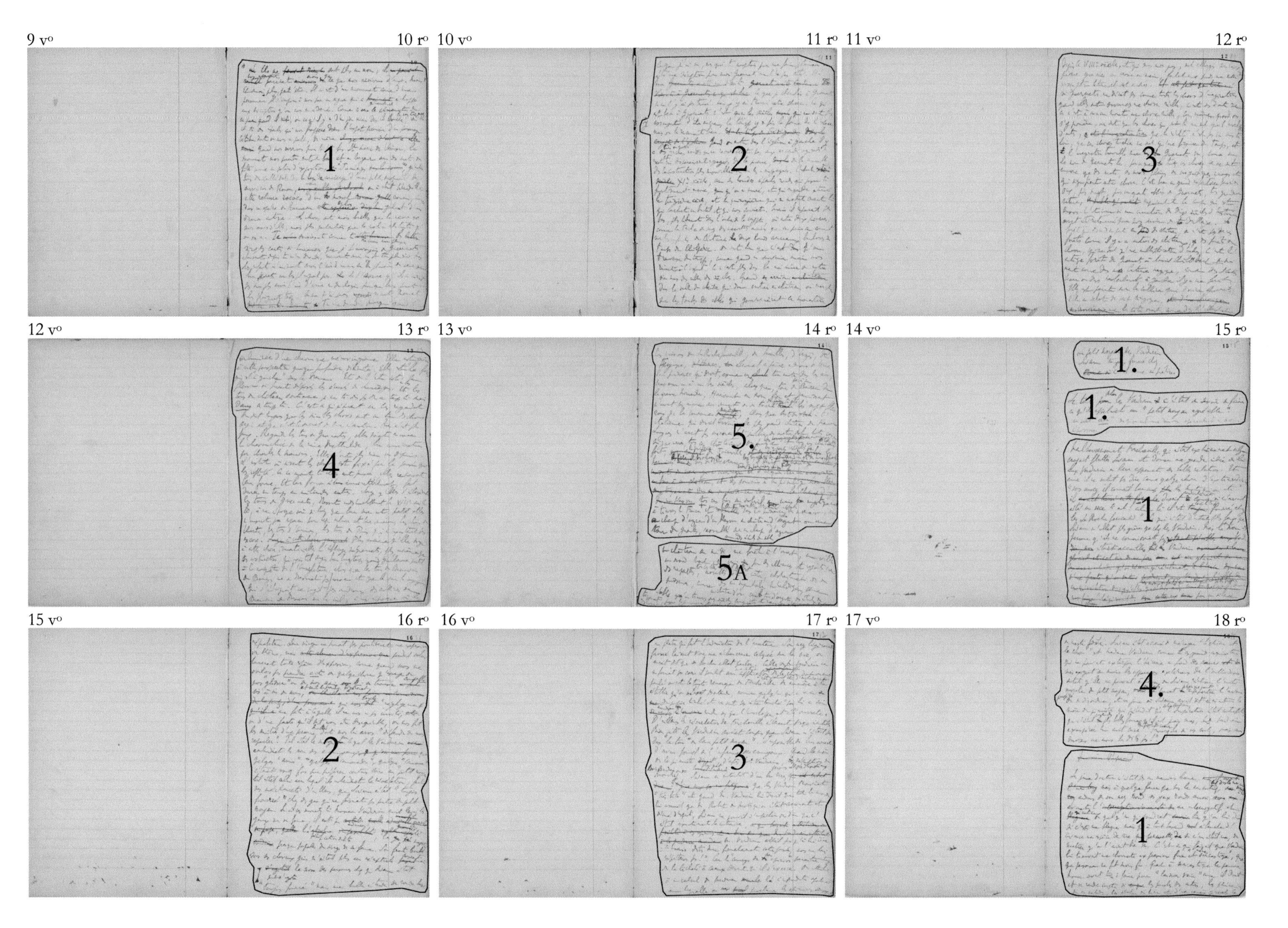
9 vº
10 rº
10 vº
11 rº
11 vº
12 rº
1
2
3
12 vº
13 rº
13 vº
14 rº
14 vº
15 rº
4
5.
5A
1.
1.
1
15 vº
16 rº
16 vº
17 rº
17 vº
18 rº
2
3
4.
1

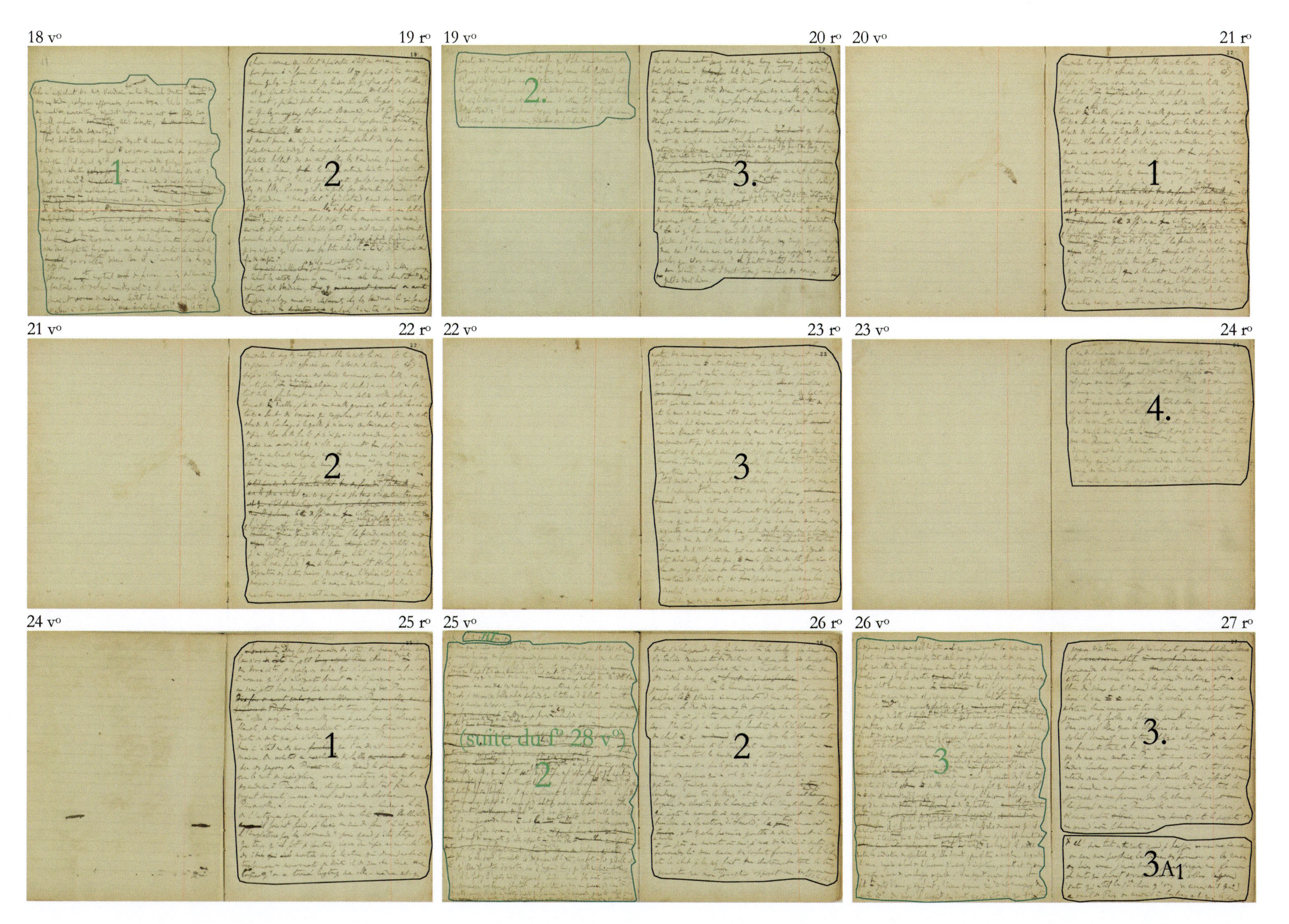
18 v°
19 r°
19 v°
20 r°
20 v°
21 r°
21 v°
22 r°
22 v°
23 r°
23 v°
24 r°
24 v°
25 r°
25 v°
(suite du f° 28 v°)
26 r°
26 v°
27 r°

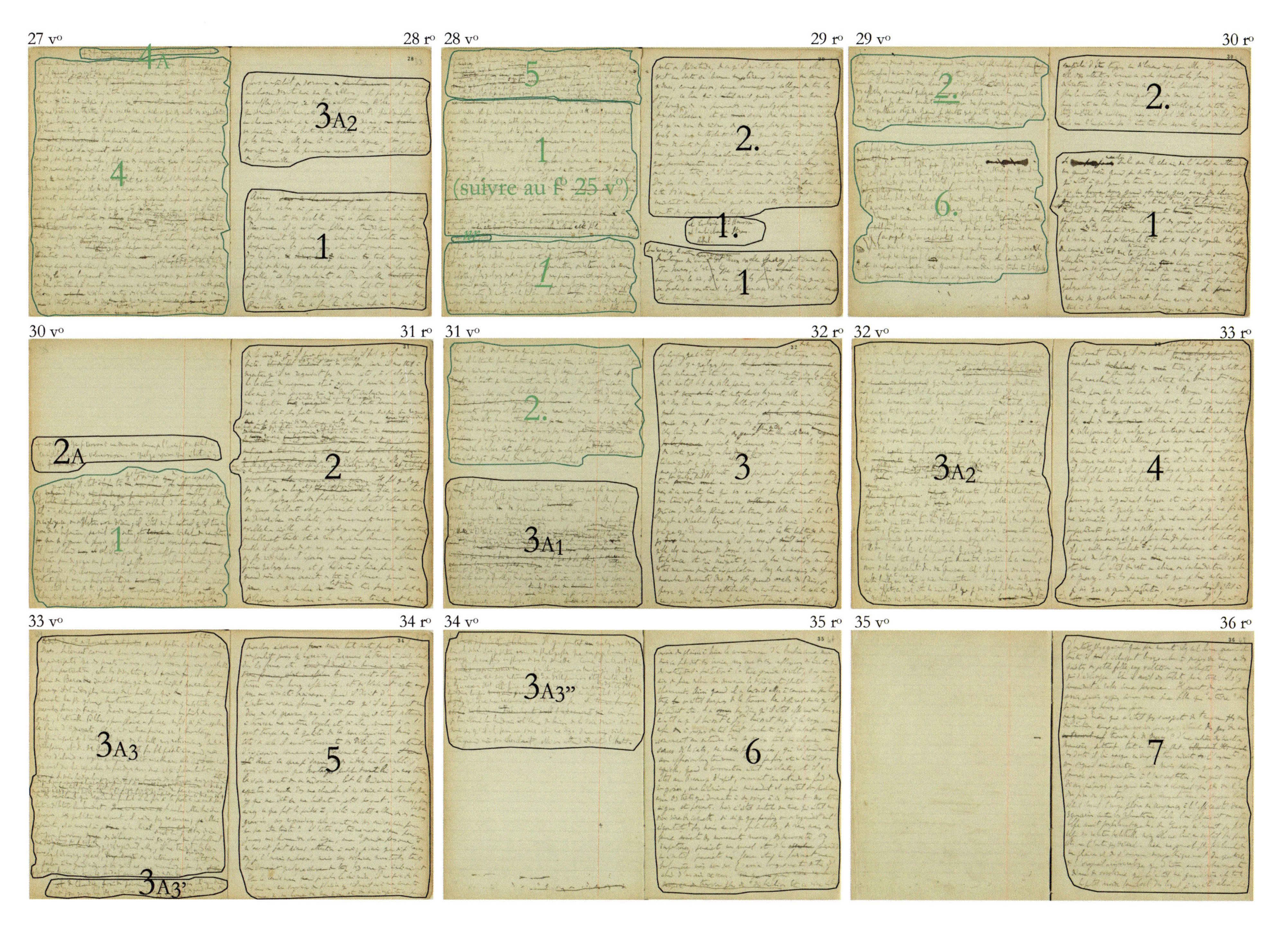
27 vº
28 rº
28 vº
29 rº
29 vº
30 rº
30 vº
31 rº
31 vº
32 rº
32 vº
33 rº
33 vº
34 rº
34 vº
35 rº
35 vº
36 rº
(suivre au fº 25 vº)

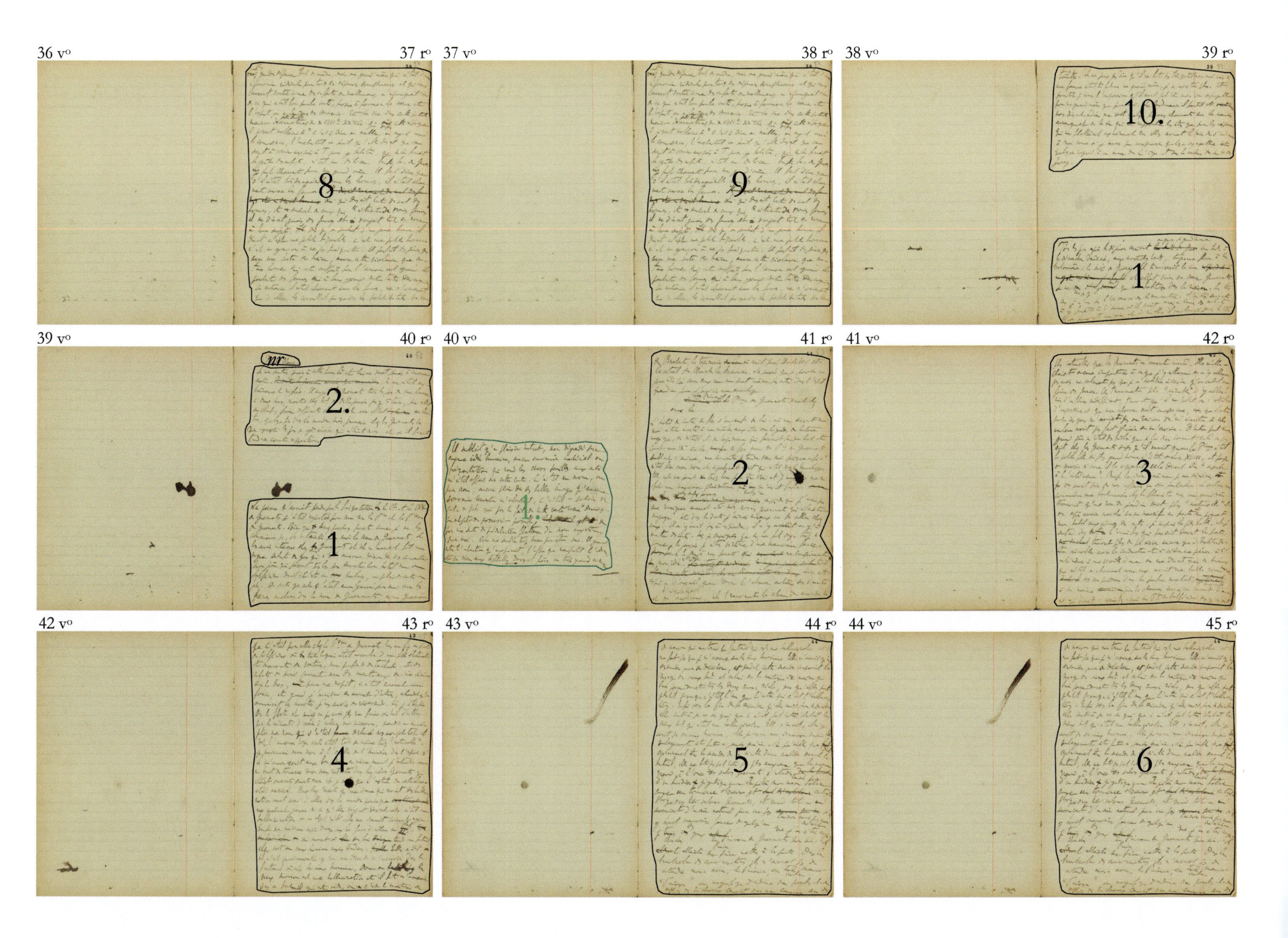
36 v°
37 r°
8
37 v°
38 r°
9
38 v°
39 r°
10.
1
39 v°
40 r°
nr
2.
1
40 v°
1.
41 r°
2
41 v°
42 r°
3
42 v°
43 r°
4
43 v°
44 r°
5
44 v°
45 r°
6

45 v°
46 r°
46 v°
47 r°
47 v°
48 r°
48 v°
49 r°
49 v°
50 r°
50 v°
51 r°
51 v°
52 r°
52 v°
53 r°
53 v°
54 r°

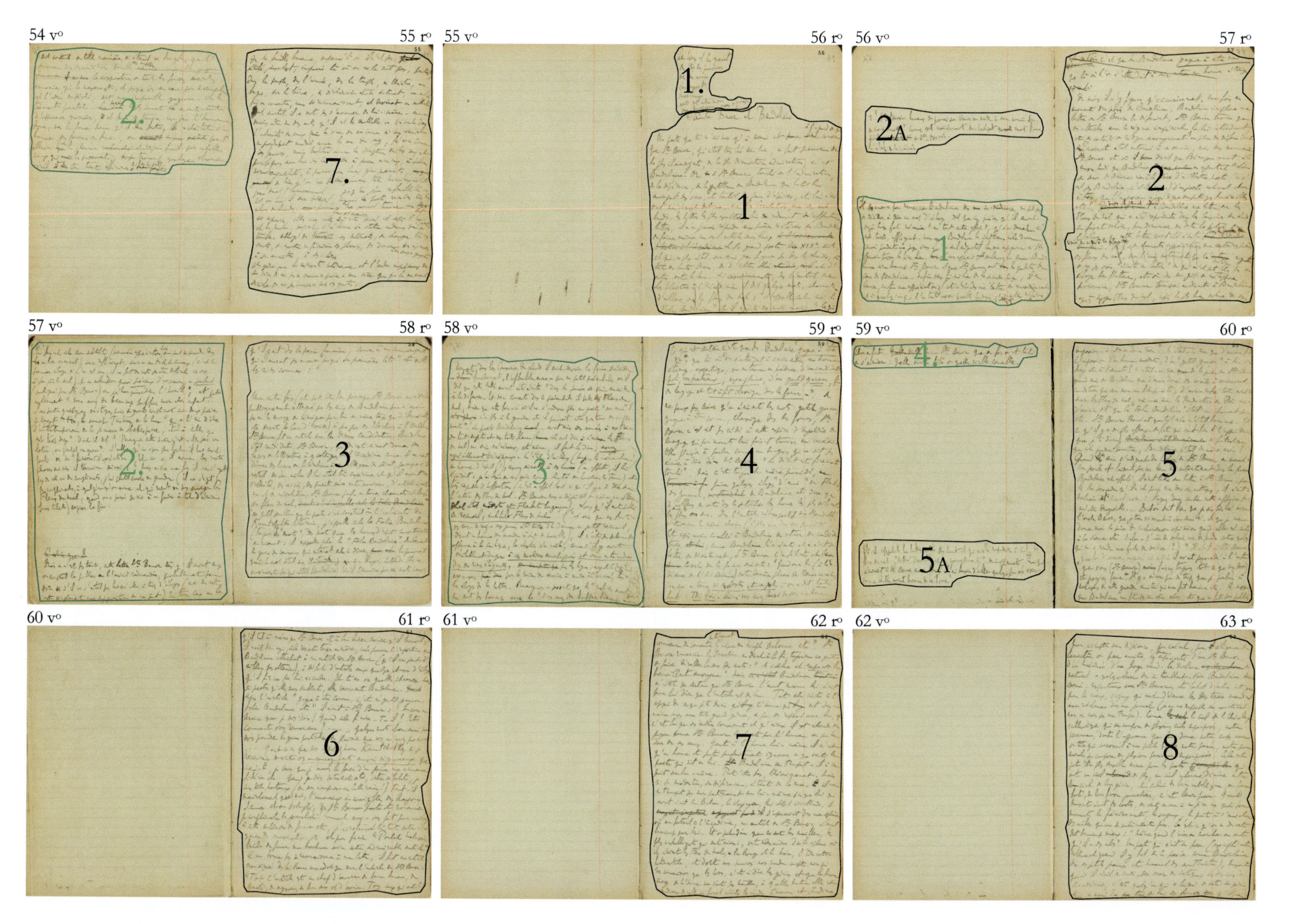
54 v°
55 r°
55 v°
56 r°
56 v°
57 r°
57 v°
58 r°
58 v°
59 r°
59 v°
60 r°
60 v°
61 r°
61 v°
62 r°
62 v°
63 r°

Analyse

L'analyse suit le diagramme des unités textuelles (*supra*, p. 229-237)[1].

La présentation distingue les unités rédigées pour l'essentiel sur les rectos (avec leurs prolongements éventuels dans les marges et sur les versos), des unités rédigées pour l'essentiel sur les versos ou qui utilisent les marges des rectos. On s'est efforcé de désigner les zones de chaque folio par leur place relative (voir *supra*, p. XVII, « Zones de la page »). Les citations du manuscrit se limitent en général à l'*incipit*, dans une transcription linéarisée, parfois simplifiée.

f° 1 r° : « ~~Je me souviens qu'après~~ ». Interrompu.

f° 1 r° : « Monsieur le Curé qu'est-ce qu'on me dit qu'il y avait un homme sur une échelle à peindre dans l'église [...] » Fragment d'une conversation entre le curé et la tante du narrateur sur l'église de Combray ; étonnement de cette dernière devant la présence d'un peintre dans l'église.

f°s 1 r°, 2 r°, 3 r°, 4 r° : « Monsieur le Curé qu'est-ce qu'on m'a dit qu'il y a maintenant l'après midi un homme sur une échelle qui prend des vues de votre église [...] ». Reprise et développement du fragment précédent. Conversation entre le curé et la tante : l'artiste qui peint dans l'église s'intéresse surtout aux vitraux, notamment à celui de Gilbert le Mauvais. Le curé se plaint de la vétusté et de l'inconfort de son église, qu'il compare à la chapelle de Méséglise, mieux pourvue avec ses vitraux modernes. L'église de Combray n'a qu'un « porche noir, sale », des dalles irrégulières – « les pierres tombales des abbés de Guermantes » –, et dans le jardin du presbytère de « méchantes pierres », « les restes du rempart que le premier sire de Guermantes, Clodoald, avait fait construire pour défendre Combray contre Rollon ».

f°s 4 r°, 5 r°, 6 r°, 7 r°, 8 r°, 9 r° : « M. le Curé venait quelquefois, mais ma tante Charles se plaignait qu'il la fatiguait. » Récit de la visite à la tante qui intègre les fragments précédents. Fatigue de la tante à la suite des visites du curé et des « développements infinis où il entrait ». Le discours porte sur les mêmes éléments que l'ébauche précédente (les vitraux, le porche, les pierres tombales, les restes des remparts). Cependant, le curé mentionne également la crypte de l'ancienne église, qui empêche l'agrandissement d'un café, et la vue superbe qu'offre le clocher. Le curé se plaint enfin de la fierté de la comtesse de Guermantes qui refuse de le recevoir dans son château.

f°s 10 r°, 11 r°, 12 r°, 13 r°, 14 r° : « Ils ne ~~peuvent rien co~~ sont plus un nom ; ils ~~ne peuvent restent~~ <nous apportent> forcément ~~audessous de~~ <moins que> ce que nous rêvions d'eux. Moins ? Et aussi, plus, peut'être. » Réflexion sur les noms qui se poursuit par un dialogue avec la mère sur Guermantes, seul lieu à n'avoir « pas été une déception » pour le héros car « le temps y a pris la forme de l'espace ». Description de l'abbaye de Guermantes (arches rondes, crypte, salle du cloître et tombe des abbés de Guermantes, « cimetière de dix siècles d'histoire » qui sert de dallage) ; la forêt qui surplombe le château, « antique forêt [...] où chassait Childebert » ; le

1. On consultera également l'Inventaire du Cahier 7 par Claudine Quémar, *BIP*, printemps 1979, n° 9.

fleuve ; les tours du château, plus anciennes que celles de Chartres, d'Amiens ou de Paris. Ancienneté de l'abbaye par rapport aux constructions de Beauvais, Bourges, Harcourt, Luynes, etc.

f° 14 r° inf. : « Tous ces biens au soleil » sont finalement comparés à un blason rassemblant « sur un champ d'azur » un château d'or, une tour d'argent et des étoiles de sable. Réécriture de la fin de l'unité précédente.

f° 15 r° sup. : « Le petit noyau des Verdurin/Swann toujours fourré chez/ ~~comme si~~ c'est comme en peinture ». Notes relatives à l'unité suivante.

Unité consacrée aux Verdurin qui, après l'évocation du « petit "clan" », comprend deux volets séparés par un blanc : Swann chez les Verdurin et portrait du docteur, suivi d'un développement sur le salon des Verdurin et sur le peintre.
I. – f° 15 r° : « Le tout ~~pour~~ <selon> les Verdurin c'était de savoir se faire ce qu'ils appelaient un "petit noyau agréable" ». Première rédaction très brève qui développe le début de la note précédente.
II. – fos 15 r° inf., 16 r°, 17 r°, 18 r° sup. : « Malheureusement Forcheville qui était extrêmement vulgaire croyait flatter Swann et donner une grande idée de lui aux Verdurin en leur apprenant ses belles relations. » Premier volet qui développe la deuxième note liminaire : Forcheville révèle aux Verdurin que Swann « connaît beaucoup les Montesquiou » et qu'il est « tout le temps fourré chez les La Rochefoucauld ». « Silence réprobateur » des Verdurin. Swann n'est « pas dans le ton de leur "petit noyau" ». Comparaison de Mme Verdurin avec les « grands inquisiteurs qui ne pouvaient extirper l'hérésie au fond des cœurs ». Swann s'avère un obstacle à la réalisation de « l'unité morale du petit noyau ».
III. – fos 18 r° inf., 19 r°, 20 r° : « ~~Monsieur Piperand~~ » / « Le jeune docteur n'était pas un mauvais homme [...]. » Portrait du docteur : ses « yeux » ont toujours « l'air interrogatif » et il « ébauche d'avance une espèce de rire » qui est, pour les Verdurin, « une charmante expression fine et même sarcastique ». Son portrait par le peintre « à qui les ennuyeux préféraient Besnard » accentue ce trait. Sa présentation à Swann. Son « sourire entendu » lui fait croire qu'il l'a rencontré « chez des filles » : « Pourvu qu'il n'en parle pas devant Wanda ! » Les visites de « Me Cottard » avec ses trois enfants ; leur ressemblance avec leur père. Liberté des artistes qui peuvent ou non « travailler de [leur] métier » chez les Verdurin. Description élogieuse d'un tableau par le peintre pendant le repas. Il invite Swann dans son atelier avec Wanda car il « aime faire des mariages ».

fos 18 v°-19 v° sup. : « Cela n'empêchait pas Me Verdurin de lui dire [...]. » Unité consacrée au docteur mais non rattachée à la précédente. Ses confusions linguistiques et ses plaisanteries face aux « gdes phrases » ; rire de Forcheville quand Swann « ne pouvait pas rire de ce qu'il ne trouvait pas drôle » (f° 20 r°).

fos 21 r°, 22 r°, 23 r°, 24 r° : « Je rougis presque de parler de l'abside de l'église de Combray, tant elle était grossière auprès de tant d'absides célèbres que j'ai vues depuis. » L'abside de l'église de Combray n'est qu'une muraille grossière, avec quelques petites verrières asymétriques dans la partie supérieure. Même si elle n'est pas comparable aux absides des grandes cathédrales gothiques du nord de la France (Beauvais, Chartres, Amiens, Reims), elle a un charme tout particulier. De même, le clocher, qui dessine au loin la silhouette de l'église, transmet au héros une émotion unique.

f°s 25 r°, 26 r°, 27 r° sup. : « ~~Souvent~~ Dans les promenades du côté de Meséglise nous laissions ~~de côté~~ <à gauche> un petit ~~bourg appelé Pin~~ chemin [...]. » Le côté de Meséglise/Méséglise ; souvenirs attachés au nom de Pinsonville, bourg qu'on n'atteignait jamais dans les promenades ; souvenirs de l'année où le héros était venu à Combray « à la fin de l'automne » après la mort de sa tante « ~~Claire~~ Bathilde ». Lecture d'Augustin Thierry et promenades, « ivre du repos accumulé » ; coups de canne ou de parapluie qui expriment peut-être « des idées confuses qui ne connurent jamais le repos dans la lumière d'une phrase ». Promenade joyeuse même sous la pluie ; au retour, rayons de soleil sur les lilas du parc Swann et sur le clocher de Combray. Projet de la grand-mère de mettre le héros en pension chez une femme de Pinsonville mais refus de l'intéressé qui désire rentrer à Paris.

f°s 27 r° inf., 28 r° sup. : « ah ! sur toute cette route quand je frappais avec ma canne ou avec mon parapluie le tronc des pommiers ou les ronces des haies comme j'aurais voulu en faire surgir une femme. » Ajout s'intégrant au milieu du f° 27 r° : exaltation des désirs du héros liée au vent, lui-même associé à Combray.

f°s 28 r° inf., 29 r° sup. : « Ainsi ~~dans ce chemin que j'avais~~ au bout de cette allée d'arbres où je m'étais si souvent arrêté à cueillir des fraises et des violettes [...]. » La fille de Pinsonville ; sa beauté ; son mystère lié au nom de Pinsonville, « bourg déshérité », mais aussi « nom de rêves » qui se rattache aux « souvenirs anciens » du héros et auquel « l'accent traînard de Combray » donne « quelque chose de voluptueux ». Comparaison de la jeune fille avec une « Viviane à forme de couleuvre ».

f° 29 r° méd. : « Le couloir B^{d} Haussm. / L'antichambre Straus. / Abel. » Suite de notes.

f°s 29 r° inf., 30 r° sup. : « <Je n'aurai pas la voiture> [...] mon oncle Guercy doit venir ». Portrait par Montargis de son oncle Guercy. Il est présenté comme un « délicieux mari » et « très bon avec les gens du peuple ».

f°s 30 r° inf., 31 r°, 30 v° méd., 32 r°, 31 v° inf., 32 v°, 33 v°, 34 v°, 33 r°, 34 r°, 35 r°, 36 r°, 37 r°, 38 r°, 39 r° sup. : Longue unité en partie récrite sur les versos. « Je [...] <marchais> seul sur le chemin de l'hôtel en attendant ma grand-mère quand je sentis que j'étais regardé par quelqu'un qui était à quelque distance de moi. » Première rencontre avec le marquis de Guercy, qui se donne de faux airs de ne pas observer le jeune héros ; son aspect étrange et sa « moustache probablement teinte ». Son attitude artificielle semble au héros « une comédie fort mal jouée ou la gesticulation incohérente d'un dément ». Un peu plus tard, le héros accompagné de sa grand-mère rencontre Mme de Villeparisis accompagnée de Montargis et du « monsieur à la moustache teinte ». Présentation : il s'agit de « [s]on neveu ~~M.~~ <le vicomte> de Guermantes », c'est-à-dire de l'oncle de Montargis ; la réaction froide et hautaine du marquis. Évocation de tous les noms portés par les Guermantes car, comme le note Montargis, « il y en a des noms dans cette famille que c'est <à> n'y rien reconnaître. » Rencontre ultérieure avec le marquis qui se montre très aimable avec la grand-mère du héros mais glacial à l'égard de ce dernier. Nouvelle rencontre et nouvelle attitude hautaine : « il vint me dire, du même air glacial et impertinent[,] que Me de Villeparisis m'avait cherché pour faire une promenade ». « C'était du reste un abîme de contradictions que M. de Guercy ». Son goût pour tout ce qui est « mâle, viril, énergique », contrastant avec ses « délicatesses de sentiment ». Les traits féminins de sa personnalité et de son physique. Le cadeau d'un album de gravures du « peintre Z » émeut le héros. Sa grand-mère apprécie les « manières » du Marquis et sa conversation ; détails de l'amabilité de Guercy envers elle. Il demeure froid avec le héros en sa présence (« je n'existais plus »). Nouveau retournement au moment où il quitte la villégiature : ses « phrases charmantes sur le mauvais arrangement de la vie qui ne rapproche les êtres que pour les séparer ».

f°s 28 v° inf., 29 v° sup. : « Enfin s'il fait beau comme tu voudras pour la photographie » : Introduction du nouveau schéma narratif précédant la rencontre avec Guercy. Description de la mer « le lendemain », c'est-à-dire le lendemain de la visite à l'atelier d'Elstir ; le héros attend sa grand-mère qui doit se faire photographier par Montargis. Il se sent « regardé, fixé, par un ~~Mr~~ <quelqu'un> ».

f°s 30 v° inf., 31 v° sup. : « Il était [...] très ~~bien~~ <bel homme> ~~de sa personne~~ <et distingué si on ne voyait pas ses yeux dilatés> ». Réécriture du portrait de Guercy. La prétention agaçante et l'air de négligence du marquis de Guercy dont le manque de naturel rend l'attitude suspecte ; l'attention que lui porte le héros ; l'arrivée soudaine de la grand-mère.

f°s 28 v° med., 25 v°, 26 v°, 27 v°, 28 v° sup., 29 v° inf. : « ~~Le lendemain~~ Il fait un temps magnifique me dit le lendemain matin ma grand'mère ». Nouvelle version de la rencontre entre le héros et Guercy, le jour suivant la visite du héros à l'atelier d'Elstir. Attente du héros avenue du Casino pendant que sa grand-mère fait quelques achats pour lui « faire un peu plus honneur sur la photographie ». Le héros est « un peu agacé de cette coquetterie ». Description d'une de « ces mers pâlies par le beau temps » qu'un tableau d'Elstir lui a appris à apprécier. Désir d'une « grande promenade sur la falaise » l'après-midi ; ce qu'a de particulier le temps d'une telle après-midi. Les réflexions du héros sont interrompues par « la sensation d'être regardé fixement ». Première rencontre avec Guercy : son portrait physique, ses mimiques, sa « gesticulation nerveuse ». Le héros le prend pour un escroc ou pour « un individu un peu détraqué ». Arrivée de la grand-mère du héros à qui celui-ci ne raconte pas la rencontre. Le héros se promène seul, et lors de son retour vers l'hôtel croise Mme de Villeparisis, Montargis et « l'inconnu aux moustaches noires », qui se révèle être « l'oncle Gurcy » et le « baron de Guermantes ».

Unité consacrée à la soirée chez la princesse de Guermantes, encadrée par deux unités plus courtes sur Guercy et le héros.
I. – f°s 39 r° inf., 40 r° sup. : « Tous les jours après le déjeuner arrivait <un gros et grand homme> [...] », le marquis de Guercy. Première tentative d'introduction à

la soirée Guermantes. Souvent, le héros épie Guercy qui traverse la cour pour se rendre chez « sa sœur Guermantes », « tous les jours de une heure à deux heures », sans qu'il y ait rencontre puisque le héros ne « sor[t] jamais à cette heure-là ». Le personnage mène une vie « extrêmement réglée » : visites et club dans la journée, puis théâtre ou soirées mondaines, mais « jamais chez les Guermantes […] excepté les jours de g^{de} soirée ».
« Pas de blanc », note de régie dans la partie supérieure du f° 40 r°.
II. – f°s 40 r° inf., 41 r°, 42 r°, 43 r°, 44 r°, 45 r°, 46 r°, 47 r° sup. : « La poésie qu'avaient perdu par la fréquentation ~~les~~ le Cte et la Ctesse de Guermantes s'était reportée pour moi sur le P^{ce} et la P^{cesse} de Guermantes. » D'après le père du héros, leur hôtel situé « rue de Solférino » est un « palais de conte de fées » ; le héros y rattache des souvenirs de « ~~Com~~[bray] ». Bien qu'il n'ait fait que les entrevoir chez le Comte et la Comtesse, le héros reçoit une invitation pour l'une de leurs soirées. Il craint une « mauvaise plaisanterie » et s'en ouvre à ses parents qui trouvent « plus "aimable" d'y aller ». La proposition de sa grand-mère de piquer une simple « rose du jardin » à sa boutonnière. Dans l'omnibus sur le pont de Solférino, nouveaux assauts de la peur. Comparaison de cette « minute […] anxieuse » où il entend son nom « retentir dans les salons Guermantes » avec une anecdote racontée par le médecin Thomas Huxley au sujet d'une dame souffrant d'hallucinations. La Princesse « caus[ant] sur une causeuse ». Au soulagement du héros, elle vient l'accueillir et il est ainsi « guéri de sa timidité ». Réflexions du narrateur qui « a reçu depuis bien des invitations inattendues ». Guercy et ses « yeux de marchand en plein vent ». Le héros tente de le saluer mais ne parvient qu'à « entrer par effraction dans son bonjour incessant et sans acception de personnes ». Mise en place rapide de la fin de la Soirée, suivie de ce qui semble un blanc d'attente : « On joua une petite opérette pour laquelle on n'avait pas invité de jeunes filles. Il en vint après et on dansa ».

f° 40 v° méd. : « Il semblait qu'un plaisir intact… ». L'émotion provoquée par le « pur nom » de Guermantes sur la carte d'invitation reçue par le héros.

III. – f°s 47 r° inf., 48 r°, 49 r° sup. : « <Comme je sortais du > vestibule <dans la cour> en bas je retrouvai le Mis de Gurcy… » Après la Soirée Guermantes, rencontre du Marquis qui d'abord ne fait « aucun mouvement signifiant » qu'il voit le héros, puis l'accueille favorablement et lui propose de « faire quelques pas » avec lui, le prenant « familièrement par le bras ». Mais il le retire « brusquement » dès qu'il aperçoit un autre invité, à qui il finit par présenter le héros avec « un luxe d'explications [qui] effac[e] pour [lui] la gentillesse de la présentation ».

f°s 49 r° inf., 50 r°, 51 r°, 52 r°, 53 r°, 52 v° sup., 54 r°, 55 r° : « Le Comte de Gurcy s'était assoupi ». Sans indication des circonstances, description de Guercy endormi, « vieux mais resté très beau », et comparé avec « sa propre figure funéraire ». Révélation soudaine de son homosexualité : « On dirait que c'est une femme ! […] J'avais compris, c'en était une ! C'en était une. » Pour le narrateur, il appartient à la « race » de ces « êtres contradictoires » qui ont un « idéal viril » et un « tempérament féminin ». Longue dissertation sur l'homosexualité. Comparaison des homosexuels avec Israël parce que comme lui « race <maudite,> persécutée », « ayant fini dans l'opprobre commun d'une abjection imméritée » par « prendre des traits communs ». Triple exclusion dont, objets de méconnaissance et de dégoût, ils sont victimes : de la famille, « de la patrie », de « leurs semblables » et amis. Parallèle entre une « psychologie de fantaisie » qui admet « qu'un homosexuel est facilement un assassin » et les juges « pour qui un juif était naturellement un traître ». Poursuite de la comparaison entre homosexuels et juifs : rivalités et solidarités ; parallèle avec une franc-maçonnerie « autrement puissante que la franc maçonnerie véritable ». Anti-homosexualité des homosexuels rapprochée de l'antisémitisme de « presque tous les juifs » – ainsi n'aimeront-ils pas ces pages, « les premières [...] depuis qu'il y a des hommes et qui écrivent qu'on [leur] ait consacré dans un esprit de justice ». Répugnance et incompréhension des autres hommes à l'égard des homosexuels ; allusion au « poète reçu dans tous les salons de Londres » et pourtant poursuivi.

f°s 50 v°, 51 v°, 52 v° inf. : « ~~Race en qui~~ Le mensonge où ~~elle~~ <il> est obligé de vivre au milieu des autres, il vit avec lui en lui-même ». Compléments : portrait des différentes catégories d'homosexuels. Les « solitaires », ceux qui « ne se plaisent qu'avec leurs coreligionnaires », les « bureaucrates farouches de leur vice », les « maternels épris de dévouement », mais « tous [...] ambitieux de ne frayer qu'avec ceux qui ne sont pas de leur race ». L'aspect romanesque de leur vie.

f°s 53 v°, 54 v° : « Parfois dans une <gare, dans un théâtre,> vous en avez remarqué de ces êtres délicats... » Difficulté de l'amour pour les homosexuels, « comme pour certains animaux, pour certaines fleurs, en qui les organes de l'amour sont si mal placés qu'ils ne trouvent presque jamais le plaisir ». Difficulté à trouver « non pas l'homme femme, mais la femme homme qu'il leur faut ».

f° 56 r° sup. : « le tiers et le quart ». Notes pour les idiolectes des personnages.

f°s 56 r° inf., 57 r°, 56 v° sup., 58 r°, 59 r°, 60 r°, 59 v° sup., 61 r°, 62 r°, 63 r°, 64 r°, 65 r°, 64 v°, 66 r°, 67 r°, 68 r°, 69 r°, 70 r°, 69 v° med., 71 r°, 70 v° sup. : « Sainte Beuve et Baudelaire ». Longue unité textuelle qui se poursuit dans le Cahier 6 sous le titre « Fin de Baudelaire » (f°s 10 r°-15 r°). Récit de la relation entre le poète et le critique, à charge contre Sainte-Beuve, sous la forme lâche d'une conversation avec Maman. Le refus de Sainte-Beuve de donner une lettre à Baudelaire en vue du procès des *Fleurs du Mal.* « Ste Beuve heureux de pouvoir venir en aide à son ami sans se compromettre », selon Eugène Crépet. « Une autre fois (et peut'être bien parce que Ste Beuve avait été publiquement attaqué par les amis de Baudelaire pour n'avoir pas eu le courage de témoigner pour lui en même temps que d'Aurevilly etc devant la Cour d'assises) » : l'article de Sainte-Beuve au moment de la candidature de Baudelaire à l'Académie française. *Les Fleurs du Mal* ou « la "Folie Baudelaire" ». Récit de la réponse de Baudelaire. Baudelaire se trompait-il sur lui-même ? Dialogue du héros avec sa mère : « Je comprends que tu n'aimes qu'à demi Baudelaire. Tu as trouvé dans ses lettres, comme dans celles de Stendhal, des choses cruelles, sur sa famille ». Commentaire de poèmes des *Fleurs du Mal.* La sensibilité de Baudelaire malgré sa cruauté apparente : l'exemple des « Petites vieilles ». Ses grands vers ; « les belles images de la théologie catholique » que l'on retrouve dans sa poésie ; « le pays de son génie », proche de celui de Gustave Moreau.

f°s 56 v° inf., 57 v°, 58 v°, 59 v° sup. : larges citations et commentaire de la lettre de Sainte-Beuve à Baudelaire sur *Les Fleurs du Mal*. Évocation du préambule que le critique lui a apporté dans les *Causeries du lundi*. « Avec Ste Beuve que de fois on est tenté de s'écrier : Quelle vieille bête ou quelle vieille canaille ».

f°s 69 v° sup. et inf., 70 v° med. et inf. : citations éparses de nombreux vers des *Fleurs du Mal* sans relation directe aux pages rectos, et commentaires allusifs.

Index

Index des renvois génétiques

Cahiers du corpus des Cahiers 1 à 75 et autres manuscrits cités ou mentionnés dans les notes de ce volume

Index des noms de personnes, de personnages, des lieux et des œuvres

L'orthographe des noms propres a été normalisée. Les crochets droits indiquent une référence indirecte.

Table des matières